10 001 Questions et réponses

sur le 20e siècle

1956 ~ 1975

PIERRE DUFAULT

10 001 Questions et réponses

sur le 20e siècle

1956 ~ 1975

ÉDITIONS DU MÉRIDIEN

Nous reconnaissons l'aide financière du Conseil des arts du Canada,
de la Société de développement des industries culturelles du Québec (SODEC)
et du gouvernement du Canada par l'entremise du Programme d'aide au développement
de l'industrie de l'édition (PADIÉ) pour nos activités d'édition.

Le Conseil des Arts | The Canada Council
DU CANADA | FOR THE ARTS
DEPUIS 1957 | SINCE 1957

Données de catalogage avant publication (Canada)

Dufault, Pierre, 1934-

    Le 20ᵉ siècle en 10 001 questions et réponses

    L'ouvrage complet comprendra 4 v.
    Comprend des réf. bibliogr. et un index.
    Sommaire : t. 1. 1990-1930 — t. 2. 1931-1955 — t. 3. 1956-1975.

    ISBN 2-89415-956-0 (v. 1)
    ISBN 2-89415-957-9 (v. 2)
    ISBN 2-89415-262-0 (v. 3)

    1. Vingtième siècle - Miscellanées. 2. Québec (Province) - Histoire - 20ᵉ siècle - Miscellanées. 3. Canada - Histoire - 20ᵉ siècle - Miscellanées. 4. États-Unis - Histoire - 20ᵉ siècle - Miscellanées. I. Titre.

D427.D83 1999   909.82   C99-941466-6

Éditions du Méridien
1980, rue Sherbrooke Ouest, bureau 540
Montréal (Québec) H3H 1E8

Téléphone : (514) 935-0464
Adresse électronique : info@editions-du-meridien.com
Site Web : www.editions-du-meridien.com

Mise en page : Rive-Sud Typo Service inc.

ISBN : 2-89415-262-0

© Éditions du Méridien 2000
Dépôt légal : premier trimestre 2000
Bibliothèque nationale du Québec
Bibliothèque nationale du Canada

À mes enfants Diane, Pierre et Martin
pour leur amour et leur appui.

PRÉFACE

par

Daniel Johnson

Ce qu'il en faut de discipline, de rigueur et surtout de patience, pour organiser de façon logique et intéressante, donc «comestible», les jalons du XXᵉ siècle que Pierre Dufault a consignés dans les tomes qu'il offre aux férus et amateurs d'histoire. Mais ces trois qualités n'étaient pas toujours apparentes parmi les participants, dont j'étais, lors des soirées qui ont servi d'essai sur route pour une bonne partie de ces ouvrages : nous faisions quelquefois la vie dure à notre sympathique et sérieux concepteur-meneur de la version jeu, car elle se déroulait le vendredi soir de six heures à onze heures ! Je remercie l'auteur d'avoir eu l'amabilité de toujours m'inviter à me joindre au groupe des panélistes trimestriels ; je me félicite d'avoir eu l'excellente idée de souvent accepter, et le prie de bien vouloir recommencer !

En effet, quel plaisir que de voir ce professionnel au travail, ce qui ne devrait surprendre personne pour qui connaît un tant soit peu la carrière de Pierre Dufault. Ce qui est moins connu, c'est l'étendue et la profondeur de ses connaissances : un authentique collectionneur de dates, de noms, d'événements et de lieux, qui sait aussi raconter le siècle. Ce qui est remarquable chez lui, ce n'est pas tant une mémoire peu commune, mais un enthousiasme qui n'a d'égal que l'intérêt qu'il porte à tous ces sujets...ce qui explique qu'il s'en souvienne !

Comme tous ceux qui sont passionnés d'histoire, Pierre Dufault veut convaincre ses interlocuteurs, ses lecteurs, ses auditeurs, de partager avec lui le bonheur que procurent la découverte des hauts faits et des grand noms du siècle que nous quittons, leur contribution à notre passé, leur capacité de nous inspirer, ou tout simplement l'occasion d'en faire les éléments d'un stimulant jeu de société, où les réponses appellent d'autres questions.

Cette courte présentation serait incomplète si je ne soulignais pas le souci constant de Pierre Dufault, de toujours promouvoir l'usage d'un français correct, qu'il s'agisse du mot juste, de l'expression appropriée, et des tournures populaires de bon aloi : un exemple à suivre, qui justifierait qu'on l'intronise dans l'Ordre de la Pléiade.

Je vous souhaite bonne lecture : nostalgie garantie aux moins jeunes, et d'innombrables découvertes pour tous !

Daniel Johnson
janvier 2000

INTRODUCTION

Abstraction faite des horreurs des deux guerres mondiales, aucune décennie du XXe siècle n'aura été aussi bouleversante que celle des années 60. Jamais dans l'histoire nous n'avions assisté à pareille turbulence politique, économique, technologique et sociale, dans un aussi grand nombre de pays.

Depuis 1930, les peuples de la terre avaient été étouffés par la grande dépression, un long et sanglant conflit suivi d'une étonnante reprise économique qui redonna le goût et le désir aux habitants de la planète de faire maison nette et de repartir à zéro. Malgré les risques d'une guerre nucléaire et la haine savamment cultivée par les dirigeants des pays des blocs de l'Est et de l'Ouest envers leurs ennemis respectifs, la gestation d'une crise sociale appréhendée allait prendre naissance à la fin des années 50, pour accoucher dix ans plus tard d'un bouleversement social surtout, mais politique et économique aussi, qui allait miner et éventuellement transformer notre philosophie de la vie telle que nous la cultivions depuis toujours. Notre système des valeurs, pour le meilleur ou/et pour le pire, ne serait plus jamais le même. Traditions, habitudes, idéologies, moralité, discipline, religion, conventions, tolérance, et soumission allaient être brutalement remises en question partout dans le monde. Même chez nous au Canada, quoi que de manière moins explosive qu'ailleurs.

En temps normal, la prospérité est synonyme de stabilité et de paix. Les années 60 auront toutefois fait exception à cette règle. Ironiquement, malgré un niveau de vie plus élevé que jamais dans l'histoire de l'Amérique du Nord, le phénomène de la contestation est devenu la règle avec comme bougie d'allumage la guerre du Vietnam. Assassinats, révolutions, guerres à la douzaine partout dans le monde, répression des pays qui réclament leur indépendance, revendications légitimes des Noirs américains, soulèvement des étudiants du monde contre les pouvoirs établis, protestations anti-nucléaires, émancipation de la femme, droit à l'avortement, hégémonie communiste et visées de plus en plus socialisantes des pays européens, tel était le scénario. Bref, un climat de tension universelle propice à la manifestation des aspirations et des états d'âme des plus opprimés.

Ce troisième tome ne laisse rien au hasard. Les 2844 questions réparties sur cinq chapitres ne sont hélas qu'un survol des événements qui ont précédé ces années soixante, folles de rebondissements et celles qui les ont suivies. Les 50 ans et plus devraient se retrouver rapidement dans leurs souvenirs.

Bienvenue à la période 1956-1975

LE 20e SIÈCLE EN 10 001 QUESTIONS
(Et réponses)

EST-IL UN JEU?

Il n'a pas été conçu dans ce but précis. L'ouvrage est avant tout une source de référence pour ceux qui s'intéressent à l'histoire du 20ᵉ siècle. Mais l'idée d'en faire un jeu n'a jamais été étranger au premier objectif. Qui n'aime pas les jeux, les concours ?

Dans cette optique, je vous propose de le soumettre à vos proches et amis comme un questionnaire de connaissances générales sur le 20ᵉ siècle. Vous pourrez le faire à un contre un ou mieux encore, en équipes de deux participants ou plus. Conscient de cette option, j'ai voulu récompenser ceux qui trouveraient réponse à certaines questions jugées plus difficiles que d'autres. Or, vous trouverez au fil de la lecture des réponses bonifiées d'un, deux ou trois points. Tout cela en tenant pour acquis qu'une bonne réponse ordinaire vaut un point.

Dans un deuxième temps, vous trouverez des questions qui offrent un choix multiple de réponses et d'autres qui vous offrent un jeu de plus ou moins lorsqu'il s'agit de donner une réponse en chiffres.

Il vous appartient d'en faire ce que vous voudrez. Toutes les options sont ouvertes à votre imagination. L'important, c'est de vous amuser tout en revivant votre siècle.

POLITIQUE - CONFLITS

Chapitre I

« Pour nous en Russie, le communisme est un chien mort, alors que pour plusieurs dans l'Ouest, c'est toujours un lion bien vivant ».
Alexandre Soljénitsyne, écrivain soviétique, 1979.

« Durant toute ma vie, je savais qu'on ne pouvait pas faire confiance aux experts. Comment ai-je pu faire preuve d'autant de stupidité en les laissant faire ».
John F. Kennedy, réflexion sur l'attaque de la Baie des Cochons, 1961.

« Mesdames, Messieurs, j'ai maintenant le plaisir de vous présenter ce grand artisan de la paix au Moyen-Orient, le président d'Israël, Anouar Al Sadate ».
Gérald Ford, président des États-Unis.
Lors d'une réception officielle tenue dans le jardin des roses à la Maison Blanche. 1975.

« Un homme d'État est un politicien que se met au service de la nation. Un politicien est un homme d'État qui met la nation à son service ».
Georges Pompidou, président de la République française, 1973.

SYNOPSIS

En 1956, la guerre froide que se livraient l'U.R.S.S. et les États-Unis laissait présager les pires scénarios. La vision apocalyptique d'une guerre nucléaire hantait les dirigeants des deux camps qui n'avaient d'autre choix que d'empiler des stocks énormes d'armes et d'étendre leurs zones respectives d'influence auprès des pays nouvellement constitués ou désireux de le devenir. Aux États-Unis, tout le reste importait peu car sur le plan économique, c'était le beau fixe. On était encore loin des bouleversements sociaux et politiques qui allaient surgir presque sans avertissement durant les années 60. Après tout, pourquoi changer une recette gagnante, celle de la société de consommation qui n'ayant jamais connu pareille prospérité économique, n'avait plus qu'une seule préoccupation : celle de consommer davantage ? Sauf que le déséquilibre des richesses et de la croissance allait conduire à une manifestation de colère chez les plus démunis, particulièrement ceux des pays du tiers-monde. La liberté et l'indépendance politique étaient pour eux, la richesse la plus précieuse. L'effritement du colonialisme, en Afrique notamment, allait entraîner des répercussions sanglantes et une course folle vers les alliances économique et militaire avec les puissances des blocs communiste et occidental.

Aux États-Unis, les revendications des Noirs recevaient une attention plus que favorable auprès des présidents Kennedy et Johnson. Au Canada, on s'échangeait des gouvernements minoritaires, quatre en cinq élections tenues en huit ans. Au Québec, la révolution tranquille de Jean Lesage revigorait une population en mal de changements. Notre monde était en pleine ébullition et malgré un niveau de vie de rêve pour la classe moyenne, les minorités, les jeunes surtout, déchantaient. La guerre du Vietnam et les mouvements de contestation qui allaient suivre contribueraient plus que tout autre événement, à plonger le monde dans une croisade de paix et soi-disant d'amour. Concilier cette philosophie à l'allure répressive des pouvoirs établis, ne pouvait qu'engendrer la confrontation qui allait conduire le monde à des douzaines de guerres régionales, à la création d'un mouvement indépendantiste au Québec (suivie de près de l'élection d'un farouche opposant à la tête du pays), à une crise du pétrole, à la démission d'un président américain et à une philosophie de vie qui aurait été inimaginable dix ans plus tôt. 1956-1975, la période la plus bouleversante et la plus énigmatique du siècle. Pour plusieurs, la plus excitante aussi.

DEGRÉ DE DIFFICULTÉ - Moyenne à difficile.

NOMBRE DE QUESTIONS - 653

NOMBRE DE QUESTIONS RÉSERVÉES AU CANADA - 224 (dont 104 au Québec)

MOYENNE SUR 653 - 34,3 %

1) NOMMEZ la première femme de l'histoire du Canada à être nommée au cabinet par le premier ministre canadien John Diefenbaker en 1957.

    ELLEN FAIRCLOUGH (secrétaire d'État). (Bonne réponse=1 point de plus)

2) QUEL avion militaire à réaction supersonique construit par A.V. Roe à Toronto, a volé pour la première fois le 25 mars 1957? Il était considéré comme l'un des avions de chasse les plus sophistiqués de son temps.

    CF-105 ARROW (sept ont été construits avant que le gouvernement ne mette fin à sa production en 1959)

3) C'est en 1962 que la Commission royale d'enquête sur le bilinguisme et le biculturalisme a été instituée par le gouvernement fédéral. Ses Coprésidents étaient : André Laurendeau et QUI?

    DAVIDSON DUNTON (recteur de l'université Carleton d'Ottawa)

4) QUI a été le premier conseiller du président Richard Nixon à témoigner lors de l'enquête sénatoriale dans l'affaire Watergate en 1973?

    JOHN DEAN

5) COMMENT a-t-on appelé la 3e guerre israélo-arabe déclenchée le 5 juin 1967 par les forces israéliennes contre l'Égypte et ses voisins arabes?

    LA GUERRE DES SIX JOURS (dans ce laps de temps, l'aviation israélienne a détruit plus de 85 % des avions égyptiens, syriens, irakiens et jordaniens)

6) QUELLE nation est devenue en 1974 la sixième au monde à posséder une bombe à ogive nucléaire?

    L'INDE (les autres étaient alors les É.-U., la G.-B., la France, l'U.R.S.S .et la Chine)

7) QUEL parti politique canadien a changé de nom en 1961? QUEL nouveau nom s'est-il donné?

    LE C.C.F. EST DEVENU LE N.P.D. (Nouveau parti démocratique)

8) COMBIEN de membres du Parti québécois ont été élus lors de l'élection provinciale de 1970?

    SEPT

9) Deux élections générales sont tenues en Grande-Bretagne en 1974. Les deux sont gagnées par le même parti qui obtient lors du 2e scrutin un vote majoritaire. QUEL était ce parti et QUI était son leader?

    PARTI TRAVAILLISTE - HAROLD WILSON (2 points pour la 2e réponse)

10) Après 78 ans de colonialisme britannique, cet archipel de l'océan Indien obtient son indépendance en 1965. NOMMEZ-le.

    LES MALDIVES

11) COMMENT se nomme le port nord-vietnamien situé près du golfe du Tonkin et de la capitale Hanoï, et qui a été ravagé par les bombardements américains à la fin de 1972 et le début de 1973?

HAIPHONG

12) QUI était le commandant de la Strategic Air Command des États-Unis depuis 1945 et qui favorisait le bombardement de Cuba durant la crise des missiles en 1962?

GÉNÉRAL CURTIS LeMAY (bonne réponse=1 point de plus)

13) QUI a succédé à Solon Low comme chef national du Crédit social en 1961?

ROBERT THOMPSON (bonne réponse=2 points de plus)

14) Afin de coordonner les moyens de défense aérienne en Amérique du Nord, les gouvernements américain et canadien ont créé en 1957 un organisme d'aide mutuelle. COMMENT l'a-t-on nommé?

NORAD (North American Air Defence Command)

15) QUI a été nommé au poste de gouverneur général du Canada le 5 octobre 1973?

JULES LÉGER (il a succédé à Roland Michener)

16) Lors de la campagne présidentielle américaine de 1964, QUI a été choisi au sein du Parti républicain pour faire la lutte à Lyndon B. Johnson?

BARRY GOLDWATER (sénateur de l'Arizona)

17) QUELLE ville vietnamienne, ancienne capitale de ce pays, tombe aux mains du Viet Cong lors de l'offensive du Têt de 1968?

HUE

18) Ce n'est qu'en 1971 que ce pays européen, à la suite d'un référendum, accorde le droit de vote aux femmes pour les élections au fédéral. NOMMEZ ce pays.

LA SUISSE (dernier pays européen à accorder ce droit. Le vote a été très serré)

19) NOMMEZ un des deux slogans du Parti libéral du Québec lors de la campagne menant aux élections provinciales de 1960.

C'EST LE TEMPS QUE ÇA CHANGE - ou - MAINTENANT OU JAMAIS (les Libéraux ont enlevé 51 des 95 sièges). (2 réponses=2 points)

20) NOMMEZ l'ancienne colonie britannique qui est devenue en 1957 le premier territoire colonial africain à obtenir son indépendance.

LA CÔTE D'OR (devenue depuis: le Ghana)

21) En octobre 1962, le premier de 200 nouveaux chasseurs supersoniques canadiens s'est envolé vers la base canadienne de l'OTAN à Zweibrücken en Allemagne de l'Ouest. QUEL était ce type d'appareil?

CF-104 STARFIGHTER (construit par Lockeed). (Bonne réponse=2 pts de plus)

22) COMBIEN de sièges les Conservateurs de John Diefenbaker ont-ils gagnés lors des élections fédérales de 1958? Il s'agissait d'un chiffre record.

208 (jeu de 3 sièges + ou -)

23) Lors des élections présidentielles françaises de 1965, QUEL candidat a été battu au 2ᵉ tour de scrutin par Charles de Gaulle?

FRANÇOIS MITTÉRAND (De Gaulle a obtenu 54,7% des votes)

24) La guerre civile au Laos prend fin en 1973 après 20 ans de combats. Avec QUEL mouvement politique communiste le premier ministre Souvanna Phouma a-t-il signé un cessez-le-feu?

LE PATHET LAO (il formera un gouvernement de coalition avec Phouma qui bénéficie de l'appui des États-Unis). (Bonne réponse=1 point de plus)

25) QUEL est le nom de l'hôtel de Los Angeles où Robert Kennedy a été assassiné en 1968?

AMBASSADOR

26) En 1975, la guerre civile éclate entre les Musulmans et QUELLE milice chrétienne de droite au Liban?

LA PHALANGE (ses membres sont plus nombreux que l'armée nationale)

27) Après avoir été élu député libéral aux élections de 1966, il est devenu en 1967 le premier député indépendantiste à siéger à l'Assemblée nationale. QUI était-il?

FRANÇOIS AQUIN

28) QUI a été élu premier leader du Nouveau parti démocratique lors de son congrès national tenu à Ottawa en 1961?

TOMMY DOUGLAS (alors premier ministre de la Saskatchewan)

29) Alors qu'il revenait d'une conférence à Singapour en 1971, le président de l'Ouganda est relevé de ses fonctions par une faction militaire ayant à sa tête le général Idi Amin. QUI était ce président qui reprendra son poste en 1980?

APOLLO MILTON OBOTE (bonne réponse=2 points de plus)

30) Dans QUEL quartier noir de la ville de Los Angeles des émeutes ont-elles fait 34 morts et des millions de dollars de dégâts causés par le vandalisme et des incendies en 1965?

WATTS

31) À bord de QUEL navire de guerre français le président de la République française, Charles de Gaulle, est-il arrivé à Québec en 1967 ?
     LE COLBERT (un croiseur)

32) QUEL pays africain, ancienne colonie allemande avant 1916, a obtenu son indépendance de la France en 1960 et de la Grande-Bretagne en 1961 ?
     LE CAMEROUN

33) QUI était ministre de la Défense nationale de l'État d'Israël lors de la guerre des Six Jours en 1967 et celle du Yom Kippour en 1973 ?
     MOSHE DAYAN

34) QUEL gouvernement provincial du Canada a annoncé dans son budget de 1975 une diminution de 28 % de l'impôt sur le revenu des particuliers, faisant de cette province la moins taxée au Canada ?
     L'ALBERTA

35) En 1964, une première dans les relations interprovinciales : une province emprunte à une autre. NOMMEZ la province dont le gouvernement a emprunté 100 millions de dollars à celui de la Colombie-Britannique.
     LE QUÉBEC

36) Ce gouverneur de l'État de l'Alabama a été sérieusement blessé lors d'un attentat au pistolet par un employé de restaurant de 21 ans, à Laurel au Maryland en 1972. Paralysé de la taille jusqu'aux pieds, il s'est retiré de la course présidentielle. QUI était-il ?
     GEORGE WALLACE

37) Ce territoire est devenu en 1959 le 50e État américain. NOMMEZ-le.
     HAWAII

38) Lorsque Charles de Gaulle a été élu pour un autre septennat en 1965, il devenait le premier président français à être élu au suffrage universel depuis QUI et QUAND ?
     LOUIS NAPOLÉON BONAPARTE - EN 1848 (un point par réponse)

39) Des 208 sièges remportés par les Conservateurs aux élections fédérales de 1958, COMBIEN ont été gagnés au Québec ?
     CINQUANTE (du jamais vu)

40) Entre 1948 et 1972, QUEL président a remporté la victoire avec le plus fort total du vote populaire de toute l'histoire des États-Unis ?
     LYNDON JOHNSON (en 1964 : 43 millions contre 27 millions pour Goldwater)

41) Peu de temps après avoir été élu député de l'Union nationale dans Bagot en 1968, il a publié un livre titré *L'Union vraiment nationale*. QUI était-il ?
     JEAN-GUY CARDINAL

42) En 1969, on apprend que des soldats américains avaient froidement abattu plus de 400 hommes, femmes et enfants sud-vietnamiens 18 mois plus tôt. À la suite de ce massacre, 270 soldats américains seront reconnus coupables de meurtre et de viol. QUEL était le nom du village où ont eu lieu ces atrocités?

MAI LAI (bonne réponse=1 point de plus)

43) En QUELLE année le Conseil législatif a-t-il été aboli au Parlement de Québec? Et QUEL premier ministre s'en est fait le parrain?

1968 - JEAN-JACQUES BERTRAND (le Conseil législatif était l'équivalent du Sénat à Ottawa. Le Québec avait été jusque-là la seule province canadienne avec un Parlement à deux chambres). (2 bonnes réponses=2 points de plus)

44) NOMMEZ le secrétaire général de l'O.N.U. qui a été tué dans un accident d'avion en 1961 au Congo. On soupçonne que l'avion a été abattu par des forces opposées à sa médiation dans le conflit qui oppose la province rebelle du Katanga aux nouveaux dirigeants du Congo.

DAG HAMMARSKJÖLD (Suédois. Il a exercé ses fonctions de 1953 à 1961)

45) Il a été ministre du Revenu puis ministre de la Santé sous Jean Lesage entre 1963 et 1966. Il a été ensuite entre 1968 et 1971, ministre des Postes puis ministre des Communications dans le cabinet Trudeau. QUI était cet homme politique?

ERIC KIERANS

46) QUELLE nation est intervenue militairement pour mettre fin à l'intervention des troupes pakistanaises dans la partie orientale du Pakistan qui venait de proclamer son indépendance et qui allait devenir le Bangladesh?

L'INDE (les combats ont duré deux semaines et ont mené à la capitulation des Pakistanais)

47) Ce pays africain obtient son indépendance en 1960. En 1975, il change de nom sous un régime marxiste et devient le Bénin. COMMENT s'appelait-il avant 1975?

LE DAHOMEY

48) QU'A institué le gouvernement du Canada en 1964 pour faciliter l'enregistrement, l'administration et la comptabilisation du ministère du Revenu, de la Commission de l'assurance-chômage et du Régime des pensions du Canada?

LE NUMÉRO D'ASSURANCE-SOCIALE

49) NOMMEZ le vice-président américain qui a résigné ses fonctions en 1973 après avoir été reconnu coupable d'évasion fiscale.

SPIRO AGNEW (Il a été condamné à une amende de 10 mille dollars et soumis à une probation d'une durée de 3 ans)

50) QUI était le commandant en chef de l'aviation israélienne qui durant la guerre des Six Jours de 1967 a détruit plus de 350 avions, la plupart au sol, de l'Égypte, de la Syrie, de l'Irak et de la Jordanie?

MORDECAI HOD (sa stratégie a été qualifiée par les historiens comme une des plus brillantes de toute l'histoire de l'aviation). (Bonne réponse=3 points de +)

51) Après avoir annoncé l'annulation de la production de l'avion supersonique canadien CF-105 Arrow, QUELLE arme de défense le gouvernement canadien a-t-il choisie en 1959 pour remplacer le Arrow?

LE MISSILE AMÉRICAIN BOMARC (bonne réponse=1 point de plus)

52) QUI a été choisi en 1971 pour succéder à Tommy Douglas comme leader national du Nouveau parti démocratique?

DAVID LEWIS

53) Le gouvernement de ce pays démocratique européen a été renversé en 1967 par une junte militaire qui imposera son régime de droite au cours des sept années suivantes. NOMMEZ ce pays.

LA GRÈCE

54) En 1974, le budget des dépenses militaires représentait 6 % du PNB des États-Unis. QUEL pourcentage du PNB, l'U.R.S.S. accordait-elle à ces dépenses?

TREIZE POUR CENT (jeu de 2 % + ou - alloué)

55) QUI est devenu premier ministre du Québec à la suite du décès de Paul Sauvé en janvier 1960?

ANTONIO BARRETTE

56) À titre de président du Parti progressiste conservateur du Canada, il a joué un rôle important dans la décision du parti d'évincer John Diefenbaker de son poste de leader du parti en 1967. QUI était cet homme?

DALTON CAMP (bonne réponse=1 point de plus)

57) À QUI le général Charles de Gaulle a-t-il succédé à la présidence de la République française en 1958?

RENÉ COTY

58) COMMENT étaient appelés ceux qui menaient la population chinoise à la révolte contre la bourgeoisie et l'individualisme durant la période de la sanglante Révolution culturelle entre 1966 et 1976?

LES GARDES ROUGES

59) QUI était le secrétaire d'État américain au moment de la crise des missiles de Cuba en 1962?

DEAN RUSK

60) Ce remarquable homme politique a été élu premier ministre de la Nouvelle-Écosse en 1956 et est demeuré à ce poste jusqu'en 1967. QUI était-il?

ROBERT STANFIELD

61) QUEL était le nom du lieutenant américain à la tête de la compagnie de soldats qui a tué plus de 400 civils sud-vietnamiens dans le village de Mai Lai en 1968?

WILLIAM CALLEY (bonne réponse=1 point de plus)

62) QUELLE importante nation asiatique a finalement été admise à l'O.N.U. en 1956 après que l'U.R.S.S. ait cessé d'imposer son droit de veto pour l'en empêcher?

LE JAPON

63) QUEL général est devenu président de l'Ouganda après avoir réussi à évincer Milton Obote en 1971?

IDI IMIN DADA

64) QUI était le lieutenant québécois du chef du Parti conservateur du Canada, Robert Stanfield, lors de l'élection fédérale de 1968? C'est lui qui avait convaincu Stanfield d'adopter la thèse des Deux Nations comme slogan électoral au Québec.

MARCEL FARIBAULT (il était un homme d'affaires)

65) En 1963, Yasser Arafat et ses compagnons d'armes fondent un mouvement terroriste dont l'objectif est de libérer la Palestine. QUEL nom lui ont-ils donné?

AL FATAH (signifie «conquête»)

66) QUELLE expression erronée (impropre) était couramment utilisée durant les années 60 lors de la présentation du rapport Fulton-Favreau pour décrire la «canadianisation» de la constitution canadienne? L'expression est demeurée courante depuis lors.

RAPATRIEMENT DE LA CONSTITUTION (il s'agissait d'amender une constitution déjà existante afin de la rendre plus «canadienne»)

67) Ce cardinal hongrois s'est réfugié à l'ambassade américaine en 1956 lors de la révolution hongroise qu'ont écrasée les troupes soviétiques et y est demeuré durant 15 ans. En 1971, il a accepté de s'exiler à Rome. QUI était-il?

JOZSEF MINDSZENTY (bonne réponse=2 points de plus)

68) Lorsque Gérald Ford a succédé à Richard Nixon, contraint de démissionner en 1974, il a choisi un nouveau vice-président pour succéder à Spiro Agnew, lui aussi démissionnaire. QUI était ce nouveau vice-président?

NELSON ROCKEFELLER (c'était la première fois dans l'histoire des É.-U. que le président et le vice-président accédaient à leurs postes sans être élus)

69) Entre 1957 et 1974, COMBIEN d'élections fédérales n'ont pas réussi à donner un gouvernement majoritaire au Parlement d'Ottawa ?

CINQ (1957, 1962, 1963, 1965 et 1972) (d'un total de 8 élections en 18 ans). (Un point de plus par année d'élections)

70) NOMMEZ l'assassin de Robert Kennedy, abattu en 1968 à Los Angeles.

SIRHAN SIRHAN

71) QUI détenait le portefeuille de ministre de l'Éducation du Québec de 1972 à 1975 ?

FRANÇOIS CLOUTIER (bonne réponse=1 point de plus)

72) En 1957, la puissante centrale syndicale américaine AFL-CIO a expulsé les Teamsters à la suite d'accusations de fraude portées contre son président. En 1950, les Teamsters se donnent un nouveau président qui en fait un des plus puissants syndicats de travailleurs américains. QUI était ce président ?

JAMES HOFFA

73) NOMMEZ le secrétaire de guerre de Grande-Bretagne qui a été contraint de démissionner en 1963 après qu'il eut été accusé d'avoir eu une relation sexuelle avec une prostituée. QUI était-il ? Et QUEL était le nom de la prostituée ?

JOHN PROFUMO - CHRISTINE KEELER (2 réponses=2 points de plus)

74) QUEL candidat a été choisi lors de la convention démocrate de 1968 à Chicago, pour faire la lutte à la présidence à Richard Nixon ?

HUBERT HUMPHREY

75) NOMMEZ le roi d'Arabie Saoudite qui a été assassiné par un de ses neveux en 1975. Sur le trône depuis 1964, ce roi avait conduit sa nation à l'avant-plan du monde arabe en matière d'économie et de médiation.

FAIÇAL

76) Trois pays producteurs de pétrole décident en 1975 de nationaliser les industries de pétrole étrangères : Dubaï, l'Irak et QUELLE autre nation non-arabe ?

LE VENEZUELA (après 61 ans de domination étrangère)

77) Élu en 1970, il allait connaître le plus long règne de l'histoire du Nouveau-Brunswick au poste de premier ministre. QUI était-il ?

RICHARD HATFIELD (il est demeuré en poste jusqu'en 1987)

78) En 1961, en pleine période de déstalinisation en URSS, le gouvernement de Nikita Khrouchtchev change le nom de la ville de Stalingrad. QUEL nom lui a-t-on donné ?

VOLGOGRAD (ex-Tsaritsyne, ex-Stalingrad)

79) Le règne de 13 ans des Conservateurs prend fin en Grande-Bretagne en 1964. Le plus jeune premier ministre de l'histoire de ce pays dirige les Travaillistes à la victoire. Il n'a que 48 ans. QUI est-il?
HAROLD WILSON

80) Après 31 mois de guerre civile, cette province sécessionniste du Nigéria capitule et est rapidement divisée en trois États par le gouvernement du pays. QUEL était le nom de cette province?
LE BIAFRA

81) QUEL premier ministre a unilatéralement déclaré l'indépendance de la Rhodésie en 1965? Sévèrement sanctionné par la Grande-Bretagne et la plupart des nations du monde, il a banni tous les partis politiques noirs. Il a réussi à s'accrocher au pouvoir jusqu'en 1978.
IAN SMITH

82) NOMMEZ celle qui a été nommée ministre de la Santé et du Bien-Être dans le cabinet Pearson en 1963.
JUDY LAMARSH

83) QUI était le directeur de la CIA, responsable du débarquement avorté dans la Baie des Cochons par les forces ex-cubaines et anti-castristes en 1961?
ALLEN DULLES (frère de l'ex-secrétaire d'État John Foster Dulles)

84) Cette colonie britannique d'Amérique latine s'est vue accorder une certaine autonomie en 1964 et a changé de nom en 1973. LEQUEL?
LE BELIZE (ex-Honduras Britannique. L'indépendance a été acquise en 1981)

85) COMMENT se nommaient les catholiques du Liban lors de la guerre civile de 1975?
MARONITES

86) NOMMEZ celui qui a succédé à Leslie Frost comme premier ministre de l'Ontario en 1961.
JOHN ROBARTS (conservateur)

87) QUEL diplomate de carrière a été choisi pour succéder à U Thant au poste de secrétaire général de l'O.N.U. en 1971?
KURT WALDHEIM (un Autrichien)

88) Lorsque la Communauté économique européenne a été créée en 1957, six nations en étaient membres : la France, la Belgique, les Pays-Bas, l'Allemagne, l'Italie et QUELLE autre nation?
LE LUXEMBOURG

89) QUELLE petite république s'est unie au Tanganyika en 1964 pour constituer le nouvel État indépendant de la Tanzanie?
LE ZANZIBAR (une île). (Bonne réponse=1 point de plus)

90) QUELLE mesure de protection pour le président John Kennedy n'a pas été utilisée lors de son parcours dans les rues de Dallas en 1963? Pourtant, dans les jours précédents à San Antonio, Houston et Fort Worth, cette mesure de sécurité avait été appliquée.

LE TOIT TRANSPARENT ANTI-BALLES DE SA LIMOUSINE

91) QUEL sénateur démocrate du Tennessee a présidé une Commission d'enquête sénatoriale sur le crime organisé en 1951? Les audiences ont été tenues devant les caméras de télévision.

ESTES KEFAUVER (bonne réponse=1 point de plus)

92) NOMMEZ la ville québécoise où les travailleurs des mines de la Gaspé Copper Mines ont déclenché une grève qui a duré sept mois en 1957. Malgré l'appui de deux syndicats québécois et de celui de la United Steelworkers of America, les grévistes ont perdu la bataille.

MURDOCHVILLE

93) Ce pays d'Amérique latine, colonie des Pays-Bas, s'est donné un nouveau nom en 1948 mais n'a accédé à l'indépendance qu'en 1975. NOMMEZ-le.

LE SURINAME (ancienne Guyane hollandaise)

94) NOMMEZ le seul premier ministre libéral de la Saskatchewan entre 1944 et la fin du siècle. Il a dirigé la province de 1964 à 1971.

ROSS THATCHER (bonne réponse=2 points de plus)

95) En 1970, des soldats de la garde nationale ouvrent le feu sur des étudiants qui protestaient contre la guerre au Vietnam. Quatre sont tués et neuf autres blessés lors de la fusillade. Sur le campus de QUELLE université de l'Ohio cela s'est-il produit?

KENT STATE

96) Lorsque le gouvernement de Robert Bourassa a fait adopter la loi 22 en 1974, il a provoqué un commentaire cinglant de la part de Pierre Trudeau qui a dit qu'il s'agissait là d'une manifestation de «nationalisme...». COMPLÉTEZ.

TRIBAL (bonne réponse=2 points de plus)

97) En 1963, la France utilise son droit de veto pour empêcher QUELLE nation de devenir membre de la Communauté économique européenne?

LA GRANDE-BRETAGNE

98) Outre les Sunnites et les Chiites, QUELLE autre faction musulmane minoritaire a participé à la guerre civile du Liban en 1975?

LES DRUZES

99) QUI a été nommé chef du Parti national NPD en 1975?

ED BROADBENT

100) En QUELLE année les soldats américains ont-ils officiellement mis fin à leurs combats contre les forces communistes vietnamiennes après la signature des accords de Paris?

1973

101) Lorsque John Kennedy a été assassiné à Dallas en 1963, un autre politicien qui prenait place sur le siège avant de la limousine a été atteint d'une balle tirée par Lee Harvey Oswald. QUI était-il?

EDWARD CONNALLY (gouverneur du Texas. Il a été légèrement blessé)

102) Depuis l'accession à l'indépendance, COMBIEN de guerres l'Inde et le Pakistan se sont-elles livrées?

TROIS (1947, 1965 et 1971)

103) En 1975, le premier ministre Trudeau a institué une mesure économique radicale pour contrer une inflation galopante au Canada. LAQUELLE?

LE GEL DES PRIX ET DES SALAIRES

104) Le nom de code *Musketeer* a été donné à QUELLE importante opération militaire en 1956?

L'INVASION DE LA RÉGION DU CANAL DE SUEZ (par les troupes britanniques, françaises et israéliennes contre les forces égyptiennes)

105) En QUELLE année l'historique conférence fédérale provinciale des premiers ministres a-t-elle eu lieu à Victoria en Colombie-Britannique?

1971 (historique surtout pour le Québec qui a dit NON à l'offre d'Ottawa)

106) La République arabe unie a été créée en 1958. Le président Nasser d'Égypte en a été nommé le chef. Outre l'Égypte et le Soudan, QUELLE troisième nation faisait partie de cette union?

LA SYRIE

107) En 1962, les autorités soviétiques échangent le pilote américain Gary Powers aux autorités des États-Unis contre QUEL espion soviétique détenu par les Américains? Powers avait été capturé en 1960 après que son avion U-2 eut été abattu au-dessus du territoire de l'U.R.S.S. par un missile.

RUDOLF ABEL (bonne réponse=2 points de plus)

108) QUELLE nation européenne a décidé en 1966 de se retirer de l'O.T.A.N. et a en plus demandé aux pays membres de cet organisme de retirer leurs soldats de son territoire dans un délai d'un an?

LA FRANCE

109) QUELLE importante île située au sud du Japon et qui avait été le théâtre de sanglants combats en 1945, a été remise au gouvernement du Japon par les États-Unis en 1972?

OKINAWA (principale île de l'archipel des Ryukyu)

110) NOMMEZ celui qui a été élu septième chef de l'Union nationale en 1974.

MAURICE BELLEMARE

111) QUEL dirigeant du Moyen-Orient a expulsé quinze mille techniciens et conseillers soviétiques de son pays en 1972?

ANOUAR AL SADATE (Égypte. Mais il n'a pas interrompu la livraison d'armes)

112) Après avoir été écrasés par les forces armées du roi Hussein en 1970, les leaders des forces palestiniennes choisissent de déménager leurs quartiers généraux, jusque-là installés en Jordanie, dans QUEL autre pays?

AU LIBAN

113) À la suite du fiasco de la crise de Suez à la fin de 1956, le premier ministre Anthony Eden de Grande-Bretagne résigne ses fonctions au début de 1957. Il donne comme raison de sa démission sa santé chancelante. QUI lui a alors succédé?

HAROLD MACMILLAN (Parti conservateur)

114) NOMMEZ le lieutenant-gouverneur du Québec qui a perdu la vie lors de l'incendie de sa résidence de Québec, le Bois-de-Coulonge, en 1966.

PAUL COMTOIS

115) Outre le Pakistan, QUELLE autre nation asiatique a livré une brève guerre à l'Inde en 1962?

LA CHINE (le conflit a duré un mois et les troupes chinoises ont quitté le territoire indien)

116) QUEL nom, emprunté d'un porte-avions du 2e conflit mondial, la marine américaine a-t-elle donné au premier porte-avions à énergie nucléaire, lancé en 1960?

ENTERPRISE (son prédécesseur avait survécu au 2e conflit mondial)

117) Dans son discours sur l'État de la nation en 1965, le président Lyndon Johnson demande au Congrès de réaliser une société qui se préoccupera davantage de la qualité de ses objectifs plutôt que de la quantité de ses biens. COMMENT Johnson a-t-il qualifié cet objectif?

THE GREAT SOCIETY

118) Lorsque le Parti libéral de Robert Bourassa a été reporté au pouvoir en 1973 avec 102 des 110 sièges de l'Assemblée nationale à l'enjeu, deux partis ont partagé ce qui restait; le PQ en a gagné 6 et les deux autres sont allés à des représentants de QUEL 3e parti?

LE CRÉDIT SOCIAL

119) NOMMEZ le commandant allemand SS responsable du transport des Juifs vers les camps d'extermination durant la guerre, qui a été capturé par des agents israéliens dans un pays d'Amérique du Sud en 1960. Transporté en secret en Israël, il a été jugé et finalement exécuté en 1962.

   ADOLF EICHMANN (il a été capturé en Argentine)

120) QUEL homme politique français a annoncé la mort du général Charles de Gaulle de cette manière en 1970: « Le Général de Gaulle est mort. La France est veuve » ?

   GEORGES POMPIDOU (alors président de la République)

121) Cinq jours après l'élection du Parti libéral de Jean Lesage au Québec en 1960, le Nouveau-Brunswick se donne un nouveau premier ministre, Libéral lui aussi et âgé de 35 ans seulement. QUI est-il ?

   LOUIS ROBICHAUD

122) NOMMEZ l'ex-procureur général des États-Unis qui a été condamné à une peine d'emprisonnement en 1975 pour sa participation au camouflage de l'affaire Watergate.

   JOHN MITCHELL

123) Lorsque la République populaire de Chine a été admise au sein de l'Organisation des Nations unies en 1971 par un vote de 76 à 35 et 17 abstentions, QUEL autre pays a été en même temps expulsé de l'O.N.U. ?

   TAIWAN (aussi appelée la Chine nationaliste)

124) QUEL avocat a pris la défense des ravisseurs du ministre Pierre Laporte lors de la crise d'octobre de 1970 ?

   ROBERT LEMIEUX

125) QUELLE charte le gouvernement du Canada a-t-il adoptée en 1960 ?

   LA CHARTE DES DROITS (énumérant les droits et libertés par écrit)

126) QUEL pays fait exploser en 1964 sa première bombe atomique et devient la cinquième puissance nucléaire au monde ?

   LA CHINE (É.-U., U.R.S.S., G.-B. et France sont les autres)

127) Au mois d'août 1968, 200,000 soldats de cinq nations du pacte de Varsovie traversent la frontière tchécoslovaque afin de mettre fin à la résistance du peuple de ce pays aux politiques de Moscou. QUELLE nation de l'Europe de l'Est et membre de ce pacte a refusé de participer à cette intervention ?

   LA ROUMANIE (la Hongrie, l'Allemagne de l'Est, la Pologne et la Bulgarie avaient exécuté les ordres de Moscou)

128) En 1972, la Communauté économique européenne accepte quatre nations au sein de son organisme: la Grande-Bretagne, l'Irlande, la Norvège et le Danemark. Mais avant de pouvoir y accéder en 1973, une de ces nations se retire à la suite d'un référendum négatif de son peuple. LAQUELLE?

LA NORVÈGE

129) Lorsque le gouvernement du Québec a promulgué la loi 60 en 1964, QUEL ministère a vu le jour?

LE MINISTÈRE DE L'ÉDUCATION

130) En 1972, la police de Francfort en Allemagne capture quatre membres de cette bande de terroristes dont les deux leaders, Andreas Baeder et sa partenaire. NOMMEZ-la.

ULRIKE MEINHOF (le groupe s'appelait Baeder-Meinhof).
(Bonne réponse =2 points de plus)

131) QUEL ancien ministre libéral a fondé le Parti Action Canada en 1971 après avoir quitté le Parti libéral de Pierre Trudeau en 1969?

PAUL HELLYER

132) Cette ex-colonie britannique du Sud-Est asiatique devient indépendante en 1965. La nouvelle république sera dirigée par le premier ministre Lee Kuan Yew qui restera en poste jusqu'en 1990. NOMMEZ ce pays.

SINGAPOUR

133) QUEL pays, le plus vaste du continent africain, a obtenu son indépendance en 1956 et est devenu le 9ᵉ pays membre de la Ligue arabe?

LE SOUDAN

134) Dans QUELLE capitale européenne les terroristes palestiniens ont-ils profité d'une réunion des membres de l'O.P.E.P. en 1975 pour enlever et tenir en otages 81 personnes dont 11 ministres de pays-membres?

VIENNE (trois autres personnes ont été tuées par les terroristes)

135) En mars 1965, le premier déploiement en force d'Américains a lieu dans cette ville portuaire du Sud-Vietnam. NOMMEZ cette ville qui est investie de 3,500 Marines.

DA NANG

136) NOMMEZ le ministre de la défense du Canada qui a résigné ses fonctions en 1963 parce que le gouvernement Diefenbaker a refusé de se munir d'ogives nucléaires pour les missiles américains Bomarc et les avions CF-101 Voodoo commandés par le gouvernement fédéral.

DOUGLAS HARKNESS (deux mois plus tard, le gouvernement conservateur était battu aux élections générales). (Bonne réponse=1 point de plus)

137) QUI était ministre des Affaires étrangères puis premier ministre de France sous la présidence de Charles de Gaulle en 1968 et 1969 ?

COUVE DE MURVILLE

138) Coup d'État en U.R.S.S. en 1964. Le leader incontesté de ce pays depuis 1955, Nikita Khrouchtchev est démis de ses fonctions. Le nouveau secrétaire général est Léonid Brejnev. QUI est alors devenu premier ministre de l'U.R.S.S. ?

ALEXEI KOSSYGUINE

139) QUEL chef de l'Union nationale a été défait par Jean Lesage lors des élections de 1960 au Québec ?

ANTONIO BARRETTE

140) Lorsque Richard Nixon a été élu à la présidence des États-Unis en 1972, il a obtenu la plus forte majorité du vote populaire depuis 1936. QUI était son adversaire du Parti démocrate ?

GEORGE McGOVERN (sénateur de la Caroline du Sud)
(Bonne réponse =1 point de plus)

141) C'est en 1965 que le royaume du Lesotho devient indépendant à l'intérieur du Commonwealth britannique. COMMENT s'appelait ce territoire avant d'accéder à l'indépendance ?

BASUTOLAND (bonne réponse=2 points de plus)

142) Sans avoir été élu, il était ministre de l'Éducation du Québec dans le gouvernement de Daniel Johnson de 1966 à 1968, année de son élection comme député. QUI était ce ministre ?

JEAN-GUY CARDINAL (il a été membre du Conseil législatif en 1967-68)

143) QUEL général a conçu la stratégie de l'aviation israélienne qui a détruit presque toutes les forces aériennes des pays arabes engagés dans la guerre des Six Jours en 1967 ?

MORDECAI HOD (bonne réponse=3 points de plus)

144) Lorsque le règne de 36 ans du Crédit Social a pris fin en 1971 en Alberta, c'est le Parti conservateur qui a pris le pouvoir. QUI était son chef ?

PETER LOUGHEED

145) QUI a succédé à Dag Hammarskjöld, tué dans un écrasement d'avion en 1961, au poste de secrétaire général de l'O.N.U. ?

U THANT (de naissance birmane)

146) Entre 1956 et 1975, COMBIEN de premiers ministres du Québec ont accédé à ce poste par intérim ? Et NOMMEZ-les.

TROIS - PAUL SAUVÉ (1959) ANTONIO BARRETTE (1959) JEAN-JACQUES BERTRAND (1968). (Un point par bonne réponse)

147) À la surprise des observateurs, le gouvernement travailliste de Harold Wilson est défait aux élections de Grande-Bretagne de 1970. Le Parti conservateur l'emporte par une majorité de 30 sièges. QUI était le chef de ce parti?

EDWARD HEATH (bonne réponse=1 point de plus)

148) COMBIEN de soldats américains ont perdu la vie durant la guerre du Vietnam qui a pris fin, pour les États-Unis, en 1973?

CINQUANTE-SIX MILLE (jeu de 6-mille + ou - alloué)

149) COMMENT s'appelait l'Assemblée nationale du Québec avant 1968?

L'ASSEMBLÉE LÉGISLATIVE (il y avait une deuxième chambre appelée Conseil législatif. Elle a été abolie au même moment en 1968)

150) En prêtant son serment d'office en 1963, ce gouverneur d'un État du sud des États-Unis déclare: «La ségrégation maintenant, la ségrégation demain, la ségrégation toujours». QUI était ce gouverneur?

GEORGE WALLACE (de l'Alabama)

151) Cette ancienne colonie britannique d'Afrique a été menée à l'indépendance en 1963 par Jomo Kenyatta. NOMMEZ-la.

LE KENYA

152) C'est un gouvernement néo-démocrate qui a été élu en Colombie-Britannique en 1972. QUI était le leader de ce parti qui a enlevé le pouvoir aux Créditistes de Bill Bennett?

DAVID BARRETT

153) En plus de détenir une maîtrise en sciences économiques et politiques, QUEL autre diplôme, obtenu en 1957, Robert Bourassa détenait-il?

EN DROIT

154) QUEL nom portait la doctrine américaine adoptée par le président américain en 1957 et qui lui permettait de déployer des troupes dans la région du Moyen-Orient, pour contrer toute tentative d'agression par les communistes?

LA DOCTRINE EISENHOWER (une extension de la doctrine Truman)

155) NOMMEZ celui qui est devenu président de l'Algérie après que ce pays ait obtenu son indépendance de la France en 1962.

BEN BELLA (bonne réponse=1 point de plus)

156) Au moment de l'enlèvement du diplomate britannique James Cross à l'automne de 1970, COMBIEN de personnes avaient perdu la vie aux mains des terroristes du F.L.Q. depuis 1963?

SEPT (jeu de 1 + ou - alloué)

157) COMBIEN de pays arabes ont participé de manière active à la guerre des Six Jours contre l'État d'Israël en 1967 ?

QUATRE (Égypte, Syrie, Jordanie, Irak)

158) À QUEL premier ministre québécois des années 60 est attribué l'expression suivante; «L'indépendance si nécessaire, mais pas nécessairement l'indépendance»?

DANIEL JOHNSON (pour lui, elle pouvait plaire aux indépendantistes sans provoquer les fédéralistes)

159) Ardent défenseur de la politique d'apartheid sud-africaine, il a été premier ministre de 1958 à 1966. Cette année-là, il a été assassiné dans le Parlement sud-africain par un messager. QUI était ce premier ministre ?

HENDRIK VERWOERD (bonne réponse=2 points de plus)

160) Lorsqu'il a prêté serment comme président des États-Unis après la démission de Richard Nixon en 1974, Gerald Ford a dit; «I am a Ford, not a ....». POUVEZ-vous compléter cette citation ?

LINCOLN

161) C'est en 1975 qu'une sanglante guerre civile éclate entre les Palestiniens et les soldats du gouvernement de QUEL pays du Proche-Orient ?

LE LIBAN

162) C'est en 1967 que cette ville du grand Nord canadien a été désignée capitale des Territoires du Nord-Ouest. NOMMEZ-la.

YELLOWKNIFE

163) QUEL député libéral à Québec d'abord, puis député libéral et ministre aux Communes à Ottawa, a démissionné en 1965 après avoir été accusé d'avoir accepté un pot-de-vin de 10 mille dollars en 1961 ?

YVON DUPUIS (député de St Jean-Iberville de 1958 à 1965)

164) Cette colonie portugaise africaine a obtenu son indépendance en 1975, mais aussitôt la guerre civile a éclaté entre le Mouvement populaire de libération soutenu par Cuba et les rebelles appuyés par l'Afrique du Sud. NOMMEZ cette nation.

L'ANGOLA

165) QUEL âge avait John Kennedy lorsqu'il a été élu président des États-Unis en 1960 ?

43 ANS (2ᵉ plus jeune de l'histoire de la présidence. Teddy Roosevelt est devenu président à l'âge de 42 ans en 1901)

166) Cette avocate née au Massachusetts à été élue députée de Jacques-Cartier à l'Assemblée législative au sein du gouvernement libéral en 1962. QUI était- elle ?

CLAIRE KIRLAND-CASGRAIN (première femme députée au Québec)

167) QUI était le secrétaire américain de la défense durant les années difficiles de John Kennedy et de Lyndon Johnson entre 1961 et 1968?

ROBERT McNAMARA

168) DONNEZ le nom de la région montagneuse de la frontière israélo-syrienne capturée par l'armée israélienne lors de la guerre des Six Jours en 1967.

LE GOLAN (Les hauteurs du ....)

169) En QUELLE année la guerre du Vietnam a-t-elle officiellement pris fin?

1975 (en avril, les soldats nord-vietnamiens occupaient Saigon)

170) C'est en 1966 que la marine canadienne fait l'acquisition pour la première fois de son histoire, de ce type d'unité offensive maritime. LAQUELLE?

UN SOUS-MARIN (le Ojibwa, de la classe Oberon, construit en Grande-Bretagne)

171) En 1962, Pat Brown est élu gouverneur de la Californie. Il l'emporte sur un rival républicain pourtant bien connu. De QUI s'agit-il?

RICHARD NIXON

172) C'est en 1964 que cette colonie britannique africaine devient indépendante et adopte le nom de Zambie. COMMENT s'appelait-elle jusque-là?

LA RHODÉSIE-DU-NORD

173) QUELLE famille québécoise de la région de Québec, a vu 5 de ses membres consacrer collectivement 85 ans de leurs vies à la politique canadienne aux titres de député, ministre, conseiller législatif et sénateur entre 1902 et 1968?

POWER (le père, trois fils et un petit-fils. Le plus connu est Charles Gavan qui a été politicien de 1917 à 1968 et qui a servi sous 7 premiers ministres). (Bonne réponse=3 points de plus)

174) Durant la crise des missiles de 1962, Nikita Khrouchtchev a offert à John Kennedy de retirer les missiles soviétiques de Cuba en retour d'une promesse américaine de non-intervention contre Cuba et du retrait de missiles américains d'un pays du sud-est de l'Europe. LEQUEL?

LA TURQUIE (après un premier refus, Kennedy a accepté l'offre soviétique à la condition que le retrait des missiles du territoire turc ne soit pas rendu public)

175) NOMMEZ celui qui a été choisi chef du nouveau Parti provincial du Ralliement national en 1966. Ce parti était né de la fusion du Ralliement des créditistes et du Parti du Regroupement national.

GILLES GRÉGOIRE

176) À QUI Golda Meir a-t-elle succédé au poste de premier ministre d'Israël en 1969?

LEVI ESHKOL (il était en poste lorsqu'il est décédé en février 69)

177) La guerre entre les forces du gouvernement du Cambodge et celles de ce Parti communiste prend fin en 1975 après 5 ans de combats. NOMMEZ ce parti qui a pris le pouvoir.

KHMER ROUGE (qui amorcera 3 mois plus tard le génocide de son peuple)

178) Durant le conflit entre la France et l'Algérie, il y a eu combien de tentatives d'assassinat contre le président Charles de Gaulle en 1961 et 1962 par les opposants de l'indépendance éventuelle de l'Algérie (l'O.A.S.)?

QUATRE (il n'a jamais été blessé)

179) QUELLE défaite le sénateur John Kennedy a-t-il encaissée en 1956?

CANDIDAT À L'INVESTITURE DE LA VICE-PRÉSIDENCE DÉMOCRATE (lorsque le candidat présidentiel Adlai Stevenson a été choisi, il n'a pas voulu un partenaire à la vice-présidence. Une élection a été tenue et le sénateur Estes Kefauver l'a emporté de justesse)

180) QUELLE province sécessionniste a réintégré le Congo en 1963?

LE KATANGA

181) QUI était le nouveau ministre de l'Éducation du Québec en 1975 au moment des protestations de la communauté italienne de St Léonard contre la loi 22?

JÉRÔME CHOQUETTE (il venait de succéder à François Cloutier)

182) NOMMEZ le gouverneur de l'État de l'Arkansas, qui en 1957 a dirigé et encouragé une foule de dissidents à interdire l'accès à une école secondaire de Little Rock à neuf étudiants noirs. Il a fallu l'intervention de troupes fédérales dépêchées par le président Eisenhower pour mettre fin au désordre.

ORVAL FAUBUS (bonne réponse=2 points de plus)

183) Avec QUEL pays communiste le Canada a-t-il rétabli ses relations diplomatiques en 1970?

LA CHINE (et rupture des relations avec Taiwan)

184) Au moment de la crise des missiles de Cuba en 1962, COMBIEN de militaires et conseillers soviétiques se trouvaient dans l'île de Cuba? 15 mille, 25 mille OU 40 mille?

QUARANTE-MILLE (plus 240 mille soldats cubains)

185) NOMMEZ le juge surnommé «l'homme d'acier» qui a succédé à Rhéal Brunet à la présilence de la Commission d'enquête sur le crime oganisé en 1975.

JEAN DUTIL (les juges Denys Dionne et Marc Cordeau étaient ses adjoints)

186) C'est en 1960 qu'un missile nucléaire américain est lancé pour la première fois à partir d'un sous-marin submergé. QUEL était le nom de ce missile ?

POLARIS

187) NOMMEZ le ministre de la justice sous John Diefenbaker, qui a tenté sans succès de supplanter son chef lors de la crise des missiles nucléaires en 1963 et qui a été battu lors du congrès à la direction du Parti conservateur en 1967.

DAVIE FULTON (il avait aussi été battu au congrès à la direction en 1956)

188) En 1959, Yasser Arafat a fondé le mouvement révolutionnaire Al Fatah. QUE signifie ce nom ?

CONQUÊTE

189) NOMMEZ l'archipel situé dans le nord des Caraïbes qui a obtenu son indépendance de la Grande-Bretagne en 1973.

LES BAHAMAS

190) Le Parti québécois est né en 1968 de la coalition de trois mouvements nationalistes. COMMENT se nommait celui dirigé par René Lévesque ?

LE MOUVEMENT SOUVERAINETÉ-ASSOCIATION

191) La pire récession économique mondiale éclate en 1973. QUELLE est la cause de cette récession ?

LA CRISE DU PÉTROLE (déclenchée par l'OPEP)

192) Après un règne de 31 ans, ce dictateur d'une nation des Caraïbes a été assassiné en 1961 par des officiers militaires opposants. NOMMEZ ce dictateur ainsi que la nation qu'il dirigeait ?

RAFAEL TRUJILLO - RÉPUBLIQUE DOMINICAINE (1 point par réponse)

193) Lors du congrès à la direction du Parti libéral en 1968 à Ottawa, COMBIEN de candidats étaient en lice ?

NEUF (Pierre Trudeau a été élu). (Jeu de 1 + ou - alloué)

194) En septembre 1960, Nikita Khrouchtchev prononce un discours de 2 heures et 20 minutes devant l'Assemblée générale de l'O.N.U. Trois jours plus tard, c'est au tour d'un nouveau leader de s'adresser aux membres de l'Assemblée. Cette fois, le discours dure 4 heures et 30 minutes. De QUI s'agit-il ?

FIDEL CASTRO (président de Cuba depuis 8 mois)

195) En avril 1973, le président Richard Nixon congédie John Dean, un de ses conseillers et accepte la démission de deux autres, Robert Haldeman et QUEL autre ?

JOHN ERLICHMAN

196) NOMMEZ le leader nationaliste noir américain et principal porte-parole des mouvements nationalistes, qui a été assassiné alors qu'il livrait un discours à New York en 1965.

MALCOLM X

197) En mars 1960, le monde entier est exposé à la politique de ségrégation raciale du gouvernement de l'Afrique du Sud lorsque 70 Noirs sont abattus par la police lors d'une manifestation dans QUELLE petite ville?

SHARPEVILLE (le massacre de .....)

198) QUELLE a été la seule riposte militaire défensive prise par un des protagonistes lors de la crise des missiles de Cuba en octobre 1962?

UN AVION D'ESPIONNAGE AMÉRICAIN U-2 A ÉTÉ ABATTU PAR UN MISSILE CUBAIN (l'ordre a été donné par un officier soviétique)

199) Dites à QUOI était consacrée la formule Fulton-Favreau des années 60?

AU RAPATRIEMENT DE LA CONSTITUTION

200) Durant la crise franco-algérienne au début des années 60, un mouvement opposant la politique d'indépendance de l'Algérie par le gouvernement de Charles de Gaulle, l'O.A.S., a été créé en 1961. QUE signifiait cette abréviation?

ORGANISATION ARMÉE SECRÈTE (dirigée par des généraux français)

201) Élu député conservateur à Ottawa en 1972, il avait été ministre dans le gouvernement Lesage à Québec de 1964 à 1966. QUI était-il?

CLAUDE WAGNER

202) La commission Warren a conclu que l'assassinat du président John Kennedy en 1963 était l'affaire d'un seul homme et qu'il n'existait pas d'indices menant à une conspiration. QUI était Earl Warren, le président de cette commission d'enquête?

JUGE EN CHEF DE LA COUR SUPRÊME DES ÉTATS-UNIS

203) C'est en 1956 que sont effectués les premiers vols d'essai de ce chasseur supersonique de la compagnie Dassault en France. NOMMEZ-le.

LE MIRAGE (plusieurs générations de ce type suivront au-delà de l'an 2000)

204) En 1975, le gouvernement fédéral de Pierre Trudeau était aux prises avec une économie chancelante, avec dans un premier temps, une productivité stagnante doublée d'un taux d'inflation galopant. QUEL nouveau mot a été lancé par les observateurs pour qualifier cette situation?

*STAGFLATION (des mots **stagner** et **inflation**)*

205) En 1972, l'Europe des Six devient l'Europe des Neuf. Trois nations européennes sont admises au sein de la Communauté économique européenne : la Grande-Bretagne, l'Irlande et QUELLE autre ?

LE DANEMARK

206) QUEL avion de chasse américain, le plus rapide au monde, le Canada s'est-il engagé à acheter en 1961 ? Au nombre de 200, ces avions seraient construits au Canada.

CF-104 STARFIGHTER

207) NOMMEZ l'ancienne colonie portugaise du sud de l'Afrique qui a obtenu son indépendance en 1974.

LE MOZAMBIQUE

208) QUI a été élu chancelier de la République fédérale d'Allemagne en 1974 ?

HELMUT SCHMIDT

209) Ce programme social est entré en vigueur en Saskatchewan en 1962. En 1968, le gouvernement fédéral l'a offert à l'ensemble du pays. Le Québec a été la dernière province à l'accepter en 1970. QUEL était ce programme ?

ASSURANCE-MALADIE NATIONALE (à frais partagés avec les provinces)

210) QUI est devenu chef d'État de l'Espagne en 1975 après la mort de Francisco Franco ?

LE ROI JUAN CARLOS (de Bourbon)

211) Sous QUEL gouvernement la loi 63 a-t-elle été adoptée et en QUELLE année ?

UNION NATIONALE (du premier ministre Jean-Jacques Bertrand) - EN 1969 (bonne 2e réponse=1 point de plus)

212) À QUEL mouvement terroriste appartenait le commando palestinien qui a tué onze athlètes israéliens lors des Jeux Olympiques de 1972 à Munich ?

SEPTEMBRE NOIR

213) QUEL ex-président américain est mort en 1973 ?

LYNDON JOHNSON (il avait 65 ans)

214) QUI a été nommé administrateur du Canada durant la maladie qui a paralysé le gouverneur général du Canada Jules Léger en 1974 ?

BORIS LASKIN (juge en chef de la Cour suprême du Canada)

215) En 1961, après l'assassinat du président de la République dominicaine, Rafael Trujillo, la capitale change de nom. Elle passe de QUEL nom à QUEL autre ?

CIUDAD TRUJILLO - SANTO DOMINGO (1 point de + pour la 2e réponse)

216) Valéry Giscard d'Estaing a été élu 3ᵉ président de la Vᵉ République française en 1974. Par QUEL pourcentage du vote populaire l'a-t-il emporté contre son rival François Mitterrand lors du 2ᵉ tour de scrutin ? 50,8 %, 54,4 % OU 58,7 % ?

50,8 % (Mitterrand, 49,2 %)

217) Lors d'un référendum tenu en 1967, les habitants de cette dépendance américaine votent dans une proportion de 60 % contre la souveraineté de leur territoire, préférant conserver le statut de membre du Commonwealth américain. NOMMEZ cette dépendance.

PORTO RICO

218) QUEL ministre du gouvernement Bourassa a été le premier ministre responsable de la Jeunesse, des loisirs et des sports du Québec en 1973 ?

PAUL PHANEUF (bonne réponse=2 points de plus)

219) NOMMEZ le général qui a été élu président du Sud-Vietnam en 1967.

NGUYEN VAN THIEU

220) QUI était ministre des Finances du gouvernement fédéral lorsque la décision de geler les salaires et les dépenses a été prise par Pierre Trudeau en octobre 1975 ?

DONALD MCDONALD

221) La violence éclate au Rwanda entre les tribus des Hutus et des Tutsis en 1958. QUELLE nation européenne avait le mandat de l'O.N.U. de diriger le pays ?

LA BELGIQUE

222) Nomination sans précédent aux États-Unis en 1967 alors qu'un juge noir est promu pour la première fois à la Cour suprême des États-Unis. QUI est-il ?

THURGOOD MARSHALL (bonne réponse=1 point de plus)

223) QUI est devenu secrétaire du Parti communiste français en 1972 ?

GEORGES MARCHAIS

224) QUE signifie l'initiale B. dans le nom de l'ex-président américain Lyndon B. Johnson ?

BAINES

225) QUELLE résolution (numéro) est adoptée à l'unanimité par le Conseil de sécurité des l'O.N.U. en 1967 et exige d'Israël le retrait de ses troupes des territoires occupés durant la guerre des Six Jours ?

RÉSOLUTION 242 (bonne réponse=1 point de plus)

226) Cette petite ville des Territoires du Nord-Ouest, construite par le gouvernement fédéral, a été officiellement inaugurée par le premier ministre Diefenbaker en 1961. QUEL est son nom ?

INUVIK

227) Après le fiasco de la Baie des Cochons en 1961, Fidel Castro a accepté de retourner aux États-Unis 1100 exilés cubains qui avaient été capturés lors de l'invasion. Mais en retour de QUOI ?

DE DENRÉES ALIMENTAIRES ET DE PRODUITS MÉDICAUX (d'une valeur de cinquante-trois millions de dollars)

228) Élu député de Toronto-Eglinton en 1963, il a dirigé deux ministères sous Lester Pearson. En 1968, Pierre Trudeau l'a nommé ministre des Affaires extérieures, poste qu'il a conservé jusqu'en 1974. QUI était-il ?

MITCHELL SHARP

229) QUEL mot russe au sens péjoratif est prêté aux membres d'un appareil d'un parti communiste ou d'un syndicat ? Un vocable à la mode durant la période 1950-70.

APPARATCHIK

230) QUEL conseiller législatif de l'Union nationale de 1946 à 1967, trésorier du parti et lieutenant loyal de Maurice Duplessis durant son règne, a été trouvé coupable d'avoir accepté des ristournes en faveur de tierces personnes en 1967 ?

GÉRALD MARTINEAU

231) En 1965, le nombre de soldats américains engagés dans la guerre du Vietnam atteint le chiffre de 180 mille. Pourtant, le général qui les dirige en demande plus. QUI est-il ?

WILLIAM WESTMORELAND (bonne réponse=1 point de plus)

232) Dans QUELLE ville portuaire de Pologne la révolte a-t-elle éclatée en 1970 après l'annonce d'une hausse de 33 % dans le prix des aliments ? La grogne gagne le reste du pays et 300 personnes sont tuées par les forces de l'ordre.

GDANSK

233) Pour la première fois de son histoire, le Manitoba se donne un gouvernement socialiste en 1969. QUI était le chef du NPD et nouveau premier ministre ?

EDWARD SCHREYER

234) NOMMEZ le juge qui a présidé au procès de l'affaire Watergate à partir de 1973 et jusqu'à la fin.

JOHN SIRICA

235) QUEL important pays d'Amérique du Sud a été transformé en une dictature militaire dirigée par le général Castelo Branca en 1964 ? Cette nation ne verra plus un régime démocratique élu par le peuple avant 1989.

LE BRÉSIL

236) Malgré une injonction interdisant la grève générale des employés du gouvernement du Québec en 1972, trois chefs syndicaux décident de l'ignorer. Ils sont arrêtés et emprisonnés. Il s'agit de Louis Laberge, Marcel Pépin et QUEL autre ?

YVON CHARBONNEAU (président de la C.E.Q.)

237) Appelée les Quatre petits dragons, ces quatre pays du Sud-Est asiatique représentaient le cœur de l'émergence économique de cette partie du monde au milieu des années 60. Outre Singapour, Hong-Kong et la Corée-du-Sud, QUELLE autre nation faisait partie du groupe des quatre ?

TAIWAN

238) QUI a été nommé premier ministre du gouvernement présidentiel de Valéry Giscard d'Estaing en 1974 en France ?

JACQUES CHIRAC

239) QUEL pays membre de l'OTAN a décidé en 1969 de dénucléariser ses forces armées et de réduire de 50 % le nombre de ses soldats en Europe ?

LE CANADA

240) QUEL pays refuse d'adhérer à la nouvelle Communauté économique européenne fondée à Rome en 1957 ? Six autres pays en font partie.

LA GRANDE-BRETAGNE

241) Cet ancien premier ministre de France, signataire des accords de Munich en 1938, est mort en octobre 1970, un mois avant le général de Gaulle. QUI était-il ?

EDOUARD DALADIER (bonne réponse=1 point de plus)

242) En 1970, l'âge de la majorité (droit de vote) au Canada passe de 21 ans à QUOI ?

18 ANS

243) En 1961, le président Kennedy confirme par décret exécutif la création de QUEL organisme de volontaires américains désireux d'aider les plus démunis dans les pays du tiers-monde et de vivre comme eux ?

LE PEACE CORPS

244) En QUELLE année les autorités de l'Allemagne de l'Est ont-elles interdit l'accès entre les deux Allemagnes tout en construisant un mur à Berlin ?

1961 (des milliers d'Allemands de Berlin-Est avaient fui vers l'Ouest depuis la création des deux Allemagnes au début des années 50)

245) Une des lois les plus historiques de l'histoire des États-Unis a été adoptée par le Congrès en 1968 durant le mandat de Lyndon B. Johnson. QUELLE était cette loi?

DROITS CIVILS (Civil Rights)

246) QUEL ministre du cabinet Trudeau a démissionné de son poste de leader québécois du Parti libéral du Canada en 1975 mais a choisi de conserver son poste de ministre?

JEAN MARCHAND

247) À cause d'une santé chancelante, Harold Mcmillan a résigné ses fonctions de premier ministre de Grande-Bretagne en 1962. Sollicité par la reine Élisabeth, le successeur de Mcmillan ne siégeait pas à la Chambre des communes ni à la Chambre des Lords, un précédent. QUI était-il?

SIR ALEX DOUGLAS-HOME (Earl de Home, titre auquel il a renoncé)

248) Lorsque le président Eisenhower a refusé de présenter ses excuses à l'U.R.S.S. pour le viol de l'espace aérien soviétique par le pilote Gary Powers à bord d'un avion espion U-2 en 1960, une importante conférence au sommet a été annulée lorsque Nikita Khrouchtchev a refusé d'y participer. Dans QUELLE ville devait-elle être tenue?

PARIS

249) QUI a été le dernier ministre des Finances du dernier gouvernement de l'Union nationale sous Jean-Jacques Bertrand en 1969-70?

MARIO BEAULIEU (bonne réponse=1 point de plus)

250) Il est estimé que 13 mille 500 soldats de quatre pays arabes ont perdu la vie durant la guerre des Six Jours en 1967. QUEL a été le nombre de soldats israéliens tués durant ce bref conflit? Moins de 1000, 2400 OU 4200?

MOINS DE MILLE (précisément 689)

251) Début janvier 1959, la France se donne un nouveau président, Charles de Gaulle, qui à son tour nomme un nouveau premier ministre. LEQUEL?

MICHEL DEBRÉ

252) Pendant deux mois en 1965, cette petite ville de l'Alabama est le centre de rassemblement des Noirs, protestant contre le retrait de leur droit de vote. Plus de 700 opposants, dont Martin Luther King, ont été mis en état d'arrestation. QUEL est le nom de cette ville?

SELMA

253) Selon les experts, cet avion de chasse bi-réacteur américain a été le meilleur au monde durant le dernier quart de notre siècle. QUEL était cet avion qui a volé pour la première fois en 1972?

F-15 EAGLE (plusieurs versions ont été construites par McDonnell-Douglas)

254) Au lendemain de la guerre des Six Jours naît QUEL important mouvement terroriste palestinien dirigé par Georges Habasch? Ce groupe sera responsable de nombreux détournements d'avions et de leur destruction.

FPLP (Front populaire de libération de la Palestine. À ne pas confondre avec l'OLP de Yasser Arafat)

255) Le Parlement canadien modifie le Code criminel en 1969 en libéralisant la loi sur l'avortement et sur QUEL autre comportement social?

L'HOMOSEXUALITÉ

256) QUEL leader d'un pays du bloc de l'Est propose en 1965 que l'Otan et le pacte de Varsovie soient abolis et que tous les pays soient libérés de la présence de soldats étrangers sur leurs territoires respectifs?

NICOLAI CEAUSESCU (premier ministre de Roumanie. Il a fait cette proposition lors d'un congrès des pays du pacte de Varsovie tenu à Bucarest)

257) QUI a succédé à Edward Heath à la direction du Parti conservateur de Grande-Bretagne en 1975?

MARGARET THATCHER

258) Lors des élections provinciales de 1970, deux grands noms du Parti québécois ont mordu la poussière: René Lévesque et QUEL autre?

JACQUES PARIZEAU

259) NOMMEZ le leader du Parti nazi américain qui a été assassiné par un ancien collaborateur en 1967.

GEORGE LINCOLN ROCKWELL (bonne réponse=1 point de plus)

260) Ministre de la Justice au fédéral et opposant acharné de John Diefenbaker, il a précipité l'affaire Munsinger en 1966 à la Chambre des communes. QUI était ce ministre libéral au nom français qui a levé le voile en parlant de l'affaire *Monseigneur*?

LUCIEN CARDIN (bonne réponse=2 points de plus)

261) Tous deux élus en 1972, ces deux grands leaders sont contraints de résigner leurs fonctions en 1974 à la suite de scandales. Un se nomme Richard Nixon et l'autre, un Européen, reconnaît ses torts dans une histoire d'espionnage. QUI était-il?

WILLY BRANDT (chancelier de la R.F.A.)

262) La Guyane britannique devient indépendante en 1966 et se donne un nouveau nom. LEQUEL?

LE GUYANA (pays d'Amérique du Sud)

263) COMPLÉTEZ la phrase suivante: «C'est en 1970 que le gouvernement fédéral a déclaré pour la dernière fois un ......»

SURPLUS FINANCIER (332 millions de dollars. Le 1ᵉʳ depuis les années 50)

264) Avant 1974, les médias ne parlaient pas des écarts de conduite des élus du peuple. QUEL représentant démocrate de l'Arkansas a été le premier à être dénoncé publiquement pour ses frasques sexuelles et ses abus de l'alcool?

WILBUR MILLS (bonne réponse=3 points de plus)

265) Deux ex-gouverneurs général canadiens meurent en 1967: Georges Vanier et QUEL autre?

VINCENT MASSEY (premier gouverneur général canadien en 1952)

266) Avec la mort du roi du roi Mohammed V, le Maroc hérite d'un nouveau roi en 1961. COMMENT se nomme-t-il?

HASSAN II

267) QUEL pays communiste européen a rompu ses relations diplomatiques avec l'URSS en 1961?

L'ALBANIE (pour se rapprocher de la Chine peu de temps après)

268) Il a été élu député conservateur de Trois-Rivières à la Chambre des communes de 1949 à 1965. Sous John Diefenbaker, il a été solliciteur-général de 1957 à 1960 puis ministre des Transports. QUI était-il?

LÉON BALCER

269) En 1965, le taux d'inflation n'était que de 1,7 % au Canada. QUEL était le taux de chômage?

CINQ POUR CENT (jeu de 1 % + ou - alloué)

270) Ce pays d'Afrique du Nord a été une royauté de 1951 à 1969. C'est alors que le roi Idris 1er a été renversé par un coup d'état dirigé par les officiers de l'armée. QUEL est ce pays?

LA LIBYE (le colonel Kadhafi dirigeait l'insurrection)

271) QUEL poste Évita Peron détenait-elle dans le gouvernement de son mari Juan Peron lorsqu'il a repris le pouvoir en 1973?

VICE-PRÉSIDENTE (la première de l'histoire de l'Amérique latine)

272) En 1975, les pays étrangers ont consacré près de 39 milliards de dollars en investissements au Canada. QUEL pourcentage de ce montant a été investi par les États-Unis? 69 %, 78 % OU 87 %?

SOIXANTE DIX-HUIT POUR CENT (la C.E.E.: 15,8 %) (Le Canada n'a investi ailleurs dans le monde en 1975 que onze milliards de dollars dont plus de la moitié aux États-Unis)

273) Ce grand territoire largement désertique du sud de l'Afrique s'appelait le Bechuanaland britannique jusqu'en 1966, puis il est devenu indépendant. QUEL nouveau nom s'est-il donné?

LE BOTSWANA

274) Ce médecin, dramaturge et romancier québécois, a fondé le Parti Rhinocéros en 1963 ? QUI était-il ?

JACQUES FERRON

275) Ce traité d'une durée de 60 ans a été signé en 1961 entre les États-Unis et le Canada. Il stipulait que le Canada augmenterait la puissance générée par la construction d'un barrage hydroélectrique sur cette rivière de la Colombie- Britannique. En retour, les États-Unis s'engageraient à céder 50 % de la puissance ainsi générée et à payer les coûts des inondations provoquées par la construction du barrage. Le traité portait le nom de QUELLE rivière ?

COLUMBIA

276) Colonie britannique depuis 1823, cet État insulaire de la Méditerranée obtient son indépendance en 1963. NOMMEZ-le.

MALTE (archipel composé de trois îles)

277) NOMMEZ le navire espion américain qui a été saisi par les Nord-Coréens au large du port de Wonsan en 1968. Les 83 membres d'équipage ont été faits prisonniers puis relâchés 11 mois plus tard. Mais pas le navire.

PUEBLO (bonne réponse = 1 point de plus)

278) En 1975, cet ex-territoire espagnol est envahi par le nord, par les forces du Maroc et par le sud, par celles de la Maurétanie. L'Algérie proteste et peu de temps après, les combats éclatent. NOMMEZ ce territoire.

LE SAHARA OCCIDENTAL (il deviendra un protectorat marocain)

279) QUELLE entente intervenue entre le Canada et les États-Unis en 1965, a été une première étape dans la politique de libre-échange entre les deux pays ? Cette entente a beaucoup aidé une industrie en particulier.

LE PACTE DE L'AUTOMOBILE

280) Le Maroc a acquis son indépendance de la France et de l'Espagne en 1956. Mais l'Espagne a conservé deux villes portuaires sur la Méditerranée. Une s'appelle Mellila. COMMENT se nomme l'autre ?

CEUTA (bonne réponse=2 points de plus)

281) En 1870, le Conseil municipal de Paris décide de changer le nom de la Place de l'Étoile située au cœur de Paris par QUEL autre ?

PLACE CHARLES DE GAULLE (le général venait de mourir)

282) En 1964, Lyndon B. Johnson a obtenu la majorité du vote populaire la plus élevée de toute l'histoire des élections présidentielles américaines. QUEL pourcentage du vote a-t-il alors obtenu ?

SOIXANTE ET UN POUR CENT (jeu de 2 % + ou - alloué)

283) QUEL débat acrimonieux aux Communes a contribué en 1956 à la chute du gouvernement libéral de Louis St Laurent lors de l'élection de 1957? Le débat a pris fin lorsque le gouvernement a imposé la guillotine pour faire adopter une loi qu'avait proposée le ministre du Commerce C.D. Howe.

LE DÉBAT DU PIPELINE (le gazoduc qui allait acheminer le gaz naturel de l'Alberta à l'Ontario. L'opposition ne voulait pas que la construction du gazoduc soit confiée à une entreprise américaine)

284) QUI a succédé par intérim à la présidence de la France après la démission de Charles de Gaulle en 1969?

ALAIN POHER (bonne réponse=2 points de plus)

285) QUI a été nommé ministre responsable de la Régie des installations olympiques à la fin de 1975 par le premier ministre Robert Bourassa?

VICTOR GOLDBLOOM (bonne réponse=1 point de plus)

286) À partir du début des années 70, ce nouveau mot a été utilisé à profusion par les leaders des grandes puissances, pour décrire le rapprochement entre le bloc communiste et celui de l'Occident dans leurs efforts pour réduire la menace d'une guerre nucléaire. QUEL était ce mot?

DÉTENTE

287) C'est en 1964 qu'un sommet de plusieurs leaders arabes tenu au Caire accepte la proposition de créer un mouvement pour défendre les intérêts des Palestiniens. COMMENT l'a-t-on appelé?

L'O.L.P. (l'Organisation de libération de la Palestine)

288) QUEL chef conservateur a réussi à l'emporter sur le Libéral Joey Smallwood lors des élections provinciales de Terre-Neuve en 1972?

FRANK MOORES (Smallwood était premier ministre depuis 1949)

289) En 1957, le plus célèbre des généraux soviétiques du 2e conflit mondial sous Staline est relevé de ses fonctions par les nouveaux dirigeants de l'U.R.S.S.. QUI était ce célèbre militaire?

GEORGI ZHUKOV

290) Aux élections provinciales de 1973, le Parti québécois n'a gagné que 6 des 110 sièges en jeu. Pourtant, son pourcentage du vote populaire n'était pas mauvais. QUEL était ce pourcentage?

30,3 POUR CENT (jeu de 2% + ou - alloué)

291) Lorsque le Congo a obtenu son indépendance de la Belgique en 1960, une importante province du pays, le Katanga, a décidé par la voix de son leader de faire sécession. QUI était ce leader?

MOÏSE TSCHOMBÉ (bonne réponse=1 point de plus)

292) La guerre du Yom Kippour de 1973 a été coûteuse pour les Égyptiens et les Syriens qui ont perdu collectivement 15-mille combattants, tués ou blessés. QUELLES ont été les pertes israéliennes?

QUATRE MILLE DEUX CENTS (jeu de 1000 + ou - alloué)

293) QUEL ex-président américain est mort en 1969 à l'âge de 79 ans?

DWIGHT EISENHOWER (durant ses 2 mandats entre 1952 et 1958. il avait subi deux crises cardiaques et au moins deux autres par la suite)

294) Dans QUELLE ville européenne la conférence au sommet entre le président John Kennedy et le secrétaire général de l'U.R.S.S., Nikita Khrouchtchev, a-t-elle eu lieu en 1961?

VIENNE

295) Abstraction faite des années 43-44-45, le taux de chômage en 1966 a été le plus bas de l'histoire du Canada. De COMBIEN était-il?

TROIS POUR CENT (jeu de 1 % + ou - alloué)

296) Après 25 ans à la tête du gouvernement de la République démocratique d'Allemagne, Walter Ulbricht démissionne et cède sa place à QUI, en 1970?

ERICH HONECKER

297) Lorsque Camille Samson a été élu chef du Crédit social du Québec en 1970, QUI a terminé second dans la course au leadership?

YVON DUPUIS (bonne réponse=1 point de plus)

298) QUELLES îles découvertes par Christophe Colomb en 1498 et les plus méridionales des petites Antilles ont obtenu leur indépendance de la Grande-Bretagne en 1962?

TRINIDAD ET TOBAGO (aussi appelées Trinité et Tobago)

299) L'empereur d'Éthiopie, Hailé Sélassié, a été mis à l'écart du pouvoir par une junte militaire en 1974. COMMENT avait-on surnommé ce leader d'une dynastie qui remontait au fils du roi Salomon et de la reine de Saba?

LE LION DE JUDAS (le Roi des Rois, aussi accepté)

300) QUEL pourcentage du vote populaire le Parti québécois a-t-il obtenu lors de l'élection provinciale de 1970?

23 POUR CENT (sept députés ont été élus). (Jeu de 2 % + ou - alloué)

301) Pour la première fois et malgré l'opposition des groupes religieux, l'Arabie Saoudite du roi Faïçal autorise les femmes à recevoir QUEL droit en 1959?

L'INSTRUCTION PUBLIQUE (bonne réponse=1 point de plus)

302) Dans QUEL pays d'Amérique latine le révolutionnaire Che Guevara a-t-il été abattu en 1967?

LA BOLIVIE

303) De naissance britannique, ce Canadien a combattu dans les deux grandes guerres avec l'uniforme de l'armée canadienne et a reçu la Croix Victoria. Il a été élu député conservateur en 1945 et a été ministre de la Défense nationale sous John Diefenbaker de 1957 à 1960. C'est lui qui a annoncé la fin de la production de l'avion supersonique canadien Arrow. QUI était-il?

GEORGE PEARKES (bonne réponse=2 points de plus)

304) Après avoir été emprisonné durant 5 ans, Wladyslaw Gomulka est libéré et est nommé premier secrétaire général du Parti communiste de QUEL pays en 1956?

LA POLOGNE

305) Après la mort de Dwight Eisenhower et de Douglas McArthur, il ne restait plus qu'un seul général cinq étoiles américain en 1970. LEQUEL?

OMAR BRADLEY (Commandant des forces américaines lors du débarquement de Normandie. Il est mort en 1981. Ce rang n'existe plus)

306) QUI a été à l'origine de l'expression «La Révolution tranquille» entendue à partir du milieu de l'année 1960?

UN JOURNALISTE DU GLOBE AND MAIL (The Quiet Revolution)

307) C'est en 1968 que l'offensive du Têt a été déclenchée par les forces du Nord-Vietnam. QUE signifie le mot «Têt» en vietnamien?

NOUVEL AN

308) En 1966, la Syrie se donne un régime militaire qui durcit les politiques du Parti Baas. Deux ans plus tard, un autre pays du Proche-Orient épouse le même parti mais refuse de s'associer à celui de Damas. NOMMEZ ce pays.

L'IRAK

309) En 1967, le premier ministre Lester Pearson annonce la nomination de la journaliste Anne Francis à la présidence d'une Commission royale pour enquêter sur QUELLE préoccupation sociale?

LA SITUATION DE LA FEMME (vrai nom de Anne Francis: Florence Bird)

310) En 1962, le Tanganyika devient une république indépendante. QUI devient son premier président?

JULIUS NYERERE (bonne réponse=1 point de plus)

311) QUEL député libéral de l'île de Montréal, élu en 1970, a été ministre de la Fonction publique dès son entrée, puis ministre des Finances et président du Conseil du trésor peu de temps après?

RAYMOND GARNEAU

312) NOMMEZ la première nation du Commonwealth britannique à dépêcher des soldats pour combattre aux côtés des Sud-Vietnamiens en 1965?

L'AUSTRALIE

313) En 1974, son autorité diminuée par la guerre du Yom Kippour l'année précédente, Golda Meir résigne ses fonctions de première ministre d'Israël. Pour la première fois de l'histoire de cet État, c'est un citoyen natif de cette région qui devient premier ministre et le plus jeune par surcroît. QUI est-il ?

YITZHAK RABIN

314) Il était le petit-fils du premier ministre du Manitoba qui avait été au pouvoir de 1900 à 1915. À son tour, il a été élu à ce poste en 1958 à la tête d'un gouvernement conservateur. Il a démissionné en 1967. QUI était-il ?

DUFF ROBLIN (bonne réponse=1 point de plus)

315) Lors des élections provinciales de 1966 au Québec, le Parti libéral a obtenu 47 % du vote populaire mais il a été défait. QUEL pourcentage du vote l'Union nationale a-t-elle remporté ?

QUARANTE ET UN POUR CENT (jeu de 2 % + ou - alloué)

316) Le gouvernement libéral de Lester Pearson, a été contraint d'imposer la guillotine afin de mettre fin au débat âprement mené par John Diefenbaker en 1964, contre QUELLE intention du gouvernement ?

D'ADOPTER UN NOUVEAU DRAPEAU CANADIEN

317) Deux pays d'Amérique centrale se sont livrés une mini-guerre de cinq jours en 1969 à la suite d'émeutes provoquées par des fanatiques du soccer, lors de matchs éliminatoires menant à la Coupe du monde de soccer. Un de ces pays était le Honduras. Par QUELLE autre nation a-t-il été envahi ?

LE SALVADOR (la paix est restée fragile jusqu'en 1976 lorsque les combats ont de nouveau éclaté)

318) QUELLE petite colonie du Portugal située sur la côte ouest de l'Afrique, obtient son indépendance en 1974 et se donne un nouveau nom ?

LA GUINÉE-BISSAU

319) Lors des élections municipales de Montréal en 1957, les dirigeants du parti de Jean Drapeau avaient accusé le candidat rival Sarto Fournier d'être associé à QUI, afin de le discréditer aux yeux de tous ?

LA PÈGRE

320) Après le massacre de Sharpeville en Afrique du Sud, les autorités décident en 1960 de bannir QUEL parti qu'avait fondé Nelson Mandela durant les années 40 ? Mandela sera condamné à l'emprisonnement à vie en 1964.

C.N.A. (Congrès national africain. A.N.C. aussi accepté)

321) Outre les titres de roi, sultan, khédive, bey et émir qu'on utilise chez les dirigeants des pays arabes, il en existe un autre qu'on retrouve surtout en Égypte. Le président Nasser le portait. LEQUEL ?

RAÏS

322) Les îles Comores, situées dans l'Océan Indien et colonie de la France depuis 89 ans, obtiennent leur indépendance en 1975. Mais une de ces îles choisit de demeurer rattachée à la France. LAQUELLE ?

MAYOTTE (sa population est majoritairement chrétienne)

323) Cette loi québécoise de 1937, interdisant tout rassemblement communiste ou bolchevique dans une résidence privée, a été annulée par la Cour suprême du Canada en 1957. QUEL nom lui avait-on donné ?

LA LOI DU CADENAS (la Cour a statué que cette action était de juridiction fédérale et non provinciale)

324) Lorsque la guerre des Six Jours a éclaté au Proche-Orient en 1967, le président Nasser d'Égypte a fermé le canal de Suez à toute navigation. QU'A-t-il fait pour le fermer ?

IL A FAIT COULER DES BATEAUX DANS LE CANAL (L'Égypte sera ainsi privée de revenus de 250 millions de dollars par année)

325) C'est en 1975 que le président Gérald Ford a endossé une résolution de la Chambre des représentants, autorisant un prêt de 23 milliards de dollars à QUELLE ville afin de lui éviter la faillite ?

NEW YORK

326) Ces documents confidentiels appelés *Pentagon Papers*, ont été refilés au Times de New York par un ex-employé du Secrétariat de la défense des États-Unis en 1971. QUI était-il et à QUOI étaient consacrés ces documents ?

DANIEL ELLSBERG - L'IMPLICATION DES ÉTATS-UNIS AU VIETNAM DE 1945 À 1968 (2 points de plus pour la 2ᵉ réponse)

327) En 1971, le Parti de l'Union nationale adopte un nouveau nom. LEQUEL ?

UNITÉ QUÉBEC (il disparaît en 1973 lorsque l'ancien nom est ramené)

328) Lorsque Georges Pompidou a été élu président de la République française en 1969, il a nommé un nouveau premier ministre pour succéder à Maurice Couve de Murville, démissionnaire. QUI était-il ?

JACQUES CHABAN-DELMAS (bonne réponse=1 point de plus)

329) Hazen Argue est élu chef du Parti CCF en 1960. À QUI succède-t-il ?

M.J. COLDWELL (bonne réponse=2 points de plus)

330) De 1945 à 1975, l'Italie a changé de gouvernement plus souvent que n'importe quel autre pays démocratique européen. QUEL a été durant cette période la durée moyenne des gouvernements ?

DIX MOIS (jeu de 2 mois + ou - alloué)

331) En juin 1969, le premier ministre du Québec, Jean-Jacques Bertrand, décide de tenir un congrès à la direction du parti. Il remporte la victoire par près de 400 voix sur son plus proche rival. QUI était cet adversaire?
JEAN-GUY CARDINAL

332) QUELLE première le bombardier à réaction Convair B-58 américain, a-t-il inscrit en 1957?
PREMIER BOMBARDIER AU MONDE À VOLER À UNE VITESSE SUPERSONIQUE (quadrimoteur pouvant atteindre 1500 milles à l'heure. Son existence a été éphémère. Il n'a jamais été utilisé en temps de guerre)

333) C'est en 1957 que le gouvernement du Canada a créé cet organisme, afin de venir en aide aux artistes canadiens. COMMENT se nomme-t-il?
CONSEIL DES ARTS DU CANADA

334) QUEL président américain a été la cible de deux tentatives d'assassinat entre 1956 et 1975?
GÉRALD FORD (chaque fois par une femme en l'espace de 17 jours. La première, disciple de Charles Manson, a été maîtrisée avant de pouvoir tirer. La seconde, un agent de police en civil, a tiré mais a raté la cible).

335) Parce que ses politiques financières allaient à l'encontre de celles du gouvernement fédéral, ce gouverneur de la Banque du Canada a été invité à démissionner en 1961. Il a refusé. Lorsqu'un vote du Parlement l'obligeant à partir a été défait au Sénat, il a résigné ses fonctions. QUI était-il?
JAMES COYNE

336) QUEL homme politique algérien a réussi à déloger Ben Bella de la présidence de l'Algérie en 1965?
MOHAMED BOUMÉDIÈNE (bonne réponse=1 point de plus)

337) QUEL sénateur de la Caroline du Sud a inscrit un record de «filibuster» le plus long de l'histoire du Congrès américain en 1957? Il a parlé sans arrêt durant 24 heures et 27 minutes contre l'intention du gouvernement de légiférer sur les droits et libertés des Noirs.
STROM THURMOND (bonne réponse=2 points de plus)

338) QUI était le ministre fédéral des Transports qui a mené le dossier du nouvel aéroport de Mirabel entre 1972 et 1975?
JEAN MARCHAND

339) QUI a succédé à Hendrik Verwoerd au poste de premier ministre de l'Afrique du Sud après l'assassinat de ce dernier en 1966?
JOHN VORSTER (bonne réponse=1 point de plus)

340) NOMMEZ le sénateur progressiste conservateur qui a choisi de démissionner en 1961 après avoir été accusé d'avoir accepté illégalement des sommes d'argent des autorités de l'hôpital Jean-Talon de Montréal.

HENRI COURTEMANCHE (bonne réponse=3 points de plus)

341) Lorsque le président Nasser d'Égypte a décidé en 1967 de bloquer l'accès à la mer Rouge aux Israéliens, QUEL golfe menant au port israélien de Eilat a été fermé à la hauteur du détroit de Tiran?

LE GOLFE D'AQABA

342) NOMMEZ le premier pays à se retirer des Nations-Unies en 1965 après avoir nationalisé plusieurs industries américaines et écrasé une tentative de coup d'État par une faction communiste.

L'INDONÉSIE (une purge sanglante suivra et 400 mille personnes périront)

343) QUELLE nation est née de la fusion des protectorats britanniques d'Aden et de l'Arabie du Sud en 1967?

LE YÉMEN (la République démocratique populaire du ...)

344) Le Canada décide en 1965 de doter sa force aérienne de l'OTAN de nouveaux appareils. C'est le constructeur américain Northrop qui obtient la commande. Le premier prend son envol en 1968 de la base de Cartierville où il est assemblé. 240 seront éventuellement construits. COMMENT l'appelait-on?

CF-5 (Freedom Fighter)

345) Avant d'être aboli en 1969, COMBIEN de membres composaient le Conseil législatif au Parlement de Québec? 24, 36 ou 48?

VINGT-QUATRE

346) QUI a succédé à John Robarts au poste de premier ministre de l'Ontario en 1971?

WILLIAM DAVIS (un autre Conservateur)

347) NOMMEZ les deux penseurs du mouvement révolutionnaire FLQ né au Québec au début des années 60. Peu de temps après, ils seront emprisonnés au Canada et aux États-Unis pour des motifs politiques.

PIERRE VALLIÈRES - CHARLES GAGNON (2ᵉ réponse=2 points de plus)

348) POURQUOI le gouvernement américain du président Eisenhower a-t-il réagi si violemment à la décision de la Grande-Bretagne et de la France, de concert avec les Israéliens, d'envahir la zone du canal de Suez en 1956?

PARCE QU'IL N'AVAIT PAS ÉTÉ PRÉVENU DE LEURS INTENTIONS
(1956 étant une année d'élections aux É.-U., Eisenhower se serait opposé à cette invasion car il ne voulait pas déplaire aux pays arabes)

349) La première visite d'un président américain à Moscou en 1972, a conduit à la signature d'un important traité entre les deux nations. LEQUEL?

LA LIMITATION DES MISSILES STRATÉGIQUES (SALT - Strategic Arms Limitation Talks) (il a été signé par Richard Nixon et Leonid Brejnev)

350) Lors du balayage des Libéraux à l'élection provinciale de 1973, COMBIEN de sièges l'Union nationale a-t-elle gagnés?

AUCUN

351) QUELLE colonie à la fois italienne et française de l'Afrique de l'Est a obtenu son indépendance en 1960?

LA SOMALIE

352) Lorsque Richard Nixon a gagné de justesse l'élection présidentielle de 1968, par la plus faible marge du vote populaire depuis sa défaite en 1960 aux mains de John Kennedy, on a dit que son rival démocrate Hubert Humphrey avait été victime de l'important vote accordé à un 3ᵉ candidat. LEQUEL?

GEORGE WALLACE (candidat indépendant qui a reçu 13 % du vote populaire. Nixon a reçu 43,4 % du vote et Humphrey, 43,0 %)

353) QUEL mot d'ordre Paul Sauvé s'était-il donné en 1959 lorsqu'il est devenu premier ministre du Québec à la suite du décès de Maurice Duplessis?

DÉSORMAIS (sous-entendait un changement dans les règles du jeu)

354) L'année 1967 est marquée par des émeutes raciales dans 127 villes des États-Unis. Des 77 personnes tuées, 66 sont des Noirs. La proportion est la même chez les 4 mille personnes blessées. Les deux villes les plus touchées par ces émeutes sont Newark au New Jersey et QUELLE autre?

DÉTROIT (les troupes fédérales sont appelées pour rétablir l'ordre mais 43 personnes perdent la vie dont 36 Noirs. 2,000 autres sont blessées)

355) Au congrès de leadership du Parti libéral du Canada en 1968 à Ottawa, QUI a terminé au 2ᵉ rang derrière Pierre-Elliott Trudeau?

ROBERT WINTERS (il y avait 9 candidats lors du 1ᵉʳ tour).
(Bonne réponse = 1 point de plus)

356) Lorsque le président Mobutu s'est emparé de tous les pouvoirs législatifs de la république démocratique du Congo en 1965, il a changé les noms des villes du pays. La capitale portera le nom de Kinshasa. QUEL était son ancien nom?

LÉOPOLDVILLE

357) QUI a été nommé ministre de la Justice dans le premier gouvernement de Jean Lesage en 1960? Peu de temps après, il fondait le ministère des Affaires culturelles.

GEORGES-ÉMILE LAPALME (chef du Parti libéral du Québec jusqu'en 1958)

358) QUEL nom portait la désormais célèbre police secrète de l'Allemagne de l'Est (R.D.A.) sous Walter Ulbricht et Erich Honecker à partir des années 50?

STASI

359) Le gouvernement de ce pays marxiste de l'Afrique orientale devient en 1974 le premier pays de l'Afrique noire à signer un traité d'amitié et de coopération avec le gouvernement de l'URSS. NOMMEZ ce pays.

LA SOMALIE (bonne réponse=1 point de plus)

360) Juan Carlos d'Espagne est choisi par Franco en 1969 comme son successeur à la tête du pays. En 1975, il devient roi. QUEL est son nom complet?

JUAN CARLOS DE BOURBON

361) QUEL ex-président des États-Unis a déclaré durant la campagne présidentielle de 1960, que Richard Nixon «n'avait jamais dit la vérité de toute sa vie»?

HARRY TRUMAN

362) Lorsque le gouvernement libéral minoritaire de Lester Pearson a été défait lors d'un vote de confiance sur le budget de Mitchell Sharp au début de 1968, QUE s'est-il produit?

LE GOUVERNEMENT A REFUSÉ DE DISSOUDRE LE PARLEMENT (il a plutôt choisi d'imposer un autre vote à la Chambre. Cette fois, il l'a gagné)

363) En 1970, le dictateur portugais Antonio Salazar meurt à l'âge de 81 ans après 40 ans de pouvoir. QUI lui succède?

MARCELLO CAETANO (bonne réponse=3 points de plus)

364) QUI a succédé à Jean-Jacques Bertrand à la tête du Parti de l'Union nationale en 1971? Le parti a alors changé de nom et est devenu Unité Québec.

GABRIEL LOUBIER (il a quitté la direction du parti en 1973)

365) QUELLE nation a mis un terme absolu à toute livraison d'armes à l'État d'Israël après la guerre des Six Jours de 1967?

LA FRANCE (De Gaulle craignait la riposte économique des Arabes)

366) Lorsque Lyndon Johnson est devenu président à la suite de la mort de John Kennedy en 1963, QUI est devenu vice-président des États-Unis?

PERSONNE (aucune loi ne le prévoyait. Hubert Humphrey est devenu vice-président lorsque Johnson a été élu en 1964 et assermenté en 1965)

367) Cette citation d'un premier ministre libéral provincial date du soir de la nomination de Pierre Trudeau à la tête du Parti libéral du Canada en 1968: «Pierre est meilleur que l'assurance médicale. Les infirmes n'ont qu'à toucher ses vêtements pour retrouver leurs sens» QUI en est l'auteur?

JOSEPH SMALLWOOD (premier ministre de Terre-Neuve)

368) En 1964, cette ancienne colonie britannique et fédération africaine appelée Nyasaland accède à l'indépendance et se donne un nouveau nom. LEQUEL ?

MALAWI

369) QUI était le ministre de la Justice du Québec au moment de la crise d'octobre en 1970 ?

JÉRÔME CHOQUETTE

370) Avec QUELLE nation l'Inde a-t-elle conclu un pacte d'amitié en 1971, afin de décourager les intentions du Pakistan d'envahir son territoire ?

L'U.R.S.S. (peu de temps après la signature, la guerre a éclaté entre les 2 pays)

371) En 1969, quatre pays d'Europe occidentale étaient dirigés par des régimes socialistes : la Suède, la Belgique, la Grande-Bretagne et QUEL autre ?

LA R.F.A. (République fédérale allemande)

372) Lorsque le Parti libéral de Lester Pearson a repris le pouvoir après une absence de 6 ans en 1963, QUI a été nommé ministre des Finances ?

WALTER GORDON (bonne réponse=1 point de plus)

373) Au mois d'août 1964, une présumée attaque contre un destroyer américain par trois torpilleurs de la marine nord-vietnamienne, a mené au bombardement du port de Haiphong par les avions américains. Selon les Américains, cette agression nord-vietnamienne aurait eu lieu à QUEL endroit ?

DANS LE GOLFE DU TONKIN (l'attaque était une supercherie américaine)

374) En 1957, l'Afrique presque toute entière est sous le contrôle des Blancs. En 1975, seulement trois nations le sont encore : L'Afrique du Sud-Ouest aussi appelée Namibie, l'Afrique du Sud et QUELLE autre ?

LA RHODÉSIE (du premier ministre Ian Smith)

375) Cette association politique fondée en 1960 au Québec s'appelait R.I.N. QUE signifiait cette abréviation ?

RASSEMBLEMENT POUR L'INDÉPENDANCE DU QUÉBEC

376) QUI était le président de l'Égypte au moment de la guerre du Yom Kippour en 1973 ?

ANOUAR AL SADATE (il avait succédé à Gamal Nasser après sa mort en 1970)

377) Pour la première fois de l'histoire du Canada, la lecture du discours du trône au Parlement d'Ottawa n'a pas été faite par le gouverneur général en 1957. QUI l'a faite ?

LA REINE ÉLISABETH II (alors en visite officielle au Canada)

378) En 1957, le Klu Klux Klan annonce que son combat est maintenant dirigé contre les communistes et les partisans de la déségrégation raciale. Il décide donc d'admettre au sein de son mouvement les membres de cette dénomination religieuse jusque-là harcelée par le KKK. LAQUELLE?
LES CATHOLIQUES

379) Lorsque le président français Charles de Gaulle a déclaré : «Vive le Québec, Vive le Québec libre!» du haut du balcon de l'hôtel de ville de Montréal en 1967, QU'A-T-IL ajouté à sa déclaration dans les instants qui ont suivi la réaction de la foule?
VIVE LE CANADA FRANÇAIS, VIVE LA FRANCE (rappel rarement évoqué)

380) En 1965, le quartier général du Commandement suprême des forces alliées d'Europe est déménagé de Paris à QUELLE autre ville européenne?
BRUXELLES (à la demande du président de Gaulle qui ne voulait plus de la présence des forces de l'OTAN sur son territoire)

381) NOMMEZ le premier ministre du Sud-Vietnam en 1966 qui était également pilote de guerre et général de l'aviation de son pays.
NGUYEN KY (bonne réponse=1 point de plus)

382) QUEL chef du Parti néo-démocrate a conduit son parti à la victoire lors des élections provinciales en Saskatchewan en 1971?
ALLAN BLAKENEY (il a défait le Parti libéral de Ross Thatcher)

383) Avec QUELLE nation africaine le gouvernement du Canada a-t-il suspendu ses relations diplomatiques en 1968, parce que cette nation avait invité le gouvernement du Québec à une conférence internationale sur l'éducation?
LE GABON

384) QUI a été le premier Noir du sud des États-Unis à être élu depuis la fin du XIXe siècle à la Chambre des représentants à Washington? Il a été élu en 1972 en Georgie.
ANDREW YOUNG (bonne réponse=1 point de plus)

385) En 1969, le premier ministre Jean-Jacques Bertrand fait appel aux forces armées de la base de Valcartier, afin de mettre fin aux désordres qui règnent dans la ville de Montréal après le déclenchement d'une grève de QUELS services 16 heures auparavant?
LA POLICE ET LES POMPIERS

386) C'est en 1964 que le premier contingent du régiment Royal 22e est dépêché pour maintenir l'ordre sous la bannière de l'O.N.U. dans QUELLE région de la Méditerranée?
CHYPRE

387) Après l'insurrection nationaliste hongroise de 1956, la nomination de cet homme politique hongrois à la tête du gouvernement a provoqué le départ de 150 mille habitants hongrois vers d'autres pays dont le Canada. QUI était cet homme qui a dirigé le pays durant neuf années ?

JANOS KADAR (bonne réponse= 1 point de plus)

388) QUELLE île, la plus orientale des petites Antilles, a obtenu son indépendance de la Grande-Bretagne en 1966 ?

LA BARBADE

389) Lorsque cette ville canadienne adopte le concept d'une ville centrale en fusionnant les 12 municipalités environnantes en 1972, elle passe au 3ᵉ rang des villes les plus populeuses au Canada. QUELLE est cette ville ?

WINNIPEG (devancée par Montréal et Toronto)

390) C'est en 1975 que cette ex-colonie britannique du sud-est asiatique est devenue indépendante après avoir été sous tutelle australienne depuis 1906. QUEL nom s'est-elle donnée ?

LA PAPOUASIE (moitié orientale de la Nouvelle-Guinée)

391) NOMMEZ le leader radical noir qui en 1966 a donné naissance à l'expression «Black Power» provoquant la scission entre son mouvement et celui de Martin Luther King.

STOKELY CARMICHAEL (bonne réponse= 1 point de plus)

392) Lorsque la Grèce se débarrasse du gouvernement militaire qui est au pouvoir depuis 1967, QUEL ancien premier ministre est rappelé de son exil en 1974 pour diriger la nation ?

CONSTANTIN CARAMANLIS (bonne réponse=2 points de plus)

393) Après 26 jours de débats à la Chambre des communes et trois révisions au projet de loi, QUEL nouveau régime a été adopté en 1965 par le Parlement ?

RÉGIME DE PENSION

394) QUI a succédé à William Rogers au poste de secrétaire d'État des États-Unis en 1973 ?

HENRY KISSINGER

395) QUI a été le premier président du R.I.N., le Rassemblement de l'indépendance nationale en 1960 ?

ANDRÉ D'ALLEMAGNE (bonne réponse= 1 point de plus)

396) En 1961, QUEL pourcentage de la population canadienne vivait et travaillait dans les régions urbaines ?

69,7 POUR CENT (jeu de 4,3 % + ou - alloué)

397) Le programme de clémence du président américain Gérald Ford pour les 125 mille Américains qui refusaient de faire leur service militaire durant la guerre du Vietnam, prend fin en mars 1975. QUEL pourcentage de ce nombre a accepté l'offre du gouvernement de réintégrer la société américaine? 18 %, 30 % OU 43 % ?

DIX-HUIT POUR CENT (22,500 de 124,400. Des milliers ont choisi de rester au Canada où ils s'étaient réfugiés)

398) NOMMEZ les deux prêtres québécois qui ont écrit en 1960 *Le Chrétien et les élections*, un ouvrage virulent sur la moralité politique au Québec.

LOUIS O'NEIL et GÉRARD DION (un point par réponse)

399) Lorsque l'Alaska est devenu le 49e état américain en 1959, par COMBIEN a-t-il augmenté la superficie des États-Unis? 11 %, 17 % OU 21 % ?

DIX SEPT POUR CENT (il est devenu le plus grand état devant le Texas)

400) Appelée Irian, cette région occidentale de la Nouvelle-Guinée a été une colonie néerlandaise jusqu'en 1962. Placée alors sous mandat de l'ONU, elle a été cédée à QUEL pays en 1963, après un plébiscite auprès des habitants?

L'INDONÉSIE (l'autre partie de l'île est devenue la Papouasie en 1975)

401) Alors que la révolution gagne en importance à Cuba en 1959, les autorités américaines ferment les accès aux réfugiés à leur base militaire située au sud-est de l'île. NOMMEZ cette base.

GUANTANAMO

402) Lorsque John Diefenbaker et les Conservateurs ont pris le pouvoir en 1957, ce député de la région de Toronto n'a pas reçu de ministère parce que John Diefenbaker le considérait comme un allié de Lester Pearson. Il l'a donc nommé président de la Chambre des communes jusqu'en 1963. QUI était-il?

ROLAND MICHENER (il est devenu gouverneur général en 1967)

403) QUI a été élu chancelier de l'Allemagne de l'Ouest en 1963? Il a succédé à Konrad Adenauer.

LUDWIG ERHARD (bonne réponse=1 point de plus)

404) QUEL leader séparatiste québécois a mis fin à un jeûne de 63 jours, pour ensuite démissionner de son poste de président du P.R.Q. en 1964?

MARCEL CHAPUT (Parti républicain du Québec)

405) NOMMEZ le co-récipiendaire du prix Nobel de la paix de 1973 qui a refusé d'accepter son prix?

LE DUC THO (parce que la paix n'était pas encore acquise au Vietnam. L'autre lauréat, Henry Kissinger, l'a accepté)

406) QUEL poste d'ambassadeur le diplomate canadien Yvon Baulne a-t-il obtenu en 1969?

À L'O.N.U. (bonne réponse=2 points de plus)

407) À QUEL ex-chef d'État européen Charles de Gaulle a-t-il présenté la croix de la Libération en 1958?

WINSTON CHURCHILL

408) QUEL député de l'Union nationale de Trois-Rivières, se voit interdire l'accès à l'Assemblée législative pour une période de trois ans en 1964, pour avoir accusé sans fondement valable le procureur général René Hamel de corruption?

YVES GABIAS (bonne réponse=1 point de plus)

409) Lorsque l'Alaska est devenu officiellement le 49ᵉ état américain en 1959, QUELLE ville a été désignée comme capitale?

JUNEAU

410) QUELLES deux anciennes provinces juives situées en Cisjordanie ont été capturées et occupées par les soldats israéliens lors de la guerre des Six Jours en 1967? Habitées en grande partie par les Palestiniens, elles représentaient pour les Israéliens un symbole traditionnel d'appartenance.

LA JUDÉE ET LA SAMARIE (2 points de plus pour les 2 réponses)

411) En 1971, le Canada a établi des relations diplomatiques avec le plus petit état du monde. LEQUEL?

LE VATICAN

412) QUEL ministre du Commerce et de l'Industrie du gouvernement minoritaire de John Diefenbaker, a démissionné du cabinet en 1963 à la suite d'un vote de non-confiance prononcé contre le gouvernement en Chambre? Lors de l'élection fédérale qui a suivi, il a refusé de se présenter comme candidat?

GEORGE HEES (bonne réponse=1 point de plus)

413) Complétez cette citation de Martin Luther King prononcée en 1962 lors d'une entrevue avec le New York Journal American : «Je veux être le frère de l'homme blanc et non son ....»

BEAU-FRÈRE

414) QUEL pays asiatique choisit de se retirer du Commonwealth britannique en 1972 après que son président ait choisi le socialisme islamique?

PAKISTAN (le président était Ali Bhutto)

415) QUEL ministre du Parti libéral fédéral a perdu son siège en 1972 après un recomptage des votes dans sa circonscription de Drummond?

JEAN-LUC PÉPIN

416) En 1964, Winston Churchill annonce sa retraite de la politique. COMBIEN d'années a-t-il siégé à la Chambre des communes de Londres? 49 ans, 55 ans OU 61 ans?

SOIXANTE ET UN ANS (il a été élu pour la 1re fois en 1900. Il n'a été absent des Communes que pour une période de 3 ans)

417) Deux ans après avoir quitté le Parti libéral du Canada, l'ex-ministre Paul Hellyer fonde un nouveau parti politique en 1971. COMMENT se nomme-t-il?

ACTION CANADA

418) En 1966 à Oakland en Californie, les militants noirs Huey Newton et Bobby Seale fondent un parti préconisant l'autodétermination de la communauté noire. COMMENT se nommait ce parti dont les membres du ghetto d'Oakland portaient des bérets, des vestes de cuir et des pistolets?

BLACK PANTHER

419) QUI a été élu leader du Parti communiste canadien lors d'un congrès tenu à Toronto en 1962?

TIM BUCK (bonne réponse=2 points de plus)

420) À QUEL homme d'État européen cette citation de 1966 appartient-t-elle? «Je respecte seulement ceux qui me résistent, mais je ne peux pas les tolérer.»

CHARLES DE GAULLE

421) Un amendement à la loi électorale fédérale en 1960 accorde le droit de vote aux élections fédérales à QUELLE minorité?

LES AUTOTOCHNES

422) En janvier 1973 commencent les pourparlers officiels de paix au Vietnam entre les représentants des États-Unis, du Vietnam-du-Nord, du Vietnam-du-Sud et QUI d'autre?

LE FRONT DE LIBÉRATION NATIONAL (aussi appelé Viet-Cong)

423) QUEL ministre dans les cabinets de Mackenzie King, de Louis St Laurent et de Lester Pearson a été nommé Haut-commissaire du Canada en Grande-Bretagne en 1964?

LIONEL CHEVRIER

424) Alors qu'il autographie des copies de son dernier livre, ce dirigeant des droits pour les Noirs américains est victime d'un attentat à Montgomery en Alabama en 1958. Une femme noire lui plonge un coupe-papier dans la poitrine. Transporté à l'hôpital, on constate que la lame de l'instrument a effleuré l'aorte. QUI était cet homme?

MARTIN LUTHER KING (il s'est rapidement remis de sa blessure)

425) Cette colonie britannique, plus petit pays de l'Afrique continentale accède à l'indépendance en 1965. Située sur la côte ouest de l'Atlantique, elle est complètement entourée par le Sénégal. NOMMEZ-la.

LA GAMBIE

426) C'est en 1960 que le pourcentage d'Américains à se prévaloir de leur droit de vote aux élections présidentielles, a été le plus élevé. De COMBIEN a-t-il été : 60,1 %, 66,7 % OU 70,5 % ? John Kennedy avait alors battu Richard Nixon.

60,1 % (la moyenne depuis 1932 est de 57,4 %)

427) Après avoir bombardé sans arrêt le Vietnam-du-Nord de 1965 à 1968, sans toutefois s'attaquer à la capitale Hanoï, le président Américain Lyndon Johnson a ordonné l'arrêt de ces bombardements dans l'espoir d'amener les Nord-Vietnamiens à la table des négociations. Cette tentative ayant été infructueuse, les bombardements ont repris en QUELLE année sur les ordres du président Richard Nixon ?

1972 (avec une furie inimaginable et sans aucune restriction quant aux cibles. Cinq semaines plus tard, un cessez-le-feu était conclu. À noter que durant la pause de 1968 à 1972, les bombardements ont continué dans le sud du pays)

428) Avec la création du ministère de l'Éducation en 1964, le Québec transforme complètement la formation scolaire. Avec l'établissement de CÉGEPS ainsi que de l'Université du Québec à Montréal et de ses cinq constituantes, QUELLE école de formation traditionnelle des maîtres a été éliminée à la fin des années 60 ?

L'ÉCOLE NORMALE(la formation des maîtres a été accordée aux universités)

429) QUEL ex-secrétaire d'État sous Harry Truman a dit de la guerre du Vietnam durant les années 60 : « Cette guerre est plus qu'immorale : c'est une erreur » ?

DEAN ACHESON (bonne réponse=1 point de plus)

430) QUEL était le slogan du Parti libéral du Québec lors de l'élection provinciale de 1962 ?

MAÎTRES CHEZ NOUS

431) Il a été nommé président du Soviet suprême en 1965 par Léonid Brejnev, poste qu'il a conservé durant 12 années. QUI était-il ?

NICOLAÏ PODGORNY (bonne réponse=3 points de plus)

432) QUEL député de l'Union nationale a été ministre des Affaires municipales sous Maurice Duplessis, Paul Sauvé et Antonio Barrette, de 1956 à 1960 et ministre des Finances dans les cabinets de Daniel Johnson et de Jean-Jacques Bertrand de 1966 à 1969?

PAUL DOZOIS

433) QUEL jour, QUELLE date, QUEL mois et QUELLE année John Kennedy a-t-il été assassiné?

VENDREDI LE 22 NOVEMBRE 1963 (1 point de plus pour le jour)

434) En 1967, lorsque les soldats israéliens ont occupé la vieille partie de la ville de Jérusalem occupée par les arabes ainsi que tout le territoire situé à l'ouest du Jourdain, QUEL pays défendait alors cette région?

*LA JORDANIE (depuis, on appelle cette région les **territoires occupés**)*

435) QUEL était le pourcentage de Russes au sein des 15 républiques de l'U.R.S.S. en 1975? 45 %, 55 % OU 65 %?

CINQUANTE-CINQ POUR CENT (l'Ukraine était au 2e rang avec 16%)

436) La formule «Fulton-Favreau» du gouvernement Pearson de 1963, était consacrée essentiellement à QUELLE intention du gouvernement?

AU RAPATRIEMENT DE LA CONSITUTION (elle avait été préparée par le ministre de la justice du gouvernement conservateur David Fulton en 1960. Guy Favreau y a apporté quelques changements et la formule a été acceptée)

437) Au début de janvier 1961, le président américain Dwight Eisenhower ordonne la rupture des relations diplomatiques avec QUEL pays de l'hémisphère occidental?

CUBA

438) Après 24 ans au pouvoir, les Libéraux de cette province sont battus par la marge de moins de 1 % par les Conservateurs en 1959. NOMMEZ cette province.

L'ÎLE DU PRINCE-EDOUARD

439) Trois grands pays africains largement désertiques de la région du Sahel et sans accès à la mer ont obtenu leur indépendance de la France en 1960: le Mali, le Tchad et QUEL autre?

LE NIGER

440) Dans les premiers affrontements entre les soldats américains et ceux du Viet-Cong au Vietnam au milieu des années 60, de violents combats ont eu lieu dans le sud du pays et pas très loin de Saigon dans un delta où se jette le plus important fleuve du Vietnam. LEQUEL?

MEKONG

441) NOMMEZ le ministre de l'Éducation nationale de France qui accompagnait le général de Gaulle lors de la visite du président au Québec en 1967.

ALAIN PEYREFITTE

442) En 1969, le gouvernement du Québec s'est donné un premier ombudsman. Ce mot, d'origine suédoise, est utilisé tel quel dans les autres provinces canadiennes. Au Québec, on lui a donné un autre titre. LEQUEL?

*PROTECTEUR DU CITOYEN (en suédois, **ombudsman** signifie: représentant)*

443) QUI détenait le poste de ministre des Finances dans les gouvernements de John Diefenbaker de 1957 à 1962? Il s'est aussi présenté au congrès de leadership du Parti conservateur en 1948, 1957 et 1967 mais sans succès.

DONALD FLEMING (bonne réponse=2 points de plus)

444) Cet ex-gouverneur de l'État de New York est décédé en 1971. Il s'était rendu célèbre par son acharnement comme procureur à faire condamner le mafioso Lucky Luciano en 1940. Il avait aussi été le candidat présidentiel républicain défait aux élections de 1944 et de 1948. QUI était-il?

THOMAS DEWEY (bonne réponse=1 point de plus)

445) QUI a été promu au poste de président du présidium suprême d'U.R.S.S. par Nikita Khrouchtchev en 1960?

LÉONID BREJNEV

446) Durant la période de croissance économique du début des années 60 et sous le régime de Jean Lesage, le taux de chômage au Québec a connu une baisse importante. De 9,2 % qu'il était en 1961, à QUEL taux est-il passé en 1966?

À 4,7 POUR CENT (jeu de 1 % + ou - alloué)

447) QUEL était le pourcentage de la population noire des États-Unis en 1967? Sont exclus de ce chiffre les Américains de naissance ou de descendance latino-américaine. 11 %, 18 % OU 23 %?

ONZE POUR CENT (22 millions sur une population de 200 millions)

448) Lorsque l'O.N.U. accepte en 1973 les deux Allemagnes au sein de leur organisme, une seule nation européenne demeure toujours, par choix, à l'écart de l'ONU. LAQUELLE?

LA SUISSE (au nom de son indépendance absolue)

449) Pour la première fois en 13 ans, le Pakistan se donne un régime civil en 1971. C'est le ministre des Affaires étrangères qui est choisi pour diriger le pays. QUI est ce nouveau président?

ALI BHUTTO (père de Benazir Bhutto, futur leader du Pakistan)

450) Quatre membres du FLQ ont été accusés et condamnés pour leur rôle dans l'assassinat du ministre Pierre Laporte en 1970. Il s'agissait de Paul et Jacques Rose, Francis Simard et de QUEL autre accusé?

BERNARD LORTIE

451) QUELLE célèbre phrase John Kennedy a-t-il prononcée devant 150,000 personnes réunies au centre-ville de Berlin en 1963?

ICH BIN EIN BERLINER (je suis un Berlinois)

452) À la suite des élections de 1972 aux États-Unis, deux territoires américains délèguent pour la première fois des représentants au Congrès à Washington. Les Îles Vierges sont un de ces territoires. QUEL est l'autre?

GUAM (à l'exemple de Porto-Rico et du District de Columbia qui ont aussi des délégués à la Chambre des représentants, ils n'ont pas droit de vote)

453) En 1974, les Libéraux de Pierre-Elliott Trudeau, alors minoritaires, ont été défaits à la suite d'un vote de non-confiance de l'opposition. Contre QUOI a-t-elle voté majoritairement, une première dans les annales des Communes à provoquer la chute d'un gouvernement canadien?

CONTRE LE BUDGET (en 1968, le gouvernement de Lester Pearson avait été défait pour la même raison mais Pearson avait choisi de rester au pouvoir)

454) À la suite d'un référendum tenu en 1955 auprès des habitants de ce territoire situé à la frontière de la France et de l'Allemagne, il a été décidé qu'il allait revenir à l'Allemagne. L'indépendance politique a été obtenue en 1957 et après avoir obtenu l'intégration politique en 1959, il est devenu une province allemande en 1960. NOMMEZ ce territoire?

LA SARRE (depuis 1948, ce territoire était indépendant, mais ses politiques étrangères et de défense étaient assurées par la France)

455) Deux partis indépendantistes ont présenté des candidats aux élections de 1966 au Québec: le R.I.N. et QUEL autre? Aucun n'a été élu.

LE RALLIEMENT NATIONAL (né de la fusion du Ralliement créditiste de Gilles Grégoire et du Regroupement national)

456) Après 48 ans à la tête d'un important service du gouvernement américain, ce haut fonctionnaire qui a travaillé sous huit présidents différents, meurt en 1972 à l'âge de 77 ans. Le président Nixon ordonne que sa dépouille soit exposée dans la rotonde du Capitol, une première pour un fonctionnaire. QUI était cet homme?

EDGAR J. HOOVER (directeur du F.B.I.)

457) Entre 1946 et 1958, date d'arrivée du général de Gaulle à la présidence, COMBIEN de fois le poste de premier ministre (ou président du Conseil) a-t-il changé de titulaire sous la IVᵉ République? 12 fois, 18 fois OU 25 fois?
   VINGT-CINQ FOIS (certains l'ont été plus d'une fois)

458) QUI était le premier ministre de France au moment de la crise du canal de Suez et de la guerre qui a suivi en 1956, entre l'Égypte d'une part et la France, la Grande-Bretagne et Israël d'autre part?
   GUY MOLLET (bonne réponse=1 point de plus)

459) En 1975, le gouvernement fédéral et ceux de l'Alberta et de l'Ontario décident d'investir 600 millions de dollars dans l'exploitation des sables bitumineux de l'Alberta, riches en pétrole. QUELLE compagnie a été choisie pour faire ce travail?
   SYNCRUDE CANADA LTD

460) Lorsque le gouvernement démocratique de ce pays d'Amérique latine a été renversé par une junte militaire en 1973, la période de 46 ans de démocratie, la plus longue de l'histoire de ce continent, prenait fin. NOMMEZ ce pays.
   LE CHILI (le général Augusto Pinochet a succédé au marxiste Allende)

461) Lors d'une entente conclue avec le gouvernement fédéral en 1965, le gouvernement québécois de Jean Lesage a gagné deux énormes points de négociation avec le fédéral: la création d'un Régime des rentes par le Québec et QUEL autre accord?
   LA CRÉATION D'UNE CAISSE DE DÉPÔT

462) QUELLE nation insulaire située au sud-est de l'Afrique devient une république en 1958 et obtient son indépendance de la France en 1960?
   MADAGASCAR

463) Peu de temps après son accession à la présidence en 1958, le général de Gaulle se rend en Algérie et prononce un discours devant une énorme foule à Alger. QUELLE phrase de son discours est passée depuis à l'histoire?
   JE VOUS AI COMPRIS

464) Lorsque Nikita Khrouchtchev est devenu leader absolu de l'U.R.S.S. en 1958, COMBIEN de figures dominantes de la hiérarchie soviétique a-t-il éliminées entre 1953, année de la mort de Staline, et 1958? POUVEZ-vous les nommer?
   SIX (Beria, Malenkov, Molotov, Jukov, Kaganovitch et Boulganine) (1 pt./nom)

465) COMMENT a-t-on qualifié la date du samedi 20 octobre 1973 aux ÉTATS-UNIS, lorsque le président Richard Nixon a décidé de congédier le procureur spécial Archibald Cox et le Procureur-général adjoint William Ruckelhaus, et que le procureur général, Elliott Richardson a choisi de démissionner plutôt que de se plier aux exigences du président dans l'affaire Watergate ?

LE MASSACRE DU SAMEDI SOIR (bonne réponse=1 point de plus)

466) Après la guerre des Six Jours en 1967, les Israéliens ont annexé quatre territoires à leurs frontières : Gaza, la Cisjordanie, le Golan et QUEL autre ?

LE SINAÏ (enlevé aux Égyptiens et de loin le plus vaste et le plus aride)

467) Avant de devenir ministre de la Justice dans le gouvernement Pearson en 1967, à QUEL poste Pierre-Elliott Trudeau avait-il été nommé en 1966 ?

ASSISTANT PARLEMENTAIRE À LESTER PEARSON (bonne réponse=1 point de plus)

468) QUELLE vedette de Hollywood s'est rendue à Hanoi en 1971 pour lancer un message à la radio nord-vietnamienne, demandant aux soldats américains de cesser leurs bombardements des zones habitées de Hanoi ?

JANE FONDA (elle a eu droit à une réprimande du secrétariat d'État)

469) À QUELLE demande du général de Gaulle le gouvernement Pompidou résiste-t-il en 1962, provoquant ainsi la tenue d'un référendum sur la question ? Cinq jours après, l'Assemblée nationale est dissoute et le référendum est tenu deux semaines plus tard. Les Français acceptent dans une proportion de 62 % la demande du général.

QUE LE PRÉSIDENT DE LA RÉPUBLIQUE SOIT ÉLU AU SUFFRAGE UNIVERSEL (ce sera une première dans l'histoire du XXe siècle de la France)

470) QUEL député du Parti québécois a été nommé chef de l'Opposition officielle à l'Assemblée nationale après l'élection des Libéraux en 1973 ?

JACQUES-YVAN MORIN

471) En 1968, cette île de l'océan Indien et colonie britannique obtient son indépendance. NOMMEZ-la.

MAURICE (appelée Mauritius par les Britanniques)

472) C'est en 1974 que l'Aviation américaine a choisi ce chasseur léger monoréacteur comme complément au F-15, plus lourd et plus puissant. NOMMEZ cet avion qui, au fil des ans deviendra un des plus performants au monde et fera partie des effectifs militaires de plusieurs pays alliés.

LE F-16 (construit par General Dynamics)

473) En 1973, les autorités ouest-allemandes annoncent l'identification absolue d'un squelette déterré l'année précédente à Berlin-Ouest. Il s'agit d'un proche d'Adolf Hitler qui après avoir quitté le bunker peu de temps avant la fin de la guerre en mai 1945, n'avait jamais été revu. De QUI s'agit-il?

MARTIN BORMANN (secrétaire du Führer. Le bruit avait couru qu'il s'était enfui en Amérique du Sud)

474) Le Canada a connu une croissance économique peu ordinaire durant les années 1961 à 1966. Ainsi, en 1964 et 1965, une hausse inattendue du produit national brut a été de presque deux fois celle des prévisions. QUEL pourcentage a-t-elle atteint?

NEUF POUR CENT (Jeu de 1% + ou - alloué)

475) Il y a trois Guinées en Afrique. LAQUELLE, une ex-colonie de l'Espagne, a obtenu son indépendance en 1968?

LA GUINÉE ÉQUATORIALE (les deux autres sont la Guinée et la Guinée-Bissau)

476) QUEL leader politique québécois a qualifié le premier ministre du Québec Jean-Jacques Bertrand de «pleureuse nationale», lors d'un discours précédant les élections provinciales de 1970?

RENÉ LÉVESQUE

477) L'auteur de *Les Rois maudits* n'a pas hésité à ne plus subventionner les maisons de culture de France en 1973 après avoir été nommé à QUEL poste au sein du gouvernement français? Et QUI était-il?

MINISTRE DE LA CULTURE - MAURICE DRUON (2ᵉ réponse.= 1 point de plus)

478) NOMMEZ le député conservateur québécois qui a quitté le Parti fédéral de John Diefenbaker en pleine Chambre des communes en 1965 pour aller siéger comme député indépendant. En 1966, il a été élu député de l'Union nationale à l'Assemblée législative et nommé ministre de la Justice en 1969.

RÉMI PAUL (après avoir quitté son banc à Ottawa, il a déclaré qu'il ne voulait pas quitter le Parti conservateur mais celui de John Diefenbaker)

479) Après avoir été nommé à la tête du gouvernement polonais en 1956, à la suite des émeutes de Poznan, cet homme politique résigne ses fonctions en 1970, lorsque des troubles éclatent à Gdansk après l'annonce d'une hausse de 33% des denrées alimentaires et des autres produits de consommation. Plus de 300 personnes sont tuées dans l'émeute qui suit. QUI était ce leader?

WLADYSLAW GOMULKA

480) QUEL député de l'Union nationale de Montcalm, élu en 1966, a été nommé ministre des Affaires intergouvernementales du Québec en 1969 après avoir été ministre d'État à l'Éducation et ministre d'État à la Fonction publique?

MARCEL MASSE

481) QUEL a été le pourcentage du vote négatif lors du référendum de 1969 proposé par le président de Gaulle sur la régionalisation et la réforme du Sénat?

52,4 POUR CENT (la défaite est imputée au vote négatif de Valéry Giscard d'Estaing et des indépendants ainsi que celui des sénateurs. À la suite de cet échec, De Gaulle a démissionné) (Jeu de 2% + ou - alloué)

482) NOMMEZ les deux principaux compagnons d'armes de Fidel Castro lors de la prise du pouvoir de Cuba en 1959.

CHE GUEVARA - RAUL CASTRO (son frère). (1 point par réponse)

483) Lors du congrès de leadership du Parti conservateur tenu à Toronto en 1967, Robert Stanfield a été choisi pour succéder à John Diefenbaker au 5e tour de scrutin. QUI a terminé bon deuxième?

DUFF ROBLIN (ex-premier ministre du Manitoba)

484) Une semaine avant de quitter la présidence américaine, Lyndon Johnson déclare que la plus grande satisfaction de son mandat, a été l'adoption de la loi des droits civils. Il déclare aussi que sa plus grande déception a été QUOI?

DE NE PAS AVOIR RÉUSSI À FAIRE LA PAIX AU VIETNAM

485) NOMMEZ le président du Vietnam-du-Sud qui a été assassiné en 1963 par ses officiers de l'armée avec l'aide de la CIA et l'approbation du gouvernement américain de John Kennedy.

NGO DINH DIEM (sa répression impitoyable de l'opposition bouddhiste avait provoqué l'anarchie dans la population et l'opposition des militaires)

486) En début de novembre 1956, trois événements importants touchant à trois continents différents retiennent les manchettes: la crise de Suez, la révolution hongroise et QUEL autre?

LES ÉLECTIONS PRÉSIDENTIELLES AMÉRICAINES (Eisenhower est réélu)

487) NOMMEZ le juge qui, entre 1960 et 1962, a présidé l'enquête royale sur l'administration publique pour examiner l'implication des ministres, députés et conseillers législatifs de l'Union nationale, dans la vente du réseau gazier par l'Hydro Québec à la nouvelle Corporation de gaz naturel.

ÉLIE SALVAS (rapport Salvas)

488) En 1966, un B-52 américain transportant quatre bombes à hydrogène, entre en collision avec un avion citerne K-135 au large de la côte méditerranéenne de QUEL pays européen? Trois des bombes tombent près d'un village et l'autre dans la mer, mais personne n'est blessé ou affecté par la faible radioactivité qui se dégage des trois bombes tombées au sol.

L'ESPAGNE (la bombe tombée dans la mer est retrouvée et 1 300 tonnes de terre où les bombes sont tombées sont transportées aux États-Unis pour fins d'analyses)

489) Empressés de gagner la confiance des électeurs lors du scrutin fédéral de 1963, les Libéraux ont adopté QUEL slogan qui allait, selon eux, faire bouger les choses rapidement et redorer l'image du Canada?

SIXTY DAYS OF DECISION (le budget du ministre Walter Gordon qui a suivi 60 jours après l'élection des Libéraux, a été sévèrement critiqué par tous). (Bonne réponse=3 points de plus)

490) L'escalade de la guerre du Vietnam durant les années 60, a poussé les États-Unis à augmenter le nombre de ses soldats en sol vietnamien de 12,000 en 1962 à COMBIEN en 1969, année record de la présence américaine?

557,000 (Jeu de 60 mille + ou - alloué)

491) QUI a hérité du poste de ministre du Travail dans le cabinet Bourassa après l'assassinat de Pierre Laporte en 1970? Pourtant, il n'était pas député. Il a été élu l'année suivante dans Chambly.

JEAN COURNOYER (il avait été ministre de l'Union nationale en 1969-70)

492) Lorsque le président français Charles de Gaulle a proposé un traité de réconciliation au chancelier allemand Konrad Adenauer en 1962, il voulait créer avec l'Allemagne une alliance militaire et économique qui ferait contrepoids à une autre alliance tacite occidentale composée de deux pays. LESQUELS?

LES ÉTATS-UNIS ET LA GRANDE-BRETAGNE (le traité amendé par le Parlement allemand et signé en 1963 n'a duré que trois mois. L'Allemagne avait choisi de ne pas quitter l'O.T.A.N. et d'appuyer l'entrée de la G.-B. dans la C.E.E. et la réunification des deux Allemagnes, décisions qui déplaisaient à De Gaulle)

493) Après les élections fédérales de 1972, QUEL leader d'un tiers parti des Communes a constamment appuyé les décisions du gouvernement libéral minoritaire de Pierre Trudeau? Ainsi, les Libéraux étaient assurés de conserver le pouvoir avec une majorité des voix, 140 contre 124.

DAVID LEWIS (parti NPD. En 1974, les Libéraux ont regagné leur majorité)

494) QUI a été nommé en juin 1964 au poste de premier ministre de l'Inde pour succéder à Jawaharlal Nehru, décédé quelques jours plus tôt? Il avait été jusque-là ministre de l'Intérieur.

LAL BAHADUR SHASTRI (bonne réponse=2 points de plus)

495) Deux pays d'Amérique du Sud se donnent un régime militaire à la suite de coups d'État en 1964: le Brésil et QUEL autre situé au milieu du continent?

LA BOLIVIE

496) Le plus faible taux de chômage depuis 1944 a été atteint au Canada en 1966 grâce à une économie en pleine croissance. De COMBIEN était-il?

TROIS POUR CENT (le PNB était de 9,5%). (Jeu de 1% + ou - alloué)

497) QUELLE nation a été la dernière du bloc occidental à reconnaître la République démocratique allemande en 1974?

LES ÉTATS-UNIS (les autres nations l'avaient reconnue en 1971)

498) Lorsque la loi 60 a été adoptée par le gouvernement du Québec en 1964, un nouveau ministère voyait le jour: celui de l'Éducation. Jusque-là, QUEL organisme du gouvernement veillait à l'éducation des élèves alors dirigés par les religieux et les religieuses?

LE DÉPARTEMENT DE L'INSTRUCTION PUBLIQUE

499) QUELLE femme a été la première dans l'histoire des Amériques à devenir chef d'État de son pays en 1974?

ISABEL PERON (elle a succédé à son mari qui est décédé)

500) En 1965, ce député conservateur, chef de l'aile québécoise du parti et ex-ministre dans le cabinet de John Diefenbaker, choisit de quitter les rangs de son parti parce que son chef critique le gouvernement Pearson qui vient de conclure une entente avec le Québec sur le régime des rentes et la création d'une Caisse de dépôts. QUI était-il?

LÉON BALCER (député de Trois-Rivières. Il devient Indépendant et en 1966, se fait battre comme candidat libéral aux élections provinciales)

501) QUEL pays d'Afrique du Nord décide en 1971, de nationaliser les compagnies étrangères de pétrole et de gaz naturel?

L'ALGÉRIE

502) Lorsque Lucien Saulnier démissionne comme premier président du Comité exécutif de Montréal en 1972, QUI lui succède?

LAWRENCE HANIGAN

503) QUEL territoire l'empereur éthiopien Hailé Sélassié, a-t-il annexé à l'Éthiopie en 1962 après la fin du mandat de 10 ans de l'O.N.U. sur ce territoire? En peu de temps, les opposants sécessionnistes ont engagé le combat.

L'ÉRYTHRÉE (située au nord de l'Éthiopie)

504) Lors du congrès à la direction du Parti conservateur du Canada en 1967 à Toronto, un nombre record de candidats ont choisi de se présenter, dont le chef sortant John Diefenbaker. COMBIEN étaient-ils?

ONZE (Robert Stanfield a gagné au 5ᵉ tour de scrutin. Diefenbaker s'est retiré de la course après le 3ᵉ tour). (Jeu de 1 + ou - alloué)

505) Lorsque François Duvalier a pris le pouvoir à Haïti en 1957, QUEL dictateur a-t-il remplacé?

PAUL MAGLOIRE (on l'a contraint à démissionner). (Bonne réponse.=1 point de plus)

506) En l'espace de 20 jours, au mois d'avril 1975, deux capitales du Sud-Est asiatique sont tombées aux mains des forces communistes: Saigon et QUELLE autre?

PHNOM PENH (au Cambodge, tombée aux mains des Khmers Rouges)

507) QUEL a été le dernier ministère dont René Lévesque a été titulaire avant la défaite du Parti libéral du Québec en 1966?

DE LA FAMILLE ET DU BIEN-ÊTRE SOCIAL (1965-66)

508) Outre les États-Unis, QUEL pays occidental a vendu le plus d'avions de combat à plus d'une vingtaine de pays entre 1960 et 1975? Et QUEL modèle d'avion de ce pays a été le plus vendu?

LA FRANCE (plus de 1000 avions) - LE MIRAGE (versions I, III et V). (2ᵉ réponse=1 point de plus)

509) Il a été roi de ce pays d'Asie du Sud-Est de 1941 à 1959, puis chef d'État du même pays de 1960 à 1970. Il est alors parti en exil. QUI est-il?

NORODOM SIHANOUK (du Cambodge)

510) La nouvelle Corporation de Montréal métropolitain créée en 1959 par le gouvernement Duplessis, est incapable de remplir son mandat, notamment à cause de l'opposition du tandem Drapeau-Saulnier. Jean Drapeau propose plutôt l'annexion à Montréal de toutes les villes de la banlieue de l'île de Montréal, solution exprimée dans QUEL slogan?

UNE ÎLE, UNE VILLE

511) En 1969, craignant une guerre civile, le gouvernement britannique dépêche ses soldats dans l'Ulster pour mettre fin aux combats entre catholiques et protestants. Lorsque l'IRA multiplie ses attentats, le gouvernement de Londres prend une autre décision. LAQUELLE?

IL PREND EN MAIN L'ADMINISTRATION DE L'ULSTER (Irlande du Nord)

512) QUELLE thèse a été développée par les stratèges du Parti conservateur du Canada, réunis à Québec peu de temps avant le congrès au leadership du parti à Toronto en 1967 ? Cette décision allait provoquer la colère du chef John Diefenbaker et servir de thème majeur dans l'élection de 1968.

LA THÈSE DES DEUX NATIONS (elle sera le mot d'ordre de Marcel Faribault, lieutenant québécois de Robert Stanfield durant la campagne électorale de 1968 au Québec)

513) COMBIEN d'années John Kennedy a-t-il passées au Congrès américain avant de devenir président des États-Unis en 1960 ?

QUATORZE ANS (six à la Chambre des Représentants et huit au Sénat)

514) En 1957-58, après plusieurs tentatives infructueuses pour déloger Nikita Khrouchtchev de son poste de secrétaire général du Parti communiste d'U.R.S.S., cinq membres importants de la hiérarchie soviétique ont été limogés par Khrouchtchev : Viatcheslav Molotov, Lazar Kaganovitch, Nicolaï Boulganine, le maréchal Joukov et QUEL autre ?

GEORGI MALENKOV (successeur de Staline après la mort de ce dernier en 1953)

515) Une fois élus en 1960, le Parti libéral de Jean Lesage et ses ministres, ont peu de temps après hérité d'un titre flatteur qui reflétait le dynamisme et la détermination de ce groupe d'hommes politiques. LEQUEL ?

L'ÉQUIPE DU TONNERRE

516) NOMMEZ le ministre des Finances de la France qui a annoncé en 1964 que le pays présentait un budget équilibré pour la première fois depuis 1928.

VALÉRY GISCARD d'ESTAING

517) La victoire des Conservateurs de John Diefenbaker à l'élection fédérale de 1957, a été attribuée en bonne partie au débat le plus virulent jamais tenu aux Communes l'année précédente, celui du gazoduc. QUELLE mesure jusque-là jamais utilisée dans l'histoire du Parlement canadien, les Libéraux de Louis St Laurent ont-ils utilisée pour faire adopter la loi autorisant la construction du gazoduc entre l'Alberta et l'Ontario ?

LA GUILLOTINE (une limite de temps imposée à l'opposition en Chambre)

518) Des cinq articles de destitution présidentielle soumis au comité judiciaire de la Chambre des représentants en juillet 1974, COMBIEN ont été retenus pour l'étape suivante, celle de la procédure de destitution à la Chambre des représentants ?

TROIS (Richard Nixon a démissionné avant que la cause ne soit entendue)

519) Abstraction faite de l'U.R.S.S., COMBIEN de nations européennes étaient dirigées par des régimes communistes en 1956 ?

HUIT (Albanie, Hongrie, Roumanie, Tchécoslovaquie, Bulgarie, Yougoslavie, Allemagne de l'Est et Pologne)

520) En 1972, le Japon se donne un nouveau premier ministre : Kakuei Tanaka. Il s'empresse de normaliser les relations diplomatiques avec QUELLE puissance mondiale et du même coup, fait un pied de nez à QUELLE autre ?

LA CHINE - L'U.R.S.S.

521) QUI s'est emparé du pouvoir en Syrie en 1970 ?

HAFEZ AL ASSAD (il y était toujours à la fin du XXᵉ siècle)

522) De tous les investissements étrangers au Canada, QUEL était en 1972 le pourcentage des Américains ? 70 %, 78 % OU 85 % ?

QUATRE-VINGT CINQ POUR CENT (trois milliards 200,000,000 de dollars)

523) QUEL sénateur a été défait par John Kennedy lors du congrès au leadership du Parti démocrate en prévision des élections de 1960 ?

LYNDON JOHNSON (il est devenu candidat à la vice-présidence)

524) NOMMEZ le ministre des Affaires sociales du Québec qui a menacé de démissionner du cabinet Bourassa en 1972, après avoir vu son projet de sécurité sociale sabordé par le ministre fédéral des finances John Turner.

CLAUDE CASTONGUAY (le budget de Turner prévoyait des avantages fiscaux et financiers de 425,000.000 de dollars aux personnes âgées)

525) Lors du référendum de septembre 1958 en France qui a donné un appui de 80 % à la nouvelle constitution du général de Gaulle, une seule nation a dit « non » à la proposition française de demeurer à l'intérieur de la communauté française ou de devenir indépendante. LAQUELLE ?

LA GUINÉE (alors dirigée par le nationaliste Sékou Touré)

526) Au début du siècle, le nombre de sénateurs à Ottawa était de 72. Ce chiffre a été augmenté au fil des ans en proportion avec la croissance de la population. En 1975, il a été augmenté pour la dernière fois. À COMBIEN ?

CENT QUATRE (jeu de 4 + ou - alloué)

527) Entre 1939 et 1970, le pourcentage des électeurs à se prévaloir de leur droit de vote aux élections de la ville de Montréal s'est situé à QUEL pourcentage ? Moins de 50 %, plus de 50 %, plus de 55 % ou plus de 60 %

MOINS DE CINQUANTE POUR CENT

528) QUELLE juridiction réservée exclusivement depuis 231 ans au grand Lord chambellan du gouvernement de Grande-Bretagne lui a été retirée en 1968 par le Parlement britannique ? Cette décision a été prise à la suite de nombreuses plaintes formulées par les milieux artistiques.

LA CENSURE (les producteurs de la comédie musicale Hair avaient refusé de présenter une version modifiée de leur spectacle depuis 2 ans et avaient préféré ne pas la présenter du tout). (Bonne réponse=2 points de plus)

529) Par un vote de 7 voix contre 2, la Cour suprême des États-Unis légalise en 1973 l'avortement sans restriction avant le début de QUEL mois de la grossesse?

LE QUATRIÈME (46 états aux lois restrictives doivent se soumettre)

530) Des dix millions d'habitants en Algérie en 1961, un an avant l'indépendance du pays, QUEL pourcentage était français?

DIX POUR CENT (jeu de 2% + ou - alloué)

531) De QUEL pourcentage le budget du Québec de Jean Lesage en 1963 était-il supérieur à celui de l'Union nationale de Maurice Duplessis en 1959?

DE 72 POUR CENT (les revenus ont en même temps augmenté de 55%)
(Jeu de 7% + ou - alloué)

532) Avant de devenir indépendante en 1965, à QUELLE fédération Singapour appartenait-elle?

LA MALAISIE (aussi appelée Malaysia)

533) QUEL programme proposé par le Québec et accepté par le gouvernement fédéral en 1965, a été applaudi par l'opposition de John Diefenbaker et nombre de premiers ministres provinciaux, un fait unique dans les annales politiques du Canada?

LE RÉGIME DES RENTES DU QUÉBEC (et la caisse de dépôt aussi)

534) Lorsque le maire Jean Drapeau a convoqué les journalistes à une conférence de presse en 1972, il leur a dévoilé le budget total des Jeux Olympiques de Montréal de 1976. QUEL avait été le montant alors divulgué par le maire?

TROIS CENT DIX MILLIONS DE DOLLARS (il avait dit en 1970 lors de l'obtention des Jeux que le budget serait de 200 millions de dollars)

535) QUEL pays a été le premier de l'Europe occidentale à légiférer de manière libérale en faveur de l'avortement en 1967? La loi autorise l'intervention jusqu'à la 24e semaine de grossesse, avec l'accord de deux médecins si la santé mentale ou physique de la mère est menacée.

LA GRANDE-BRETAGNE (en même temps commence la diffusion de l'éducation sexuelle à l'école en G.-B.)

536) En 1965, le gouvernement fédéral a décidé de fixer un âge limite pour les membres du Sénat. Jusque-là, un sénateur pouvait siéger jusqu'à sa mort. QUELLE est cette nouvelle limite d'âge pour les nouveaux sénateurs?

SOIXANTE-QUINZE ANS

537) QUELLE décision du président Gamel Abdel Nasser de l'Égypte en 1967, a été la cause principale du déclenchement de la guerre des Six Jours par l'État d'Israël en juin 1967?

DE FERMER LE DÉTROIT DE TIRAN À LA NAVIGATION ISRAÉLIENNE (ce détroit reliait le port israélien de Eilat à la mer Rouge, via le golfe d'Akaba)

538) QUEL était le slogan du Parti libéral québécois durant la campagne électorale de 1966?

POUR UN QUÉBEC PROSPÈRE (l'Union nationale a gagné l'élection)

539) QUEL pays du pacte de Varsovie, le seul, n'a jamais toléré à partir des années 50, la présence de soldats soviétiques sur son territoire?

LA ROUMANIE

540) QUELLE bataille acharnée, opposant 7 mille Marines américains à 40 mille soldats Nord-vietnamiens et du Viet-Cong, a été qualifiée de «Dien Bien Phu» américain en 1968? Le siège de cette base américaine a duré 100 jours.

KHE SANH (bonne réponse=2 points de plus)

541) En 1970, cet avion de chasse est mis en service par l'aviation soviétique. Il devient l'avion de combat le plus rapide au monde, atteignant une vitesse maximale de 2,300 milles à l'heure ou Mach-3.2. POUVEZ-vous identifier cet appareil?

MIG-25 FOXBAT (bonne réponse=3 points de plus)

542) Alors qu'il se trouvait en Chine en 1966, ce président du premier pays d'Afrique équatoriale à obtenir son indépendance en 1957, a été renversé à cause de son orientation socialiste et son style dictatorial. QUI était-il?

KWAME NKRUMAH

543) Les femmes suisses obtiennent une demi-victoire en 1959. Privées du droit de vote au fédéral, elles exercent cette année-là QUEL premier droit de vote?

AUX ÉLECTIONS CANTONALES (elles ont obtenu le vote au fédéral en 1971)

544) NOMMEZ les deux nations qui, à la suite d'un violent incident frontalier qui a fait de nombreux morts en 1969, ont failli déclencher une guerre nucléaire?

LA CHINE ET L'U.R.S.S. (alors au sommet de leurs différents).
(2 réponses exigées)

545) Le coût de construction de la voie maritime du Saint-Laurent inauguré en 1959, a été de 470 millions de dollars. QUEL a été le pourcentage de cette somme défrayée par le Canada? 57%, 70% OU 82%?

SOIXANTE DIX POUR CENT (les États-Unis ont payé le reste)

546) QUELLE expression s'est mise à courir à partir de 1966 au Canada, à la suite des revendications répétées du gouvernement du Québec et qui est devenue un refrain durant plusieurs années?

WHAT DOES QUEBEC WANT

547) C'est en 1974, une année au taux d'inflation très élevé, que les Canadiens ont enregistré les plus fortes hausses de salaire de l'histoire. De COMBIEN ont-elles été pour l'année 1974 : de 13,5 %, 15,8 % ou 19,7 % ?

19,7 POUR CENT (le taux d'inflation frôlait le 11 %)

548) Dans QUEL pourcentage la superficie de l'État d'Israël s'est-elle agrandie à la suite de la victoire des Israéliens dans la guerre des Six Jours en 1967 ?

DE 400 POUR CENT (les territoires suivants ont été occupés par Israël : le Sinaï, le Golan, Gaza et la rive gauche du Jourdain). (Jeu de 100 % + ou - alloué)

549) QUELLE Soviétique devient en 1957 la seule femme à avoir jamais siégé dans l'organe politique le plus important de l'U.R.S.S., le Politburo, à titre de membre titulaire du présidium ?

ÉKATÉRINA FOURTSEVA (elle a aussi été ministre de la Culture). (Bonne réponse=3 points de plus)

550) En 1963 et 1965, le Parti libéral de Lester Pearson n'a pas réussi à obtenir la majorité aux Communes. La confiance des électeurs des Prairies envers les Libéraux était très faible. Seulement trois députés libéraux ont été élus en 1963 dans les trois provinces des Prairies. COMBIEN ont été élus en 1965 ?

UN (au Manitoba)

551) Peu de temps après l'échec de la baie des Cochons en 1961, un groupe de gauche opposé au régime Somoza du Nicaragua, organise un mouvement révolutionnaire actif et prend le nom d'un révolutionnaire célèbre de ce pays des années 1927 à 1933, qui avait opposé son gouvernement et combattu contre les Marines américains. NOMMEZ ce groupe révolutionnaire.

SANDINISTAS (Sandinistes. Emprunté à Augusto César Sandino)

552) Ces deux pays coloniaux français d'Afrique continentale ont été les premiers à obtenir leur indépendance en 1956. Un d'eux était le Maroc. NOMMEZ l'autre.

LA TUNISIE

553) QUEL Montréalais a aidé les Alouettes à gagner la coupe Grey à Toronto en 1970 peu de temps après avoir été élu député libéral à Québec ?

GEORGE SPRINGATE

554) Entre 1966 et 1971, des milliers d'Américains opposés à la guerre du Vietnam, ont choisi de venir vivre au Canada afin d'éviter le service militaire obligatoire. COMBIEN sont venus au Canada? 20 mille, 35 mille OU 50 mille?

CINQUANTE MILLE (il y a eu aussi 50 mille déserteurs des forces armées)

555) QUELS sont les deux membres de la même famille qui ont été les seuls dans l'histoire du Canada à diriger un parti politique de la même allégeance en même temps, le père au fédéral de 1971 à 1975 et le fils de 1970 à 1978 au provincial.

DAVID LEWIS À OTTAWA - STEPHEN À TORONTO (tous deux du NPD)

556) COMMENT avait-on surnommé la voie empruntée par l'état-major du Vietnam-du-Nord pour ravitailler les soldats de ce pays et ceux du Vietcong vers le sud du pays durant la guerre du Vietnam entre 1965 et 1972?

LA PISTE HO CHI MINH (un long tronçon passait par le Laos et le Cambodge)

557) Cette colonie française d'Afrique, riche en pétrole, a accédé à l'indépendance totale en 1960. NOMMEZ-la.

LE GABON (autonome en 1956, République en 1958)

558) QUI a été le premier politicien Américain à fouler officiellement le sol chinois en vingt-deux ans en 1971?

HENRY KISSINGER (il venait secrètement préparer la visite de Richard Nixon)

559) QUEL nouveau parti politique de droite a fait sa première présence à la Knesset, le parlement israélien, en 1973?

LE LIKOUD (de Menahem Begin)

560) QUI a été nommé leader parlementaire du parti libéral du Québec, ministre des Affaires intergouvernementales et ministre de l'Industrie et du Commerce dans le gouvernement de Robert Bourassa après l'élection de 1970?

GÉRARD D. LÉVESQUE

561) En septembre 1974, exactement un mois après avoir succédé à Richard Nixon à la présidence des États-Unis, Gérald Ford voit sa cote de popularité chuter de 21 points. Les Américains ne lui pardonnent pas QUELLE décision?

D'AVOIR ACCORDÉ UN PARDON COMPLET À NIXON

562) La dictature prend fin au Portugal en 1974, lorsqu'une junte militaire s'empare du pouvoir et promet des élections et une amnistie pour les prisonniers politiques. QUEL général dont le prénom est Antonio dirigeait cette junte?

SPINOLA (bonne réponse=2 points de plus)

563) Après avoir été journaliste et animatrice à Radio-Canada de 1952 à 1972, elle a été élue député libérale d'Ahuntsic dans le gouvernement de Pierre-Elliott Trudeau en 1972. QUI était cette femme ?

JEANNE SAUVÉ (son mari Maurice Sauvé avait été ministre à Ottawa)

564) Lorsqu'un cessez-le-feu a mis fin à la guerre du Yom Kippour en 1973, les forces israéliennes avaient réussi à franchir le canal de Suez et se dirigeaient vers la capitale égyptienne Le Caire. À COMBIEN de kilomètres se trouvaient-elles de cet objectif lorsque les combats ont pris fin ? À 60, 100 OU 200 KM ?

CENT KILOMÈTRES

565) Le grand révolutionnaire Che Guevara a participé à la révolution à Cuba, au Guatemala, au Mexique, en Bolivie et aussi dans QUEL grand pays africain alors en pleine ébullition durant les années 60 ?

AU CONGO (devenu depuis le Zaïre. Guevara a été tué par des soldats boliviens en 1967)

566) En 1970, des groupes populaires de Montréal, insatisfaits des politiques de l'administration Drapeau-Saulnier, décident de se présenter aux élections municipales. Le Parti civique le qualifie de parti d'agitateurs et un ministre libéral l'associe au FLQ. QUEL était le nom de ce parti ?

FRONT D'ACTION POLITIQUE (le FRAP. Aucun de ses candidats n'a été élu)

567) Lorsque le roi Hussein a entrepris d'expulser les Palestiniens de Yasser Arafat de son territoire en 1970, un appel à l'aide a été lancé par Arafat. QUELLE nation arabe a fait mine de venir militairement à son aide ? Et QUELLE nation du Proche-Orient, à la demande des États-Unis, a dissuadé cet intervenant d'aller plus loin, laissant ainsi le roi Hussein à ses tâches ?

LA SYRIE - ISRAËL (2 points de plus pour la 2ᵉ réponse)

568) En 1962, le mouvement indépendantiste québécois rassemblait 2 % de la population. Huit ans plus tard, QUEL était ce pourcentage ?

VINGT-QUATRE POUR CENT (jeu de 3 % + ou - alloué)

569) QUEL ministère le premier ministre québécois Robert Bourassa s'est-il donné lorsqu'il a pris le pouvoir en 1970 ?

FINANCES

570) Une cour de justice de Paris condamne le général Edmond Jouhaud de l'Organisation de l'armée secrète d'Algérie à la peine de mort en 1962. Le «numéro Un» de l'O.A.S., lui aussi général, est pour sa part condamné à la prison à vie. De QUI s'agit-il ?

RAOUL SALAN (bonne réponse=2 points de plus)

571) En 1960, le gouvernement de John Diefenbaker a adopté la charte la plus progressiste de son règne de 5 ans. QUELLE était-elle?
LA CHARTE CANADIENNE DES DROITS

572) Avant l'élection de Charles de Gaulle à la présidence de la République française au suffrage universel en 1965, une première dans l'histoire de la France du XXᵉ siècle, COMMENT le président était-il élu?
PAR LES DÉPUTÉS DE L'ASSEMBLÉE NATIONALE ET LES SÉNATEURS

573) Lorsque Maurice Duplessis est mort en 1959, il en était à sa 19ᵉ année comme premier ministre du Québec. COMBIEN de premiers ministres provinciaux avaient été au pouvoir plus longtemps que lui à ce moment-là? Aucun, deux OU trois? Et NOMMEZ-les.
DEUX - GEORGE MURRAY (NOUVELLE-ÉCOSSE-27 ans) et JOHN BRACKEN (MANITOBA-21 ans) (2 points pour un nom et 5 points pour les deux noms)

574) QUEL pays détenait en 1971 le troisième P.N.B. en importance au monde?
LE JAPON (après les États-Unis et l'U.R.S.S.)

575) Cet archipel situé au large du Sénégal était une colonie portugaise jusqu'en 1975, lorsqu'il a obtenu son indépendance. QUEL est son nom?
LE CAP VERT (400 mille habitants vivent dans 12 des Îles)

576) Pendant douze ans, cette femme est la principale conseillère du premier ministre, puis du président Georges Pompidou de 1966 à 1973 et enfin du premier ministre Jacques Chirac de 1974 à 1979. Elle dirige ce qui a été appelé «le cabinet secret» de ces hommes d'État et est qualifiée par le magazine Newsweek de «femme la plus puissante en France». QUI est-elle?
MARIE-FRANCE GARAUD (bonne réponse=2 points de plus)

577) C'est durant la crise des années 30 que l'Ontario a commencé à menacer le monopole économique de la ville de Montréal. Puis pendant et après la guerre, cette tendance s'est accentuée. Ainsi, en 1961, 666 compagnies américaines avaient leurs sièges sociaux à Toronto. COMBIEN en restait-il à Montréal cette année-là? 99, 159 OU 229?
QUATRE-VINGT DIX NEUF

578) NOMMEZ l'adolescent de 16 ans qui est devenu un symbole de résistance et un héros national en Tchécoslovaquie en 1969, après s'être immolé durant le «Printemps de Prague» pour protester contre l'occupation soviétique en 1968?
JAN PALACH (bonne réponse=3 points de plus)

579) QUELLE province canadienne a été la première à rédiger toutes ses lois dans les deux langues officielles du pays en 1974?
LE NOUVEAU-BRUNSWICK

580) Dans QUELLE ville portuaire de l'U.R.S.S. orientale, le président Gérald Ford a-t-il rencontré le secrétaire général Leonid Brejnev en 1974 pour approuver le traité SALT, le traité de limitation des armes stratégiques?

VLADIVOSTOK

581) En 1970, le Québec se dote d'un régime qu'on appelle familièrement l'assurance-maladie. Il est offert à tous sans distinction de statut ou de salaire. Avant d'être appelée «la carte soleil», QUEL nom, rendant hommage à son parrain Claude Castonguay, lui a-t-on donné au tout début?

CASTONGUETTE

582) À QUELLE mesure radicale les Palestiniens ont-ils fait appel en 1970 dans le désert jordanien, non loin de la capitale Amman, pour faire connaître leurs revendications aux leaders du monde entier?

ILS ONT DÉTOURNÉ TROIS AVIONS COMMERCIAUX ÉTRANGERS ET LES ONT FAIT EXLOSER (les passagers avaient été libérés. Les avions appartenaient aux compagnies BOAC, Swissair et Pan-Am)

583) En 1966, Indira Gandhi devient première ministre de l'Inde. Elle est la fille de QUEL grand homme d'État indien?

JAWAHARLAL NEHRU (elle n'avait pas de lien de parenté avec le Mahatma Ghandi)

584) Après l'adoption de l'unifolié comme drapeau officiel du Canada en 1965, une décision législative du gouvernement fédéral reçoit l'assentiment royal menant en 1975 à l'adoption d'un autre symbole national. LEQUEL?

LE CASTOR (symbole officiel du pays)

585) Avant la proclamation de la Ve République de Charles de Gaulle en 1958, le poste de premier ministre n'existait pas. QUEL titre était alors utilisé pour désigner celui qui jouait à toutes fins utiles ce rôle?

PRÉSIDENT DU CONSEIL (...des ministres)

586) Créé en 1959, l'E.T.A. est l'un des plus anciens groupes terroristes d'Europe occidentale. Il revendique l'indépendance d'une région qu'il appelle un pays. COMMENT se nomme-t-il?

LE PAYS BASQUE (situé dans le nord de l'Espagne)

587) Aux élections municipales de Montréal en 1974, le parti du RCM choisit un Jésuite pour faire la lutte à Jean Drapeau à la mairie. QUI est-il?

JACQUES COUTURE (il n'est pas élu mais le RCM enlève 17 sièges)

588) COMMENT se nommait le parti politique fédéral qu'a fondé Réal Caouette en 1957?

LE RALLIEMENT DES CRÉDITISTES

589) QUEL a été l'élément déclencheur qui a amené l'U.R.S.S. à étendre sa sphère d'activités communistes en Amérique latine durant les années 60 et 70?

LA RÉVOLUTION CUBAINE

590) Treize personnes, la plupart des catholiques, perdent la vie sous les balles des soldats britanniques dans QUELLE ville d'Irlande du Nord en 1972? On a qualifié cette journée de « dimanche noir ».

LONDONDERRY (les Irlandais catholiques l'appellent Derry)

591) En 1957, les Américains ont pour la première fois fait exploser une bombe nucléaire ailleurs que dans l'atmosphère ou sous l'eau. C'était une explosion souterraine. DITES où elle a eu lieu?

AU NEVADA

592) QUEL premier ministre français a démissionné en 1962, parce qu'il n'était pas d'accord avec la décision du président de Gaulle d'accorder l'indépendance à l'Algérie?

MICHEL DEBRÉ

593) Ce fils d'un premier ministre provincial a été nommé juge en chef de la Cour suprême du Canada en 1963. QUI était-il?

ROBERT TASCHEREAU

594) Le Conseil de sécurité de l'O.N.U. créé en 1945, a admis la Chine en son sein au début des années 70 et en a fait un des cinq membres permanents du Conseil avec les États-Unis, l'U.R.S.S., la France et la Grande-Bretagne. COMBIEN d'autres nations non-permanentes font aussi partie du Conseil de sécurité de l'O.N.U.? Elles sont élues pour des mandats de 2 ans.

DIX (contrairement aux nations permanentes, elles n'ont pas le droit de veto)

595) Lorsque les Libéraux de Robert Bourassa ont repris le pouvoir en 1970, il a été déterminé que la politique du fédéralisme serait maintenue mais dans une nouvelle optique. COMMENT a-t-on qualifié cette approche?

FÉDÉRALISME RENOUVELÉ

596) QUI a été président de la République du Sud-Vietnam de 1967 à 1975?

NGUYEN VAN THIEU (bonne réponse=2 points de plus)

597) Ce futur président des États-Unis a été le seul à avoir préalablement détenu le poste d'ambassadeur des États-Unis à l'Assemblée générale de l'O.N.U. C'était en 1971. QUI est-il?

GEORGE BUSH

598) QUEL homme politique maronite pro-occidental a dirigé le Liban de 1952 à 1958?

CAMILLE CHAMOUN (bonne réponse=3 points de plus)

599) QUEL cofondateur du R.I.N. suivi d'un groupe de partisans quittent ce parti en 1962 et fondent le Parti républicain du Québec?

MARCEL CHAPUT

600) Des 17 colonies européennes d'Afrique qui ont obtenu leur indépendance en 1960, COMBIEN étaient soumises à la France? 2, 8 OU 13?

TREIZE

601) En 1971, les femmes obtiennent le droit de vote en Suisse. Deux semaines plus tard, un référendum a lieu dans un pays frontalier de la Suisse: le droit de vote est refusé aux femmes. NOMMEZ ce pays, le seul en Occident où les femmes n'ont pas le droit de vote?

LE LIECHTENSTEIN (principauté de 25,000 habitants)

602) L'Algérie a obtenu son indépendance en 1962 à la suite d'accords conclus la même année entre le président français Charles de Gaulle et les représentants de l'Algérie. OÙ ces accords ont-ils été signés en France?

ÉVIAN (bonne réponse=1 point de plus)

603) Parce qu'il n'était pas d'accord avec les clauses de la loi 22 sur la langue française au Québec, ce ministre de l'Éducation du Québec a préféré démissionner et de quitter le Parti libéral en 1975. QUI est-il?

JÉRÔME CHOQUETTE

604) NOMMEZ le procureur de la Nouvelle-Orléans qui a tenté en 1967 de faire la preuve qu'il y avait complicité des autorités américaines dont la C.I.A., dans l'assassinat du président John Kennedy en 1963 à Dallas?

JIM GARRISON (ses démarches n'ont rien donné)

605) Protectorat britannique depuis 1914, cet archipel riche en pétrole et situé du côté ouest du golfe Persique, est devenu indépendant en 1971. NOMMEZ-le.

BAHREÏN

606) Lors de la crise d'octobre au Québec en 1970, neuf terroristes ont été impliqués soit dans l'enlèvement du diplomate britannique James Cross soit dans le meurtre du ministre Pierre Laporte. Un seul était une femme. NOMMEZ-la.

LOUISE CARBONNEAU (bonne réponse=1 point de plus)

607) QUEL ministre presbytérien irlandais aux dénonciations violemment anti-catholiques et leader de l'agitation protestante la plus extrémiste durant les années 60, a été élu en 1970 au Parlement de Belfast puis au Parlement britannique sans pour autant changer ses principes ?

IAN PAISLEY

608) QUEL haut dirigeant chinois est mort dans un accident d'avion en 1971 après avoir échoué dans sa tentative de coup d'État contre Mao Zedong ?

LIN PIAO (bonne réponse=2 points de plus)

609) QUEL fond spécial le gouvernement de l'Alberta a-t-il créé en 1975 grâce aux énormes revenus générés par l'industrie pétrolière ?

HÉRITAGE

610) En 1965, Martin Luther King est à la tête d'un groupe de 3 mille Noirs qui entreprennent une marche de 87 kilomètres entre QUELLE petite ville de l'État de la Georgie et la capitale Montgomery, dans le but d'éveiller le peuple américain et les gouvernements aux problèmes des droits civils ?

SELMA

611) Parce qu'il désavouait la politique de déstalinisation de Nikita Khrouchtchev, ce pays communiste a rompu ses relations avec l'U.R.S.S. en 1961. NOMMEZ-le.

L'ALBANIE (il s'est alors tourné vers la Chine)

612) QUEL ex-membre des Partis libéral et créditiste a fondé en 1974 le Parti présidentiel au Québec ? Son existence ne durera que quelques mois.

YVON DUPUIS

613) QUEL général était à la tête des armées de terre israéliennes durant la guerre du Yom Kippour en 1973 ? Lorsque le cessez-le-feu a été commandé par l'O.N.U. à la demande des États-Unis et de l'U.R.S.S., ses soldats remontaient la rive ouest du canal de Suez vers Le Caire.

ARIEL SHARON

614) QUELLE province l'Éthiopie a-t-elle annexée en 1962 provoquant un soulèvement chez les habitants de cette province opposés à cette union et menant à la formation d'unités de guérilla pour combattre les forces du gouvernement central ?

L'ÉRYTHRÉE

615) NOMMEZ celui qui a fondé en 1975 au Québec le Parti national populaire ?

JÉRÔME CHOQUETTE

616) COMBIEN d'États américains ont donné leur appui au président Richard Nixon à l'élection de 1972, un chiffre sans précédent?

QUARANTE-NEUF (il n'a perdu que le Massachusetts et le District de Columbia)

617) En 1958, la Chine de Mao lance une politique de parfaite égalité au sein de son peuple afin d'éviter la reconstitution d'une bourgeoisie d'État. La cellule de base est la commune populaire qui organise toute la production agricole et manufacturière. Même la vie privée est collectivisée. COMMENT a-t-on appelé cette politique qui conduira la Chine au bord de la ruine quelques années plus tard?

LE GRAND BOND EN AVANT (The Great Leap Forward)

618) Ce fidèle Conservateur fédéral, député du Yukon et loyal ministre dans le gouvernement de John Diefenbaker de 1957 à 1962, est aussi le frère d'un célèbre acteur de Hollywood. QUELS sont leurs prénoms ainsi que leur nom de famille?

ERIK (député) ET LESLIE (acteur) NIELSEN (1 point par réponse)

619) QUI a succédé à Jacques Chaban-Delmas au poste de premier ministre de la France en 1972? Il y est resté deux ans.

PIERRE MESSMER

620) En 1975, le gouvernement du Québec en est venu à une entente avec les peuples autochtones de la région de la baie James, afin de les dédommager pour les pertes territoriales occasionnées par le projet hydroélectrique. Outre certaines concessions territoriales, QUEL montant d'argent le gouvernement a-t-il consenti à verser aux nations autochtones?

CENT CINQUANTE MILLIONS DE DOLLARS

621) En 1958, le président Camille Chamoun demande l'aide des États-Unis afin de protéger son pays contre des groupes d'insurgés et la menace que pourrait provoquer le coup d'État qui vient de se produire en Irak. 5,000 Marines sont dépêchés par le président Eisenhower pour assurer la protection de ce pays du Proche-Orient. LEQUEL?

LE LIBAN

622) QUELLE petite colonie britannique d'Europe de 32,000 habitants a conservé ce statut en 1967 après un vote favorable en ce sens auprès de la population?

GIBRALTAR

623) COMMENT appelait-on la prison où étaient détenus les pilotes américains faits prisonniers par les soldats du Nord-Vietnam à Hanoi entre 1964 et 1975?

LE HANOI HILTON

624) QUEL nouveau ministère est créé en 1961 par le gouvernement de Jean Lesage afin d'alléger le fardeau administratif du ministère des Finances?

REVENU (qui s'occupera de la gestion des impôts)

625) Cette colonie française d'Afrique a obtenu son indépendance en 1960 et est devenue le Burkina-Faso en 1984. Mais en 1960, QUEL nom portait-elle?

LA HAUTE VOLTA

626) Lorsque les troubles ont éclaté de manière sanglante en Irlande durant les années 70, trois factions politiques constituaient alors l'aile catholique de l'Ulster: les Nationalistes qui désiraient l'union avec l'Irlande libre, l'IRA qui faisait appel au terrorisme pour y arriver et QUELLE autre faction plus militante que les Nationalistes mais moins violentes que l'IRA?

LES RÉPUBLICAINS (bonne réponse=2 points de plus)

627) QUEL nom de langue arabe donnait-on aux partisans algériens et tunisiens hostiles à l'autorité française et désireux d'obtenir leur indépendance durant les années 50 et 60?

FELLAGHAS (bonne réponse=1 point de plus)

628) Situé sur la côte est de la péninsule arabique et colonie britannique depuis 1914, ce territoire riche en pétrole devient indépendant en 1961. NOMMEZ-le.

LE KOWEÏT

629) QUEL archipel de l'Océanie a obtenu son indépendance de la Grande-Bretagne et de la France en 1970? En 1987, lorsque cette nouvelle nation est devenue une république, elle a été exclue du Commonwealth.

LES FIDJI (bonne réponse=1 point de plus)

630) Les relations franco-canadiennes plutôt tièdes qui ont suivi le célèbre «Vive le Québec libre!» de Charles de Gaulle en 1967, ont pris fin en 1971 lorsque le ministre des Affaires étrangères de la France a visité Ottawa où il a déclaré que les relations entre son pays et le Canada étaient excellentes. QUI était-il?

MAURICE SCHUMANN

631) QUI était le leader du Front populaire de libération de Palestine lorsque ses membres ont fait sauter trois avions de lignes aériennes occidentales dans un désert de Jordanie en 1970?

GEORGES HABASH (bonne réponse=1 point de plus)

632) QUELLE unité d'élite américaine de combat fait l'objet de nombreuses controverses au Vietnam en 1966?

LES GREEN BERETS (à cause de leurs méthodes peu scrupuleuses)

633) Il a été élu président de la République du Gabon en 1967 et était encore en poste à la fin du siècle. QUI est-il ?
OMAR BONGO (Albert Bernard). (Bonne réponse=1 point de plus)

634) QUEL poste au sein du gouvernement fédéral le député Roland Michener détenait-il de 1957 à 1962 avant de devenir gouverneur général du Canada ?
PRÉSIDENT DE LA CHAMBRE DES COMMUNES

635) À QUEL endroit en France a été tenu le premier sommet économique des six pays démocratiques les plus industrialisés en 1975 ?
AU CHATEAU DE RAMBOUILLET (le Canada n'en faisait pas encore partie)

636) En 1973 est déposé à Québec le rapport de la Commission d'enquête sur la situation de la langue française et sur les droits linguistiques. QUEL nom portait cette Commission ?
GENDRON (nom de son président)

637) C'est en 1958 que les électeurs de cette province canadienne ont choisi d'élire un seul parti à l'Assemblée législative après 30 ans de gouvernements de coalition. NOMMEZ cette province.
LE MANITOBA

638) En 1960, l'Aviation canadienne prend possession d'un nouveau réacté d'entraînement construit par la compagnie Canadair. NOMMEZ-le.
TUTOR (bonne réponse=1 point de plus)

639) Entre 1962 et 1964, il a occupé les postes de ministre de l'Agriculture et de l'Industrie dans le gouvernement cubain de Fidel Castro. QUI était-il ?
CHE GUEVARA

640) En 1958, la ville de Dharamsala dans le nord-ouest de l'Inde devient le lieu du gouvernement en exil et du chef spirituel de QUEL ex-pays voisin ?
LE TIBET (le Dalaï-Lama y vit. La Chine avait annexé le Tibet en 1950)

641) Après avoir été élevé au rang de général et chef d'État-major de l'armée canadienne en 1966, il a présidé à l'unification des forces armées en 1968. QUI était-il ?
GÉNÉRAL JEAN ALLARD

642) QUEL pays d'Afrique rompt ses liens avec le Commonwealth britannique en 1960 et devient une République ? Il adopte en même temps le système décimal et QUELLE nouvelle devise monétaire ?
L'AFRIQUE DU SUD - LE RAND (2e bonne réponse=2 points de plus)

643) QUEL homme politique américain a fait la déclaration suivante le 9 août 1974 ; « Le long cauchemar est terminé » ?
GERALD FORD (lors de son assermentation présidentielle au lendemain de la démission de Richard Nixon)

644) QUI a défait Jean Drapeau à la mairie de Montréal en 1957?

SARTO FOURNIER

645) QUEL maréchal russe, héros de la Deuxième Guerre mondiale, a convaincu les membres réticents du Politburo soviétique à occuper la Hongrie en 1956? Il prétendait que ses missiles ne pourraient atteindre le sud de l'Europe qu'à partir de la Hongrie, si une guerre contre l'Occident devait éclater.

GEORGI ZHUKOV (les dirigeants chinois avaient aussi pressé l'U.R.S.S. d'investir le territoire hongrois sous peine d'effritement du communisme international)

646) En 1973, après plus de 25 ans d'absence de liens diplomatiques, ces deux nations européennes aux frontières communes, établissent finalement des relations formelles de diplomatie et de reconnaissance mutelle. QUELLES étaient ces deux nations?

R.F.A. (République Fédérale Allemande) - R.D.A. (République Démocratique Allemande)

647) QUEL précédent le nouveau secrétaire du département de l'Habitation et du Développement urbain des États-Unis, Robert Weaver, inscrit-il dans l'histoire Américaine en 1966? Il a été nommé par le président Lyndon Johnson et sa nomination a été approuvée par le Sénat.

PREMIER NOIR À FAIRE PARTIE DU CABINET AMÉRICAIN

648) NOMMEZ le député libéral élu cinq fois consécutivement dans la circonscription de Verdun à partir de 1962. Il a été titulaire de quatre ministères différents sous Pierre Trudeau entre 1968 et 1976.

BRYCE MACKASEY (décédé en 1999)

649) QUELLE petite île de 21 kilomètres carrés située au nord-est de l'Australie est devenue une nation indépendante en 1968? Elle avait auparavant été une colonie allemande pour ensuite être placée sous mandat britannique et finalement sous mandat de L'O.N.U.? Sa seule richesse naturelle est le phosphate et sa population n'est que de 10 mille habitants.

NAURU (bonne réponse=2 points de plus)

650) À QUELLE grève l'animateur de télévision René Lévesque a-t-il pris une part active en 1958?

GRÈVE DES RÉALISATEURS DE RADIO-CANADA

651) QUEL pays démocratique de l'Europe de l'Ouest a légalisé la censure de la presse en 1959 après avoir adopté un nouvel article de la constitution? Les journaux qui seront en désaccord avec le gouvernement seront saisis et fermés. Cette pratique restera courante jusqu'en 1965.

LA FRANCE

652) POURQUOI Jean Drapeau a-t-il menacé de démissionner de son poste de maire de la ville de Montréal au début de 1969?

PARCE QUE LUCIEN SAULNIER, PRÉSIDENT DU COMITÉ EXÉCUTIF DE LA VILLE DE MONTRÉAL AVAIT DÉCIDÉ DE FERMER TERRE DES HOMMES (Drapeau a gagné et Terre des Hommes n'a pas fermé ses portes). (Bonne réponse=2 points de plus)

653) Lorsque Nicolaï Ceausescu a pris le pouvoir en Roumanie en 1965, il a créé une police secrète qui au fil des ans est devenue une des plus répressives au monde. COMMENT se nommait-elle?

SECURITATE (bonne réponse=1 point de plus)

CINÉMA - RADIO - TÉLÉVISION

Chapitre II

« Ce n'est pas que j'ai peur de mourir. Je ne veux tout simplement pas être là quand ce jour arrivera ».
Woody Allen, acteur-réalisateur, 1975

« Pourquoi les gens devraient-ils payer pour aller voir de mauvais films alors qu'ils peuvent regarder de la mauvaise télévision gratuitement ? »
Samuel Goldwyn, réalisateur de Hollywood, 1956

R.L. « Si je devais vivre en Europe, je choisirais Londres avant Paris ».
P.G. « C'est pas très bon pour l'image, René ».
R.L. « J'ai toujours dit que les Anglais, CHEZ EUX, sont merveilleux ».
Extrait d'une interview de René Lévesque par Peter Gzowski à la radio de la C.B.C., 1986.

« La télévision nous a amené la brutalité de la guerre dans nos foyers. Le Vietnam a été perdu dans les foyers de l'Amérique - non sur les champs de bataille du Vietnam ».
Marshall McLuhan, sociologue canadien, 1975.

SYNOPSIS

La désaffection du public nord-américain pour le cinéma s'est manifestée au début des années 50 et a atteint ses chiffres d'assistance les plus faibles entre 1967 et 1973. Outre la concurrence de la télévision, Hollywood n'avait pas réussi à saisir le pouls de son auditoire qui au début des années 60 cherchait d'autres moyens d'évasion plus au diapason des nouvelles réalités sociales. Mais les producteurs de cinéma américain, restaient bien ancrés dans leurs habitudes avec la présentation de films à grand déploiement consacrés aux comédies musicales, aux grandes épopées historiques et aux comédies. La violence gratuite n'avait pas encore fait une présence remarquée et les *westerns* avaient à peu près disparu. Quant aux têtes d'affiche, elles semblaient garder la faveur d'un public moins nombreux. À preuve, ce palmarès des acteurs et actrices les plus cotés entre 1956 et 1975: John Wayne, 17 fois en 20 ans, Paul Newman, 12 fois, Jerry Lewis, Rock Hudson, Doris Day, Cary Grant, Jack Lemmon, Clint Eastwood et Steve MacQueen, 8 fois chacun, Barbra Streisand, Elizabeth Taylor et Frank Sinatra, 6 fois chacun.

Les grands rôles appartenaient aux hommes et le cinéma européen ne faisait pas d'incursions sérieuses en Amérique du Nord sauf au Québec. Bref, Hollywood vivait encore dans le passé même si les techniques cinématographiques avaient accompli des progrès fulgurants. Au Québec, la production cinématographique a été prodigieuse durant les années 60 et davantage durant la décennie suivante. Les comédies à saveur sexuelle ont fait un tabac, alors que les films dramatiques et d'inspiration nationaliste reflétaient bien le climat explosif qui régnait chez nous durant ces années turbulentes.

La télévision pendant ce temps faisait la pluie et le beau temps aux États-Unis. Ayant acquis durant les années 50 les droits de diffusion de centaines de films de Hollywood, elle lui faisait ainsi encore plus mal. Elle exploitait avec succès les séries western, les variétés et la comédie. L'information a pour sa part saisi une part importante du marché à la suite des événements dramatiques qu'étaient les morts tragiques des frères Kennedy et de Martin Luther King, la guerre du Vietnam et les luttes raciales dans les États du sud américain.

Au Canada, on accordait plus de temps à l'information et aux émissions d'affaires publiques, mais le reste était une copie de la télévision américaine avec un arôme canadien occasionnel.

Le Québec, de par ses traditions et sa langue, était le plus innovateur de tous, avec ses productions originales au chapitre des téléromans, des émissions culturelles et d'information. Bref, il était en matière de télévision beaucoup plus à l'image de la révolution sociale des années 60 que ses voisins canadiens et américains. Enfin, l'arrivée de Télé-Métropole en 1961 mettait fin au monopole de l'écoute par Radio-Canada et fractionnait du même coup les revenus publicitaires.

Quant à la radio privée, elle avait appris à conjuguer sa survie avec la présence écrasante de la télé. L'arrivée du FM allait à partir des années 70 contraindre la radio AM à repenser sa philosophie d'émissions. Finis les feuilletons, les radioromans et les émissions à caractère culturel. Afin de rentabiliser les stations, on avait choisi de faire place à la musique populaire, aux actualités, aux émissions d'interviews et au style fourre-tout. L'heure était à la rationalisation.

DEGRÉ DE DIFFICULTÉ - Moyen pour les 45 ans et plus. Une note de 60 % est excellente.

NOMBRE DE QUESTIONS - 570

QUESTIONS RÉSERVÉES AU CANADA - 189 (dont 150 au Québec)

MOYENNE SUR 570 - 33,2 %

1) QUEL film avec Jack Lemmon et Shirley McLaine a été proclamé le meilleur de l'année en 1960?

  THE APARTMENT

2) John Cassavetes a dirigé ce film de 1970 et dans lequel il jouait avec Peter Falk et Ben Gazzara? NOMMEZ-le.

  HUSBANDS (bonne réponse=2 points de plus)

3) QUI est le seul journaliste intervieweur à avoir fait partie de l'émission d'affaires publiques *Sixty Minutes* au réseau CBS depuis ses débuts en 1968?

  MIKE WALLACE

4) QUEL réseau américain a été le premier à présenter un bulletin de nouvelles de 30 minutes en début de soirée à la grandeur du réseau en 1965?

  NBC

5) La musique du film de 1962, *The Longest Day*, a été écrite par Maurice Jarre et QUEL autre compositeur, un Canadien?

  PAUL ANKA

6) QUI a réalisé le film *Jules et Jim* avec Jeanne Moreau et Oskar Werner en 1961?

  FRANÇOIS TRUFFAUT (il a aussi été le co-scénariste)

7) QUI jouait le rôle du *docteur Gillespie* dans la série télévisée américaine *Dr Kildare* qui a été lancée par le réseau NBC en 1961?

  RAYMOND MASSEY (frère du gouverneur général du Canada, Vincent Massey)

8) QUEL film d'action traitant de trafic de drogues du réalisateur William Friedkin, a reçu l'Oscar à titre de meilleur film de l'année en 1971?

  THE FRENCH CONNECTION

9) NOMMEZ le réalisateur du film français *Mon Oncle* en 1958.

  JACQUES TATI

10) QUI était le directeur musical de l'émission *Les Joyeux Troubadours*, entendue à la radio de Radio-Canada durant les années 50, 60 et 70?

  LIONEL RENAUD (bonne réponse=3 points de plus)

11) QUELLE émission de télévision à une heure de grande écoute autre que les sports, détient le record de longévité de la télévision canadienne? Elle a été présentée pour la première fois en 1957 à la CBC et a pris fin en 1995.

  FRONT PAGE CHALLENGE

12) QUI a réalisé le film québécois *La Vraie Nature de Bernadette* en 1972?

  GILLES CARLE

13) QUEL a été le deuxième film de James Bond avec Sean Connery en 1964?
FROM RUSSIA WITH LOVE (le premier a été Dr No)

14) QUELS annonceurs de sport venus d'Ottawa sont devenus en 1960 et 1964 les 4ᵉ et 5ᵉ membres du service des sports de Radio-Canada à Montréal?
RAYMOND LEBRUN - LIONEL DUVAL (René Lecavalier, Jean-Maurice Bailly et Richard Garneau étaient les autres) (3 points pour 2 bonnes réponses)

15) De 1954 à 1960, cette comédienne a tenu le rôle de *Bedette Salvail* dans la télésérie *Le Survenant*. QUI était-elle?
MARJOLAINE HÉBERT

16) QUEL film québécois a été co-gagnant du titre de meilleure réalisation (direction) au festival de Cannes en 1975?
LES ORDRES (de Michel Brault)

17) Le premier film de la trilogie de *Sissi*, la duchesse d'abord puis l'impératrice Élisabeth d'Autriche-Hongrie ensuite, s'appelait simplement *Sissi*. Le second, tourné en 1956 s'appelait *Sissi Impératrice*. COMMENT se nommait le troisième film tourné en 1957 par le réalisateur autrichien Ernst Marischka?
SISSI FACE À SON DESTIN (Romy Schneider jouait Sissi dans les 3 films)

18) En QUELLE année le réseau canadien CTV et la station CFTM à Montréal ont-ils commencé à diffuser leurs émissions?
1961 (jeu de 1 an + ou - alloué)

19) COMBIEN d'Oscars le film *Ben Hur* a-t-il remporté en 1959, un sommet dans l'histoire du cinéma?
ONZE

20) QUEL film de John Schlesinger a remporté l'Oscar à titre de meilleur film de l'année en 1969?
MIDNIGHT COWBOY

21) QUELLE populaire émission littéraire a été lancée à la télévision française en 1975?
APOSTROPHES (avec Bernard Pivot)

22) QUEL comédien a tenu le rôle du notaire *Lepotiron* dans la télésérie *Un Homme et son Péché* de 1956 à 1970 à la télévision de Radio-Canada?
CAMILLE DUCHARME (bonne réponse=1 point de plus)

23) L'ex-joueur de baseball Chuck Connors était la vedette de cette série western à la télévision américaine à partir de 1958 et jusqu'en 1963. QUEL était le nom de l'émission?
THE RIFLEMAN

24) En 1984, ce film de 1971 de Claude Jutras, a été qualifié de meilleur film de toute l'histoire du cinéma canadien. NOMMEZ-le.

MON ONCLE ANTOINE

25) QUEL film de 1972 a surpassé *The Sound of Music* de 1965 au chapitre des revenus et est devenu le film le plus profitable de l'histoire du cinéma ?

THE GODFATHER I

26) QUEL film italien du réalisateur Frederico Fellini a reçu un Oscar à Hollywood à titre de meilleur film étranger de 1963 ?

8 1/2

27) Ce film de 1970 avec Alan Arkin, Richard Benjamin et Martin Balsam, allait donner suite à une série télévisée très populaire durant les années 70. QUEL était son titre, le même que celui du film ?

CATCH-22

28) Le réseau de télévision NBC a été le premier en 1956 à présenter un bulletin de nouvelles avec deux animateurs-lecteurs. Un s'appelait David Brinkley. QUEL était le nom de l'autre ?

CHET HUNTLEY (bonne réponse=2 points de plus)

29) Ce film musical de 1961 a remporté le titre de meilleur film de l'année en plus de neuf autres Oscars. QUEL était ce film ?

WEST SIDE STORY

30) Brigitte Bardot, Jane Barkin et Maurice Ronet partageaient la vedette avec QUEL autre acteur dans le film *Don Juan 73* de Roger Vadim ?

ROBERT HOSSEIN (bonne réponse=1 point de plus)

31) Au début des années 60 à la télévision de la CBC, Laurier Lapierre et Patrick Watson étaient les animateurs de cette émission hebdomadaire d'affaires publiques et de journalisme d'enquête. COMMENT s'appelait-elle ?

THIS HOUR HAS SEVEN DAYS (trop controversée au goût du gouvernement, elle a été retirée des ondes après 2 ans d'antenne)

32) QUEL film de 1972 d'Alfred Hitchcock s'inspirant des exploits macabres de Jack l'Éventreur, a été tourné à Londres avec Jon Finch dans le rôle de l'innocent et de Barry Foster dans le rôle du sadique qui assassine les femmes en les étranglant avec une cravate ?

FRENZY

33) QUI a réalisé le film québécois *Il était une fois dans l'Est* en 1973 ?

ANDRÉ BRASSARD

34) QUELLE importante décision concernant la programmation a été prise par les dirigeants de la radio de Radio-Canada en 1975 ?

LA FIN DE LA PUBLICITÉ COMMERCIALE

35) COMBIEN de longs métrages ont été produits par des réalisateurs québécois entre 1968 et 1973 ? 57, 87 OU 117 ?

   CENT DIX-SEPT (l'âge d'or du cinéma québécois)

36) QUI était le réalisateur du film *Les Amants* avec Jeanne Moreau et qui a reçu le prix spécial du jury du festival de Venise en 1958 ?

   LOUIS MALLE (bonne réponse=2 points de plus)

37) QUEL film de 1961 a été le dernier de Marilyn Monroe et de Clark Gable ? Tous deux devaient mourir dans les mois suivants.

   THE MISFITS

38) Richard Nixon a été le seul président américain à se prêter aux blagues de l'émission *Laugh-In* en 1970. Lui aussi a dû prononcer la célèbre expression qui caractérisait l'émission. LAQUELLE ?

   SOCK IT TO ME (suivie d'un geste de slapstick)

39) QUI jouait le rôle de l'intransigeant capitaine *Bligh* dans le film de 1962, *Mutiny on the Bounty* ?

   TREVOR HOWARD

40) Inauguré en 1911, le plus célèbre cinéma de France, situé place Clichy, ferme ses portes en 1972. Comptant 6 mille places assises, il avait été modifié afin de projeter les films en cinérama et sa capacité avait été réduite à 2 mille 800 sièges. QUEL était le nom de ce célèbre cinéma ?

   LE GAUMONT-PALACE (un hôtel et un centre commercial l'ont remplacé)

41) Ce roman de Ian Fleming a été mis sur film en 1967, six ans après le premier James Bond de Sean Connery, sauf que Connery n'était pas de la distribution et Roger Moore non plus. Mais le nombre de vedettes dépassait la dizaine. QUEL était le titre de cette comédie plutôt médiocre ?

   CASINO ROYALE

42) Les séries télévisées américaines *Dr Kildare* et *Ben Casey* ont été présentées en première à une semaine d'intervalle aux réseaux NBC et ABC respectivement en 1961. NOMMEZ les deux acteurs qui jouaient les rôles-titres.

   RICHARD CHAMBERLAIN et VINCE EDWARDS (1 réponse =1 point - 2 réponses =3 points)

43) C'est aux sports à la télévision de Radio-Canada que cet animateur signe son premier contrat en 1957. Il anime successivement *Télé Sports* et *L'Heure des Quilles.* Il donne aussi en 1961 la réplique à Jean Duceppe à CKAC dans l'émission *Du pep avec Duceppe.* C'est alors que Télé-Métropole vient le chercher. QUI est-il ?

   RÉAL GIGUÈRE

44)   QUEL film de Claude Lelouch a remporté la palme d'or au festival de Cannes en 1966?

UN HOMME ET UNE FEMME

45)   Pour QUEL rôle Ingrid Bergman a-t-elle remporté l'Oscar de meilleure actrice de l'année en 1956?

ANASTASIA (du film du même titre)

46)   Ce Québécois francophone a fondé la station de langue anglaise CJAD en 1945. QUI était-il?

JOSEPH-ARTHUR DUPONT (bonne réponse=2 points de plus)

47)   Ce film de 1974 de Bertrand Blier mettait en vedette Gérard Depardieu, Miou-Miou et Patrick Dewaere et donnait un ton nouveau au cinéma français. NOMMEZ-le.

LES VALSEUSES (bonne réponse=1 point de plus)

48)   Martin Landau et Peter Graves étaient les vedettes de cette télésérie d'intrigues internationales qui a vu le jour au réseau CBS en 1966. QUEL était son titre?

MISSION IMPOSSIBLE

49)   QUELLE comédienne partageait la vedette avec Louise Turcot dans le film *Deux Femmes en or* en 1970?

MONIQUE MERCURE

50)   L'émission *Montréal Express* à la radio de Radio-Canada a vu le jour en 1971. QUI en a été la première animatrice?

COLETTE DEVLIN (bonne réponse=2 points de plus)

51)   Fin de 1956, quatre ans après les débuts de la télévision au Canada, combien y a-t-il de stations de télé au pays? 12, 25 OU 37?

TRENTE-SEPT

52)   L'Oscar attribué au meilleur film de l'année 1967 est allé à *In The Heat Of The Night*. QUI était l'acteur principal de ce film qui a reçu l'Oscar du meilleur acteur?

ROD STEIGER

53)   Ce film de 1975 a gagné les Oscars à titre de: meilleur film, meilleur réalisateur, meilleur acteur, meilleure actrice et six autres. NOMMEZ ce film.

ONE FLEW OVER THE CUCKOO'S NEST

54)   Le dernier des premiers Three Stooges dont les films ont commencé en 1934, est mort en 1975 à l'âge de 78 ans. Son véritable prénom, Moe, était le même que celui qu'il avait dans ses films. QUEL était son nom de famille?

HOWARD (bonne réponse=3 points de plus)

55) Liv Ullman, Harriet Andersson et Ingrid Thulin sont les vedettes de ce film de 1972 d'Ingmar Bergman. LEQUEL?

CRIS ET CHUCHOTEMENTS

56) Claude Berri a réalisé ce film touchant qui mettait en vedette Michel Simon et le jeune Alain Cohen en 1967. QUEL était son titre?

LE VIEIL HOMME ET L'ENFANT (bonne réponse=1 point de plus)

57) Cette émission d'œuvres musicales classiques a tenu l'horaire de la télévision de Radio-Canada de 1954 à 1966. COMMENT se nommait-elle?

L'HEURE DU CONCERT

58) QUI a réalisé le film québécois *Valérie* en 1968?

DENIS HÉROUX

59) QUEL film de 1957 d'après l'œuvre littéraire d'Arthur Miller était joué par Yves Montant, Simone Signoret, Raymond Rouleau et Mylène Demongeot?

LES SORCIÈRES DE SALEM

60) C'est un film franco-algérien de 1968 réalisé par Costa-Gravas qui a remporté l'Oscar à titre de meilleur film étranger de 1969. QUEL était son titre?

Z (avec Yves Montant)

61) QUI jouait le rôle du psychopathe dans le film *Psycho* d'Alfred Hitchcock en 1960?

ANTHONY PERKINS

62) Cette émission était présentée à la télévision de Radio-Canada les samedis soirs après *la Soirée du Hockey* entre 1956 et 1960. La chanteuse Lucille Dumont en était la vedette. QUEL était le titre de cette émission?

À LA ROMANCE (bonne réponse=1 point de plus)

63) Sa carrière au cinéma a été lancée en 1966 lorsqu'elle a joué aux côtés d'Yves Montand dans le film *La Guerre est finie*. QUI est-elle?

GENEVIÈVE BUJOLD

64) NOMMEZ l'actrice qui a été la plus jeune de l'histoire du cinéma à gagner un Oscar. C'était à titre d'actrice de soutien dans le film de 1973, *Paper Moon*. Elle avait alors 10 ans.

TATUM O'NEAL (Shirley Temple avait gagné un Oscar spécial en 1934 alors qu'elle était âgée de 6 ans)

65) QUEL film de Frederico Fellini avec Anthony Quinn a reçu un Oscar à titre de meilleur film étranger en 1956?

LA STRADA

66) QUELLE émission policière britannique de télévision présentée en 1966 sur le marché nord-américain, mettait en vedette Patrick MacNee et Diana Rigg?

THE AVENGERS (Chapeau melon et bottes de cuir)

67) Après avoir gagné deux Oscars à titre de meilleure actrice en 1944 et 1956, cette grande comédienne en a gagné un autre en 1974 mais cette fois pour un rôle de soutien dans le film *Murder On The Orient Express.* QUI était-elle?

INGRID BERGMAN

68) QUI a réalisé le film *Hiroshima, Mon Amour* en 1958?

ALAIN RESNAIS

69) QUELLE station de radio de Montréal a fermé ses portes en 1957?

CHLP (Fondée en 1933, elle était la propriété du quotidien La Patrie)

70) QUI a écrit la musique du film de 1966, *Un Homme et une Femme*?

FRANCIS LAI

71) C'est en 1962 que cet amoureux de la langue française a animé à la radio de Radio-Canada l'émission *Notre Français sur le vif.* Ont suivi les émissions *La Langue bien pendue* et *La Parole est d'or.* À la télévision de Radio-Canada, il a animé la série *Langue vivante.* QUI était-il?

JEAN-MARIE LAURENCE (bonne réponse=2 points de plus)

72) L'excellente comédie télévisée *The Mary Tyler Moore Show* des années 60 donne naissance à une émission du même genre en 1974 et met en vedette Valérie Harper, membre de l'équipe de Mary Tyler Moore. QUEL était le nom de cette nouvelle émission?

RHODA

73) QUI a été la première partenaire de Sean Connery dans son premier rôle de James Bond en 1962? Le film s'appelait *Dr No.*

URSULA ANDRESS

74) Ce livre de Cornelius Ryan a été mis à l'écran en 1962 par Darryl Zanuck et mettait en présence une trentaine de comédiens de renom dans une reconstitution d'une bataille historique de la Deuxième Guerre mondiale. QUEL était le titre de ce film?

THE LONGEST DAY (le même que le livre. Le Jour-J en Normandie en 44)

75) QUEL film de 1959 a choqué les bien-pensants? Sa première a même été reportée par les censeurs. Il mettait en vedette Jeanne Moreau, Gérard Philippe et Jean-Louis Trintignant. Roger Vadim en était le réalisateur.

LES LIAISONS DANGEREUSES

76) Sophia Loren a remporté l'Oscar à titre de meilleure actrice de l'année en 1960, pour son rôle dans QUEL très bon film de production franco-italienne?

TWO WOMEN (La Ciociara)

77) QUI était la partenaire féminine de Brigitte Bardot dans le film de Roger Vadim de 1973, *Don Juan 73*?

JANE BIRKIN

78) Simone Signoret et Yves Montant partagent la vedette du film de 1970, *L'Aveu* dont l'action se déroule en Tchécoslovaquie. QUI en était le réalisateur?

COSTA GRAVAS

79) QUI était l'animateur de l'Opéra du samedi à la radio de Radio-Canada durant les années 70?

RAYMOND CHARETTE

80) QUEL acteur a remporté l'Oscar à titre de meilleur acteur de soutien pour son rôle du peintre *Paul Gauguin* dans le film de 1956, *Lust for Life*?

ANTHONY QUINN

81) Le 48ᵉ et dernier film de ce groupe de gentils voyous est projeté à l'écran en 1958. Au début, en 1937, ils s'appelaient «les Dead End Kids». Puis en 1940, ils sont devenus «les East Side Kids». Finalement, en 1946 et durant 22 ans, ils ont été rebaptisés «les Bowery Boys». Les deux principaux acteurs de cette série n'ont jamais quitté le groupe. NOMMEZ celui qui en était le leader.

LEO GORCEY (l'autre était Bobby Jordan). (Bonne réponse=2 points de plus)

82) La populaire série *La Sœur volante (The Flying Nun)* fait son entrée à la télévision américaine en 1967. QUI jouait le rôle-titre?

SALLY FIELD

83) QUEL nom a été donné à Graham Kerr, auteur d'un livre de recettes, *The Graham Kerr Cookbook* en 1969? Le succès de ce livre lui a valu une série d'émissions de télévision consacrée à l'art culinaire.

THE GALLOPING GOURMET

84) Cette station AM de Montréal est entrée en ondes en 1962. NOMMEZ-la.

CKLM

85) Il a fallu 7 ans et 6 millions de dollars en coûts de production aux studios Walt Disney, pour réaliser ce film d'animation. Projeté à l'écran en 1959, il ne fait pas ses frais et l'avenir de ce genre de film est compromis. QUEL est son titre?

LA BELLE AU BOIS DORMANT (Sleeping Beauty)

86) Joan Baez, Jimi Hendrix et le groupe The Who étaient les vedettes de ce film de 1970. NOMMEZ-le.

WOODSTOCK

87) L'excellente émission *Happy Days* est lancée à la télévision en 1974. QUEL acteur incarnait le rôle de *Fonz*, le personnage principal de l'émission?

HENRY WINKLER

88) QUEL grand comique a fait ses débuts à l'émission *Pique-Atout* à la télévision de Radio-Canada en 1959?

OLIVIER GUIMOND

89) QUI a réalisé le film québécois *Mon Oncle Antoine* en 1971?

CLAUDE JUTRA

90) Gregory Peck, David Niven et Anthony Quinn étaient les vedettes de ce film de guerre projeté en 1961 et qui a été finaliste au titre de meilleur film de l'année. QUEL était le titre de ce film?

THE GUNS OF NAVARONE

91) QUEL acteur américain a été le premier à refuser d'accepter un Oscar après avoir été proclamé meilleur acteur de l'année en 1970?

*GEORGE C. SCOTT (pour son rôle dans le film **Patton**)*

92) C'est en 1969 que ce téléroman a pris fin après 14 ans à l'antenne de Radio-Canada. NOMMEZ-le.

LES BELLES HISTOIRES DES PAYS D'EN HAUT

93) QUELS Jeux Olympiques ont été les premiers à être télévisés à la grandeur de l'Europe? Et en QUELLE année?

ROME - 1960 (un point de plus pour la date)

94) NOMMEZ la comédienne américaine qui a été proclamée meilleure actrice de l'année 1958 pour son rôle dans le film *I Want To Live.*

SUSAN HAYWARD

95) QUI était le réalisateur du film *Lawrence of Arabia*, proclamé meilleur film de l'année en 1962?

DAVID LEAN

96) Cette station de radio FM d'une ville de banlieue de Montréal a diffusé ses premières émissions en 1970. NOMMEZ-la.

CIEL (Longueuil)

97) Alec Guinness était un des deux principaux acteurs du film *The Bridge on the River Kwai*. QUI était l'autre, un Américain?

WILLIAM HOLDEN

98) Le rôle du *Père Ovide* dans *Un Homme et son péché* à la radio, puis dans *Les Belles histoires des pays d'en haut*, à la télévision, a été tenu successivement par deux membres de la même famille. NOMMEZ-les.

EUGÈNE ET PIERRE DAIGNEAULT (père et fils). (I point par bonne réponse)

99) Telly Savalas jouait le rôle du sergent sadique de la Légion étrangère dans ce film de 1966, une suite à deux autres productions du même titre, de 1926 et de 1939. NOMMEZ ce film.

BEAU GESTE

100) *Belle de Jour*, cette production franco-italienne de 1967 mettait en vedette Michel Piccoli, Jean Sorel et QUELLE actrice connue?

CATHERINE DENEUVE

101) Francis Ford Coppola a adapté l'œuvre célèbre de Scott Fitzgerald pour le cinéma en 1974 et a choisi Robert Redford et Mia Farrow pour incarner les protagonistes de ce roman. QUEL était le titre de ce film plutôt mal reçu par les critiques?

THE GREAT GATSBY

102) QUEL endroit historique mais surtout touristique, Alfred Hitchcock a-t-il choisi pour tourner la dernière scène du film *North By Northwest*, avec Cary Grant en 1959?

LE MONT RUSHMORE (au Dakota Sud). (Bonne réponse= I point de plus)

103) QUELLE jeune actrice de la série télévisée américaine *Peyton Place*, a épousé Frank Sinatra en 1966?

MIA FARROW

104) QUELLE était la caractéristique qui distinguait la station de radio mont-réalaise CFMB des autres stations? Elle a été inaugurée en 1962.

ELLE ÉTAIT MULTILINGUE

105) En 1960, cette actrice française a été la première femme à gagner un Oscar pour une performance dans un film étranger, *Room at the Top*. QUI était-elle?

SIMONE SIGNORET

106) NOMMEZ le réalisateur américain au nom à consonance française, qui a réalisé en 1960 le film *Never on Sunday* avec Melina Mercouri.

JULES DASSIN

107) COMBIEN le réseau CBS a-t-il dépensé pour les droits de télédiffusion des Jeux Olympiques d'hiver de Squaw Valley en 1960?

50 MILLE DOLLARS (jeu de 25 mille dollars alloué)

108) QUI jouait le rôle de James Bond dans le film *Casino Royal* en 1967?

DAVID NIVEN

109) QUI jouait le rôle de *Thomas More*, cet éminent juriste et chancelier de l'Angleterre du XVIe siècle, dans le film de 1966, *A Man for all Seasons*?
PAUL SCOFIELD

110) NOMMEZ le premier descripteur des matches des Expos de Montréal à la télévision de Radio-Canada en 1969.
GUY FERRON (décédé en 1981)

111) QUEL film américain de 1958 mettait en vedette trois grands acteurs du cinéma français, Maurice Chevalier, Louis Jourdan et Leslie Caron?
GIGI

112) QUI jouait le rôle d'hôtesse à l'émission *La Poule aux Oeufs d'Or*, de 1959 à 1963, à la télévision de Radio Canada?
SUZANNE LAPOINTE

113) Elizabeth Taylor et Richard Burton partageaient la vedette de ce film de 1963. D'une durée de 4 heures, il commandait le plus fort budget de l'histoire du cinéma. QUEL était le titre de ce film signé Joseph Mankiewicz?
CLÉOPÂTRE (Cleopatra)

114) QUI a réalisé le film québécois *Les Colombes* en 1972?
JEAN-CLAUDE LORD

115) QUELLE actrice canadienne a tenu le rôle de *Miss Moneypenny* dans tous les films de James Bond de 1962 jusqu'au début des années 90?
LOIS MAXWELL (bonne réponse=1 point de plus)

116) David McCallum et Robert Vaughn étaient les vedettes de QUELLE émission américaine d'espionnage présentée par NBC de 1964 à 1968?
MAN FROM U.N.C.L.E.

117) Ce film de 1961 mettait en vedette Steve McQueen dans le rôle d'un pilote de voiture de course d'endurance. NOMMEZ-le.
LE MANS

118) NOMMEZ la comédienne qui jouait le rôle d'*Artémise*, la femme d'*Alexis*, dans la série télévisée *Les Belles Histoires des Pays d'en Haut* durant les années 50 et 60.
ANDRÉE BOUCHER

119) La comédie *Mahogany* de 1975 mettait en vedette Diana Ross, Anthony Perkins et QUEL acteur français très connu des années 30 et 40 dans un rôle secondaire?
JEAN-PIERRE AUMONT (bonne réponse=2 points de plus)

120) QUI jouait le rôle de *Jed Clampett* dans la populaire télésérie *The Beverley Hillbillies* au réseau CBS de 1962 à 1971?

BUDDY EBSEN (bonne réponse=1 point de plus)

121) En 1971, le film *The French Connection*, a été proclamé «meilleur de l'année». Son principal acteur a hérité d'un Oscar à titre de meilleur acteur. QUI est-il?

GENE HACKMAN

122) QUEL animateur du matin à la radio de Radio-Canada au début des années 70, a accepté un contrat alléchant pour faire le même travail à la station CFGL à Laval en 1976?

MICHEL DESROCHERS

123) La centrale catholique du cinéma français a demandé à ses fidèles de s'abstenir de voir ce film de Louis Malle, gagnant du prix spécial du jury au festival de Venise de 1958. Jeanne Moreau est la vedette de ce film érotique. QUEL est son titre?

LES AMANTS

124) C'est en novembre 1961, que le réseau américain ABC a innové dans la présentation technologique de ses émissions de sport. QUELLE a été cette invention, pour ainsi dire?

LA REPRISE AU RALENTI

125) QUEL radio-roman de Marcel Cabay a été présenté à CKVL de 1964 à 1968? Ronald France et Patricia Nolin faisaient partie de la distribution.

GRANDE ALLÉE (bonne réponse=2 points de plus)

126) Inspiré du livre de Walter Lord, ce film britannique raconte le naufrage du paquebot *Titanic* en 1912. Kenneth More, David McCallum et Honor Blackman en sont les vedettes. QUEL est le titre de ce film tourné en 1958?

A NIGHT TO REMEMBER (bonne réponse=1 point de plus)

127) Ce film québécois de 1974, met en vedette Jean Duceppe et Gilles Pelletier. Il raconte l'histoire d'un étudiant qui est mêlé au monde des terroristes. QUEL est le titre de ce film de Jean-Claude Lord?

BINGO

128) QUEL acteur partageait la vedette avec Ali McGraw dans le film *Love Story* de 1970?

RYAN O'NEIL

129) Ce téléroman télévisé avec Gilles Pelletier, Monique Miller et Pierre Dufresne, est lancé par Radio-Canada en 1957. NOMMEZ-le.

CAP-AUX-SORCIERS

130) QUI jouait le rôle d'*Elliot Ness* dans la série télévisée *The Untouchables*, dont la première a eu lieu en 1959 à la télé américaine ?

ROBERT STACK

131) Après une carrière de 12 ans et de 48 films, cette actrice française annonce en 1973 sa retraite du cinéma parce qu'elle refuse de se voir vieillir à l'écran. Pourtant, elle est encore dans la jeune trentaine. QUI est-elle ?

BRIGITTE BARDOT

132) L'action se passe au Texas au XIXe siècle. Ce film de 1960 dont les coûts de production ont atteint les 15 millions de dollars et met en vedette John Wayne et Richard Widmark, est un raté auprès des cinéphiles. Un déficit de 7 millions de dollars est enregistré. NOMMEZ ce film.

THE ALAMO

133) Alain Delon et Jean-Paul Belmondo sont deux bandits de Marseille dans ce film franco-italien de Jacques Deray de 1970. QUEL est son titre ?

BORSALINO

134) Au milieu des années 60, Michelle Tisseyre co-animait l'émission d'information *Aujourd'hui* avec QUI à la télévision de Radio-Canada ?

WILFRID LEMOYNE

135) QUI jouait le rôle du pharaon *Ramsès* dans le film *Les Dix commandements* de Cecil B. de Mille en 1956 ?

YUL BRENNER

136) Elizabeth Taylor a reçu l'Oscar de la meilleure actrice de l'année 1960 pour son rôle dans QUEL film adapté du roman de John O'Hara ?

BUTTERFIELD 8

137) C'est en 1967 que la station de radio CKAC a confié l'émission du matin à cet animateur. QUI était-il ?

JACQUES PROULX (il y est demeuré durant 17 ans)

138) QUI jouait le rôle-titre de la série télévisée américaine *I Dream Of Jeannie* en 1965 ? La série a aussi été présentée en français au Québec.

BARBARA EDEN

139) Jusqu'en 1964, cette importante ville hors-Québec n'était servie que par une seule station de radio française locale. NOMMEZ-la.

OTTAWA (CKCH à Hull. En 64, 2 stations ont vu le jour, CBOF et CJRC)

140) NOMMEZ la comédienne qui a été finaliste à titre de meilleure actrice à Hollywood pour son rôle de *Anne Boleyn* dans le film *Anne of a Thousand Days* en 1960.

GENEVIÈVE BUJOLD

141) En 1973, le festival de Cannes est secoué par le scandale. Deux films français au dialogue cru sont très mal accueillis par les défenseurs du bon goût, de la morale et de l'honneur national. Un de ces films était *Maman et la Putain*. QUEL était l'autre film audacieux réalisé par Marco Ferreri?
LA GRANDE BOUFFE

142) QUELLE émission de télévision du matin pour enfants a été lancée en 1969 aux États-Unis? L'année suivante, elle reçoit un trophée Emmy.
SESAME STREET

143) Après *La vraie nature de Bernadette* en 1972, le réalisateur québécois Gilles Carle nous donne un autre succès en 1973. QUEL était ce très bon film mettant en vedette Carole Laure et Daniel Pilon?
LA MORT D'UN BÛCHERON

144) En 1960, la radio de Radio-Canada présente l'émission *Psychologie de la vie quotidienne*. Elle confie l'animation à une nouvelle animatrice qui collabore en même temps à l'émission télévisée *Carrefour* avec Wilfrid Lemoyne et Michelle Tisseyre. QUI était cette animatrice?
LIZETTE GERVAIS

145) Ce film franco-italien de 1972, *Dernier Tango à Paris*, a été à la fois applaudi et condamné par les critiques de film. Le gouvernement italien a qualifié le film d'obscène et de décadent. Il a même retiré le droit de vote au réalisateur. QUI était-il?
BERNARDO BERTOLUCCI

146) Après les réseaux CTV et Télé Métropole, QUEL nouveau réseau privé de télévision canadien a vu le jour en 1974?
GLOBAL

147) QUI a écrit et réalisé le film *Cris et Chuchotements* avec Liv Ullmann en 1972?
INGMAR BERGMAN

148) QUI jouait le rôle du docteur Marcus Welby dans la série télévisée américaine du même nom en 1969?
ROBERT YOUNG (de la série Father Knows Best des années 50)

149) Ce film musical britannique, inspiré d'une œuvre célèbre de l'écrivain Charles Dickens, a été choisi meilleur film de l'année en 1968. NOMMEZ-le.
OLIVER

150) QUEL est le titre du premier film d'Elvis Presley tourné en 1956?
LOVE ME TENDER

151) QUI était l'animateur de l'émission *Jeunesse d'Aujourd'hui* au canal 10 (CFTM) au début des années 60?
PIERRE LALONDE

152) Après Sean Connery, un nouvel acteur vient jouer le rôle de *James Bond* dans le film *On Her Majesty's Secret Service* en 1969? QUI était-il?
GEORGE LAZENBY (un Australien. Il n'a joué qu'une fois).
(Bonne réponse = 1 point de plus)

153) Ce film de Claude Jutras remporte le prix du meilleur long métrage au Festival du film canadien à Toronto en 1963. QUEL en est le titre?
À TOUT PRENDRE (bonne réponse=1 point de plus)

154) NOMMEZ l'acteur qui jouait le rôle du *Capitaine Kirk* dans la série télévisée de science-fiction *Star Trek* présentée en première en 1966 au réseau N.B.C.
WILLIAM SHATNER (acteur canadien)

155) Richard Harris jouait le rôle-titre de ce film britannique de 1970, qui raconte l'histoire du Lord protecteur de l'Angleterre en 1653. NOMMEZ ce film.
CROMWELL

156) Ce radioroman de Robert Choquette des années 40, a été porté à la télévision en 1958 avec un remarquable succès. QUEL était son nom?
LA PENSION VELDER

157) NOMMEZ l'actrice qui a remporté l'Oscar de la meilleure actrice de l'année 1974 pour son rôle dans le film *Alice Doesn't Live Here Anymore*.
ELLEN BURSTYN

158) Les trois principaux lecteurs du *Téléjournal* à la télévision de Radio-Canada durant les années 60, étaient Gaëtan Barrette, Gaëtan Montreuil et QUI?
JEAN-PAUL NOLET (décédé au début de l'an 2000)

159) Catherine Deneuve a joué avec sa sœur Françoise Dorléac dans ce film musical de 1967 du réalisateur des *Parapluies de Cherbourg*, Jacques Demy. Gene Kelly faisait aussi partie de la distribution. DONNEZ le nom de ce film.
LES DEMOISELLES DE ROCHEFORT (le vrai nom de Deneuve est Dorléac)

160) Fin des années 50, les westerns sont à l'honneur à la télévision américaine. CBS lance en 1957 une série où la vedette Richard Boone distribue des cartes d'affaires à ses clients potentiels. QUEL était le titre de cette série?
HAVE GUN, WILL TRAVEL (bonne réponse=1 point de plus)

161) QUI était le lecteur attitré aux textes du *Front de libération du Québec* à la télévision de Radio-Canada, durant la crise d'octobre en 1970?
GAËTAN MONTREUIL

162) Francis Ford Coppola a reçu l'Oscar de meilleur réalisateur pour le film *Le Parrain II* en 1974. La même année, il a aussi vu un autre de ses films remporter le Grand prix du festival de Cannes. QUEL était ce film?

LA CONVERSATION (The Conversation). (Bonne réponse=2 points de plus)

163) QUI a réalisé le film québécois *Réjeanne Padovani* en 1973?

DENYS ARCAND

164) Cette comédie française de 1965, *Le Corniaud*, du réalisateur Gérard Oury, met en vedette deux grands comiques: Bourvil et QUEL autre?

LOUIS DE FUNÈS

165) Après avoir atteint la notoriété dans la série télévisée *Perry Mason*, l'acteur de naissance canadienne Raymond Burr se lance dans une autre série en 1967. Encore là, il joue le rôle d'un détective. NOMMEZ cette série.

IRONSIDE (caractéristique particulière, il se déplace en fauteuil roulant)

166) Ce film de guerre de 1957 réalisé par David Lean mettait en vedette Alec Guinness et William Holden. NOMMEZ-le.

THE BRIDGE ON THE RIVER KWAI

167) QUELLE émission de sports lancée à la fin des années 40 à C.K.A.C., a gardé l'antenne au cours des quatre décennies suivantes?

BONSOIR LES SPORTIFS (à 23 heures)

168) QUELLE grande comédienne jouait à la fois dans les téléséries *Mont Joye* et *Les Berger* entre 1971 et 1975?

FRANÇOISE FAUCHER

169) Cette comédie de 1963 présentée en Cinérama, réunissait plusieurs noms connus: Mickey Rooney, Phil Silvers, Buddy Hackett, Milton Berle, Sid Ceasar, Ethel Merman et le grand Spencer Tracy. QUEL était son titre?

IT'S A MAD, MAD, MAD, MAD WORLD

170) Dans QUELLE émission télévisée québécoise Jean Coutu a-t-il joué le rôle de Jean Turgeau de 1960 à 1964?

LES FILLES D'ÈVE (bonne réponse=1 point de plus)

171) En 1972, le réseau ABC fait appel à l'acteur connu Karl Malden et à QUEL jeune acteur prometteur pour jouer les rôles de détectives dans la série télévisée *The Streets of San Francisco*?

MICHAEL DOUGLAS

172) NOMMEZ l'acteur britannique qui a été le premier à être élu au poste de membre de la *Chambre des Lords* à Londres en 1970.

LAWRENCE OLIVIER (il devient aussi un Baron)

173) QUEL documentaire italien de 1963, présentait en 30 séquences les cruautés et les comportements sanglants et inhumains des peuples à travers le monde? Ce film est devenu un succès international.

MONDO CANE

174) Entre 1964 et 1969, QUELLE actrice a incarné le rôle-titre dans une série de cinq films érotiques dont les titres incluaient toujours le nom *Angélique*?

MICHÈLE MERCIER

175) La série télévisée *M.A.S.H.* a fait la pluie et le beau temps durant ses onze années d'existence à partir de 1972. QUE signifiait *M.A.S.H.*?

MOBILE ARMY SURGICAL HOSPITAL (bonne réponse=3 points de plus)

176) QUEL animateur a créé l'émission radiophonique *Les Insolences* en 1962 à l'antenne de CJMS?

YVAN DUCHARME

177) OÙ se situe l'action dans le film de 1966 *The Sand Pebbles* avec Steve McQueen?

EN CHINE

178) Peu de temps après avoir tourné le film *Valérie* en 1968, Danielle Ouimet jouait dans un autre film où l'anatomie féminine dominait le scénario. Serge Laprade et Chantal Renaud étaient aussi de la distribution. QUEL était le titre de ce film?

L'INITIATION

179) Johnny Carson est devenu l'animateur du *Tonight Show* en 1962. QUI est devenu son annonceur de service dès la première heure?

ED McMAHON (il ne l'a jamais quitté)

180) Le film *Paper Moon* de 1973 mettait en vedette deux membres de la même famille, le père et sa fille. QUEL était leur nom de famille?

O'NEIL (Ryan et Tatum)

181) Outre Patrick Watson, QUI était l'autre animateur de l'émission controversée d'affaires publiques *This Hour Has Seven Days* à la télévision de la CBC en 1957?

LAURIER LAPIERRE

182) QUELLE actrice italienne partageait la vedette en 1963 avec Burt Lancaster et Alain Delon, dans le film de Luchino Visconti *Le Guépard (Il Gatopardo)*?

CLAUDIA CARDINALE

183) QUI a réalisé le film de science-fiction, 2001: *A Space Odyssey* en 1969?

STANLEY KUBRICK

184) QUEL film québécois de Jean-Claude Labrecque réalisé en 1975 avec Monique Mercure et Gilbert Sicotte, raconte l'histoire d'un jeune homme privé de son héritage par ses tantes après la mort de sa mère ?
LES VAUTOURS

185) Après *Z* en 1969, Yves Montant tourne un autre film du même genre avec le réalisateur Costa-Gavras en 1970. Cette fois, l'action se passe en Tchécoslovaquie. QUEL est le titre de ce film ?
L'AVEU

186) QUEL acteur britannique jouait trois rôles dans le film *Dr Strangelove* Ou *How I Learned to Stop Worrying and Love the Bomb* en 1963 ?
PETER SELLERS

187) En 1958, le gouvernement fédéral a créé un organisme pour assurer le contrôle sur l'industrie de radiotélévision canadienne. COMMENT l'a-t-on nommé ?
BUREAU DES GOUVERNEURS DE LA RADIODIFFUSION

188) Jack Lord et James MacArthur jouent les détectives dans cette série télévisée qui est lancée en 1968. QUEL était son titre ?
HAWAII FIVE-O

189) QUEL film franco-italien de François Truffaut a remporté l'Oscar du meilleur film étranger de 1973 ?
LA NUIT AMÉRICAINE (Day for Night). (Bonne réponse=2 points de plus)

190) De 1965 à 1970, ce comique de la scène, de la radio et de la télévision québécoise, joue avec Denis Drouin et Olivier Guimond dans la série télévisée *Cré Basile* à Télé-Métropole. QUI était ce comédien ?
PAUL BERVAL

191) Dans l'excellent film de 1959 de Billy Wilder, *Some Like it Hot*, Marylin Monroe était entourée de Tony Curtis et de QUEL autre grand acteur ?
JACK LEMMON

192) Durant quatre ans, cet homme a réussi à échapper à la police. QUI jouait le rôle du *Fugitif* à la télévision de 1963 à 1967 ?
DAVID JANSSEN

193) La chanteuse au plus longue règne à la télévision de la CBC était blonde et était surnommée «Your Pet». QUI était cette chanteuse qui a été la vedette de l'émission qui portait son nom durant les années 50 et 60 ?
JULIETTE (de son vrai nom Juliette Augustina Sysak)

194) Lynn et Vanessa Redgrave, filles du célèbre acteur britannique Michael Redgrave, se distinguent dans deux films en 1966: Lynn, dans *Georgy Girl* et Vanessa, dans QUEL autre, une production anglo-italienne du réalisateur Michelangelo Antonioni?

BLOW-UP (bonne réponse=2 points de plus)

195) Ce chanteur, style crooner, était aussi l'animateur de l'émission de radio *Le Palmarès de la chanson* à C.K.A.C. en 1956-57. QUI était-il?

JEAN ROGER

196) QUI jouait le rôle du célèbre peintre Van Gogh, dans le film *Lust for Life* de Vicente Minnelli en 1956?

KIRK DOUGLAS

197) Au début des années 60, la télé de Radio-Canada présente une émission d'affaires publiques avec Lizette Gervais, Wilfrid Lemoyne, Andréanne Lafond et Michelle Tisseyre. COMMENT se nommait cette émission?

CARREFOUR

198) Cette émission quiz présentée en soirée est lancée à la télé américaine en 1957. En 1972, elle est présentée en matinée avec un nouvel animateur qui est toujours là. NOMMEZ cette émission aux prix de tout genre.

THE PRICE IS RIGHT (l'animateur depuis 1972 est Bob Barker)

199) NOMMEZ le film de 1965 de Jean-Luc Godard qui met en vedette Jean-Paul Belmondo (alors à son 2e long-métrage) et Anna Karina. Le film choque une partie du public par sa liberté de ton et d'images.

PIERROT LE FOU (bonne réponse=1 point de plus)

200) Deux semaines après avoir tourné ce film avec Kathryn Hepburn et Sidney Poitier en 1967, Spencer Tracy est mort à l'âge de 67 ans. NOMMEZ ce film.

GUESS WHO'S COMING TO DINNER

201) En 1973, Michel Faure signe une nouvelle émission genre *sitcom*, qui met en vedette Jean Besré, Louise Portal et Yvon Dufour à la télévision de Radio-Canada. QUEL en était le titre?

LA P'TITE SEMAINE

202) En 1968, deux actrices gagnent un Oscar à titre de meilleure actrice de l'année: Barbra Streisand pour son rôle dans *Funny Girl* et QUELLE autre pour son rôle dans le film *The Lion in Winter*?

KATHRYN HEPBURN (son 3e Oscar)

203) QUEL film de Marcel Camus, a remporté la palme d'or du Festival de Cannes en 1959 ainsi que l'Oscar du meilleur film étranger à Hollywood? C'était une production italo-franco-brésilienne.

ORFEU NEGRO (Black Orpheus). (Bonne réponse=1 point de plus)

204) C'est la compagnie Chevrolet qui commanditait cette émission dont la vedette était une chanteuse très populaire. C'était en 1957 et fait plutôt rare pour l'époque, tout était en couleur et en direct. QUI était cette chanteuse?

   DINAH SHORE

205) Gilles Carle a réalisé en 1965 le film *La Vie Heureuse de* QUI?

   LÉOPOLD Z

206) Peter Fonda a écrit, produit et joué dans ce film de 1969. Dennis Hopper l'a réalisé en plus de jouer et Jack Nicholson a gagné l'Oscar du meilleur acteur du soutien. QUEL était le titre de ce film?

   EASY RIDER

207) Après le succès du film *Le Corniaud*, Bourvil et Louis de Funès se retrouvent en 1967 dans cette histoire de cache-cache avec des soldats allemands durant la Deuxième guerre. NOMMEZ cette comédie qui a battu tous les records aux guichets à Paris.

   LA GRANDE VADROUILLE

208) Avant l'automne de 1970, la télévision américaine ne présentait pas de sports d'équipes professionnelles le soir en semaine. Puis une expérience a été tentée et tout a changé. QUEL sport a alors été à l'honneur?

   LE FOOTBALL DE LA N.F.L. (Monday Night Football à A.B.C.)

209) QUI était la vedette féminine et partenaire de Cary Grant dans le film de suspense plutôt léger *Charade* de 1963 du réalisateur Stanley Donen?

   AUDREY HEPBURN

210) Le meilleur film western de l'année 1960 a servi de tremplin dans les carrières de Steve McQueen, Charles Bronson, Robert Vaughn, James Coburn et Horst Buchholz. QUEL était le titre de ce film inspiré d'un film japonais de 1954?

   THE MAGNIFICENT SEVEN

211) Après le film *L'Initiation* en 1968, Céline Lomez joue dans un autre film consacré aux charmes de l'anatomie féminine en 1970. LEQUEL?

   APRÈS-SKI

212) Ce prêtre, fondateur des Compagnons de Saint-Laurent, animait une partie de l'émission *Les Matins de la Fête* à la radio de Radio-Canada en 1973. QUI était-il?

   ÉMILE LEGAULT

213) NOMMEZ les deux acteurs qui ont remporté l'Oscar du meilleur acteur pour le même rôle, le premier dans *Le Parrain I* en 1972 et le second, dans *Le Parrain II* en 1974.

MARLON BRANDO - ROBERT DI NIRO (rôle de Vito Corleone)

214) Jean-Pierre Léaud est la révélation de ce premier long-métrage du réalisateur François Truffaut en 1959. C'est l'histoire d'un garçon de 12 ans qui fugue et qui tourne mal. QUEL est le titre de ce film?

LES 400 COUPS

215) Ces deux expressions « Sorry about that Chief » et « Would you believe », étaient celles de cet agent secret dans la série télévisée américaine *Get Smart*. QUI jouait le rôle de l'agent *Maxwell Smart*?

DON ADAMS (bonne réponse=1 point de plus)

216) QUI a réalisé le film *Around the World in 80 Days*, gagnant de l'Oscar du meilleur film de 1960?

MIKE TODD

217) QUI jouait le rôle de *Baby*, la riche héritière, dans la téléroman *Les Belles Histoires des Pays d'en Haut,* à la télévision de Radio-Canada en 1956?

JANINE FLUET (bonne réponse=1 point de plus)

218) En 1966, la télévision en couleur est lancée au Canada. QUELLE autre nouveauté fait aussi son apparition dans le monde de la télévision?

LE CÂBLE (le service est toutefois très limité)

219) QUEL film de 1973 de Marcel Carrière mettait en vedette Jacques Godin, Luce Guilbeault, Denis Drouin et Jean Lapointe?

O.K. LALIBERTÉ

220) Durant les années 30, 40 et 50 sont arrivés le cinéma avant-garde, le cinéma direct et le cinéma vérité. Les années 60 arrivent avec une nouvelle approche, une nouvelle forme. Claude Chabrol, François Truffaut et Jean-Luc Godard en sont les chefs de file. COMMENT Françoise Giroux de *l'Express* a-t-elle appelé ce nouveau cinéma?

NOUVELLE VAGUE

221) En 1962, la télévision de Radio-Canada présente une série d'émissions de sketchs humoristiques avec Paul Berval, Denis Drouin et Olivier Guimond. COMMENT se nommait cette série?

ZÉRO DE CONDUITE

222) La petite Linda Blair possédait des pouvoirs démoniaques dans ce film de 1973. LEQUEL?

L'EXORCISTE (The Exorcist)

223) QUI était le reporter de la télé de Radio-Canada, qui a été suspendu par la direction de la Société pour avoir diffusé un reportage biaisé et trop émotif, le soir du défilé de la St Jean à Montréal à la veille des élections fédérales en 1968 ?

CLAUDE-JEAN DEVIRIEUX (la violence avait éclaté et la police avait fait preuve de brutalité à l'endroit des manifestants, selon Devirieux)

224) En 1921, le cinéma américain a produit 854 films long-métrages, un chiffre qui n'a jamais été battu. En 1963, Hollywood a connu sa pire année de production à cause de la télévision. COMBIEN de films ont été produits ? 121, 251 OU 381 ?

CENT VINGT ET UN (le Japon a dominé avec 363 films)

225) QUI jouait le rôle de la femme de *Archie Bunker* dans la télésérie *All in the Family* au réseau CBS à partir de 1971 ?

JEAN STAPLETON

226) En 1966, le film *The Sound of Music* éclipse tout ce qui avait été généré auparavant au chapitre des revenus aux guichets. QUEL film a alors été relégué au 2e rang ?

GONE WITH THE WIND (meneur depuis 1940)

227) Pour son rôle d'un avocat dans le film *To Kill a Mockingbird* en 1962, cet acteur reçoit l'Oscar du meilleur acteur de l'année. QUI est-il ?

GREGORY PECK

228) QUEL nouveau magazine de sports à la télévision américaine a pris son envol en 1961 ? Pour la première fois, la télévision donnait une couverture à des sports autres que le football, le baseball et le basketball.

WIDE WORLD OF SPORTS (réseau ABC le samedi après-midi)

229) Jane Fonda est la vedette de ce film de 1969 qui nous ramène au temps des marathons de danse. QUEL est son titre ?

THEY SHOOT HORSES, DON'T THEY

230) En 1959, la télévision est interdite dans ce grand pays d'Afrique. Ce n'est qu'en 1975 que les habitants y auront accès. NOMMEZ ce pays.

L'AFRIQUE DU SUD

231) Ce scientifique fait ses débuts comme animateur à la télévision canadienne à Toronto en 1971 et obtient un succès immédiat. Vulgarisateur d'une émission scientifique qui portait son nom, il restera à l'antenne au moins jusqu'à la fin du siècle. QUI est-il ?

DAVID SUZUKI

232) QUEL film de 1966 a été finaliste à 13 titres lors de la soirée des Oscars, mais n'en a reçu que cinq dont: celui de la meilleure actrice attribué à Elizabeth Taylor et celui de la meilleure actrice de soutien remis à Sandy Dennis?

WHO'S AFRAID OF VIRGINIA WOOLF

233) Ce téléroman québécois de Françoise Loranger a été porté au petit écran en 1962 et mettait en présence Charlotte Boisjoli, Dyne Mousseau et Ovila Légaré. QUEL était son nom?

SOUS LE SIGNE DU LION

234) NOMMEZ le comédien qui jouait le rôle du patron de *Mary Tyler Moore* dans l'émission télévisée du même nom et présentée par C.B.S. à partir de 1970.

ED ASNER

235) NOMMEZ l'animateur qui a succédé à Colette Devlin en 1972 à l'animation de l'émission de radio *Montréal Express* à C.B.F., Radio-Canada.

PIERRE CHOUINARD

236) Katherine Hepburn détient le record pour le nombre d'Oscars remis à titre de meilleure actrice de l'année: quatre. Elle détient aussi le record pour le nombre de fois qu'elle a été finaliste à ce titre. COMBIEN?

TREIZE (jeu de 2 fois + ou - alloué)

237) QUI jouait le rôle de *Goldfinger* dans le film du même nom en 1964?

GERT FROEBE (ou FRÖBE) (bonne réponse=2 points de plus)

238) C'est en 1970 que la série télévisée *The Odd Couple* commence au réseau A.B.C. Jack Klugman était une des deux vedettes. QUI était l'autre?

TONY RANDALL

239) Dans le téléroman *La Pension Velder* porté à l'antenne de Radio Canada en 1958, QUI jouait le rôle de *Madame Velder*?

LUCIE DE VIENNE BLANC

240) QUI était l'actrice qui jouait à l'agent double dans le film d'Alfred Hitchcock de 1959, *North By Northwest*?

EVA MARIE SAINT

241) QUI a réalisé pour l'O.N.F. en 1956 *Les Jeunesses Musicales* puis, coup sur coup, *Chantons maintenant* et *Pierrot des Bois*?

CLAUDE JUTRA

242) Cette comédie télévisée au réseau A.B.C. à partir de 1975, a connu un succès inattendu. L'action se passe exclusivement dans un poste de police de New York dirigé par un capitaine dont le nom est celui de l'émission. LEQUEL?

BARNEY MILLER (joué par Hal Linden)

243) Ce film musical de 1969 de Joshua Logan met en vedette Lee Marvin, Jean Seberg et Clint Eastwood. QUEL est son titre ?
PAINT YOUR WAGON (bonne réponse=1 point de plus)

244) Sue Lyon n'avait que 16 ans lorsqu'elle a tourné ce film avec James Mason en 1962. QUELLE était cette production signée Stanley Kubrick ?
LOLITA

245) Ces deux émissions de la radio de C.B.F., *Quelles nouvelles* de 1939 à 1958 et *Je vous ai tant aimé* des années 40 et 50, ont été portées à la télévision de Radio-Canada à la fin des années 50. Ces émissions et combien d'autres étaient toutes des créations de la même auteure dont la carrière s'est échelonnée sur 45 ans. QUI était cette femme ?
JOVETTE BERNIER

246) QUI était le réalisateur des films *Répulsion* avec Catherine Deneuve en 1969 et *Rosemary's Baby* avec Mia Farrow en 1968 ?
ROMAN POLANSKI

247) QUI était la chanteuse qui partageait la vedette avec Jacques Normand à l'émission *Porte Ouverte* à la télévision de Radio-Canada à partir de 1956 ?
COLETTE BONHEUR

248) Au festival de Cannes de 1972, l'acteur français Jean Yanne a mérité le prix d'interprétation pour son rôle dans *Nous ne vieillirons pas ensemble*. QUELLE actrice partageait la vedette avec lui ?
MADELEINE JOBERT (bonne réponse=2 points de plus)

249) QUI jouait le rôle de *Ma Sorcière bien-aimée (Bewitched)* dans la série de télévision mise en ondes en 1964 par le réseau ABC ?
ELIZABETH MONTGOMERY

250) QUI a signé le scénario du film *Caïn* du réalisateur Pierre Patry en 1965-66 ?
RÉAL GIGUÈRE (bonne réponse=1 point de plus)

251) QUI était l'animateur de l'émission de radio *Le Cabaret du soir qui penche* à Radio-Canada durant les années 50 et 60 ?
GUY MAUFETTE

252) QUELLE actrice a remporté l'Oscar à titre de meilleure actrice de l'année en 1957 pour son rôle dans le film *The Three Faces of Eve* ?
JOANNE WOODWARD

253) QUI partageait l'animation de l'émission *Les Tannants* avec Joël Denis et Pierre Marcotte à Télé-Métropole à partir de 1973 ?
SHIRLEY THÉROUX

254) Mike Connors jouait le rôle d'un détective privé dans QUELLE série télévisée au réseau C.B.S. de 1967 à 1975?

MANNIX

255) QUELLE grande actrice jouait aux côtés de Jean Marais dans le film de Jean Renoir, *Elena et les hommes*, en 1956?

INGRID BERGMAN (bonne réponse=1 point de plus)

256) NOMMEZ le chansonnier québécois qui a joué dans le film de 1974, *Les Ordres*, du réalisateur Michel Brault.

CLAUDE GAUTHIER

257) E.G. Marshall et Robert Reed jouaient les rôles de père et fils, avocats, dans cette série télévisée au réseau C.B.S. à partir de 1961, la meilleure de ce genre pour concurrencer Perry Mason. QUEL en était le titre?

THE DEFENDERS

258) NOMMEZ le radio-roman qui portait le nom d'une artère importante du nord de l'île de Montréal et qui a été mis à l'antenne de C.K.V.L. en 1968.

CÔTE VERTU

259) Ce film de 1974 de Roman Polanski, met en vedette Jack Nicholson et Faye Dunaway et se déroule dans un quartier populaire de Los Angeles. QUEL est son titre?

CHINATOWN

260) Cet acteur cinéaste viennois, naturalisé américain et aux allures d'un officier prussien, fait un retour à l'écran en 1957 avec Gloria Swanson dans le film *Sunset Boulevard*. QUI est-il?

ERICH VON STROHEIM (bonne réponse=2 points de plus)

261) QUEL était le nom du talk show de Jean-Pierre Coallier à la télévision de de Radio-Canada en 1972?

CE SOIR

262) Le film québécois *Le Chat dans le sac*, remporte le Grand prix du cinéma canadien pour les longs métrages en 1964. QUI en était le réalisateur?

GILLES GROULX (bonne réponse=1 point de plus)

263) QUI jouait le rôle du président du tribunal dans le film de 1961, *Judgment at Nuremberg*?

SPENCER TRACY

264) QUEL disc-jockey a atteint la notoriété, lorsque son émission de musique populaire *American Bandstand*, diffusée à Philadelphie depuis 1952, a été présentée à la grandeur du réseau A.B.C. à partir de 1957?

DICK CLARK

265) COMMENT se nommait la première série d'émissions animées par Lise Payette en 1969 à la radio de Radio-Canada?
PLACE AUX FEMMES

266) Ce roman noir de Georges Simenon est porté à l'écran en 1971. Simone Signoret et Jean Gabin en sont les vedettes. QUEL était le titre de ce film?
LE CHAT (bonne réponse=1 point de plus)

267) Ce film de 1964 situe l'action à Istamboul. Réalisé par Jules Dassin, il met en vedette Melina Mercouri, Peter Ustinov et Maximilian Schell. DONNEZ son titre.
TOPKAPI

268) QUELLE émission d'affaires publiques a été lancée au réseau CTV au milieu des années 60 pour rapidement devenir très populaire?
W5 (Where, When, Who, Why, What)

269) NOMMEZ l'émission pour adolescents qu'animait Pierre Paquette à la télé de Radio-Canada les samedis après-midi à partir de 1957.
LE CLUB DES AUTOGRAPHES

270) C'est en 1968 que le gouvernement québécois a créé le programme d'*Art et de technologie*, une formation en techniques de radio, de télévision et de journalisme, le seul au Québec. Dans QUELLE ville est-il dispensé?
JONQUIÈRE (dans un C.E.G.E.P.)

271) C'est la chaîne de télévision australienne GTV qui a réussi ce remarquable tour de force en 1969; celui de l'émission en direct la plus longue de l'histoire de la télé, 6 jours, 19 heures et 18 minutes. QUEL événement a justifié ce marathon télévisé?
LA MISSION APOLLO XI (premier homme sur la lune en juillet 69)

272) Tiré d'un roman de Georges Simenon, ce film de 1958 fait époque avec une scène osée qui montre Brigitte Bardot relever lentement sa jupe devant Jean Gabin. QUEL était le titre de ce film réalisé par Claude Autant-Lara?
EN CAS DE MALHEUR (bonne réponse=2 points de plus)

273) Marjolaine Hébert jouait le rôle de *Simone Boisvert* dans ce téléroman de Marcel Dubé de 1963 à 1966. QUEL était ce téléroman?
DE 9 À 5

274) QUEL réalisateur canadien a réalisé les films *Fiddler on the Roof* en 1971 et *Jésus Christ Superstar* en 1973?
NORMAN JEWISON

275) QUEL était le nom du ranch dans la série western *Bonanza* présentée pour la première fois en 1959 à la télé américaine?

PONDEROSA

276) QUEL film québécois de Denys Arcand tourné en 1970, est victime d'une censure politique qui ne sera levée que sept ans plus tard?

ON EST AU COTON (bonne réponse=1 point de plus)

277) QUEL acteur a remporté deux Oscars à titre de meilleur acteur de soutien, dans les films *Spartacus* en 1960 et *Topkapi* en 1964?

PETER USTINOV

278) Dans le film *Dirty Harry* de 1971, Clint Eastwood joue le rôle d'un inspecteur de police. COMMENT se nomme-t-il?

HARRY CALLAGHAN

279) QUELLE émission humoristique à sketchs présentée à Télé-Métropole, est proclamée la plus populaire de 1966? Elle atteint 400 mille foyers québécois et met en présence entre autres comédiens, Denis Drouin et Paul Berval.

CRÉ BASILE

280) L'émission au plus long règne du réseau de télévision C.B.C. avait pour nom *Front Page Challenge*. Elle a toujours été dirigée par le même animateur depuis sa création en 1957. QUI est cet animateur?

FRED DAVIS (décédé en 1996. L'émission a pris fin en 1995)

281) QUEL film à grand déploiement de 1970, production italo-soviétique mettant en vedette Rod Steiger et Orson Welles, a coûté 25 millions de dollars pour être produit? Pourtant, il n'a rapporté qu'une fraction de cette somme aux guichets.

WATERLOO (Steiger jouait le rôle de Napoléon)

282) Peter Sellers crée *L'Inspecteur Clouzot* en 1964 pour le cinéma. Son premier film, *The Pink Panther*, est un succès retentissant. La même année, il revient avec un autre film consacré à cet inspecteur de police. LEQUEL?

A SHOT IN THE DARK

283) QUI était le principal correspondant du réseau de télévision CBC sur la colline parlementaire durant les turbulentes années 60? Il portait la moustache et avait une voix rauque?

NORMAN DAPOE (bonne réponse=2 points de plus)

284) QUEL film canadien de 1974 porte le nom d'un roman de Mordecai Richler et met en vedette Richard Dreyfuss?

THE APPRENTICESHIP OF DUDDY KRAVITZ

285) QUELLE émission de télévision humoristique présentée à Radio-Canada entre 1967 et 1972, atteint 60 % de la population francophone en 1969, soit 2 millions d'auditeurs ?

MOI ET L'AUTRE

286) Miyoshi Umeki a été proclamée meilleure actrice de soutien pour son rôle dans le film *Sayonara* en 1957. NOMMEZ l'acteur qui a reçu le même honneur pour son rôle dans le même film.

RED BUTTONS (bonne réponse=2 points de plus)

287) Cette émission quiz de Radio-Canada au milieu des années 60, empruntait son titre à une devise des célèbres *Trois mousquetaires*. LAQUELLE ? Et QUI en était l'animateur ?

TOUS POUR UN - RAYMOND CHARRETTE

288) À QUELLE émission de télévision l'actrice Goldie Hawn et le chanteur John Denver ont-ils lancé leurs carrières en 1968 ?

ROWAN AND MARTIN'S LAUGH-IN (Laugh-In accepté)

289) Deux semaines après la mort de Gérard Philippe en 1959, un autre comédien français bien connu et mari de Michèle Morgan, meurt à son tour à l'âge de 40 ans. QUI était-il ?

HENRI VIDAL

290) QUELLE comédienne a animé de 1966 à 1969 l'émission *Féminin singulier* sur les ondes de C.K.A.C. ?

FRANÇOISE FAUCHER (bonne réponse=2 points de plus)

291) James Bond ne s'est marié qu'une seule fois dans ses films. C'était dans *On Her Majesty's Secret Service* en 1969. QUELLE actrice est devenue sa femme ?

DIANA RIGG (elle se fait tuer à la fin du film)

292) De QUEL écrivain américain les réalisateurs Roger Vadim, Louis Malle et Frederico Fellini, se sont-ils inspirés pour tourner le récit de trois contes fantastiques qu'ils ont appelés *Histoires Extraordinaires* en 1968 ?

EDGAR ALAN POE (bonne réponse=1 point de plus)

293) QUEL était le nom de la famille millionnaire de l'émission télévisée *The Beverly Hillbillies* au réseau CBS de 1962 à 1971 ?

CLAMPETT

294) QUI était l'actrice vedette du film québécois *La Mort d'un bûcheron* du réalisateur Jean-Claude Lord en 1973 ?

CAROLE LAURE

295) Cette pièce à succès sur Broadway a été mise sur film en 1975 et met en vedette George Burns et Walter Matthau dans des rôles d'anciennes vedettes du music-hall. QUEL est le titre de ce film?

THE SUNSHINE BOYS

296) QUELS Jeux Olympiques d'hiver ont été les premiers à être télévisés et en QUELLE année?

CORTINA D'AMPEZZO (Italie)   - EN 1956

297) Ce drame policier de 1957 du réalisateur Louis Malle met en vedette Maurice Ronet et Jeanne Moreau. Une autre histoire de crime parfait. DONNEZ-en le titre.

ASCENSEUR POUR L'ÉCHAFAUD (bonne réponse = 1 point de plus)

298) Arrivé à C.K.A.C. durant les années 50, il a été animateur et lecteur de nouvelles durant près de 25 ans. Il est aussi devenu l'animateur de l'émission d'informations télévisées *Le 18 Heures* à Télé-Métropole. QUI était-il?

JACQUES MORENCY

299) DONNEZ le titre du film de 1973 dans lequel l'acteur Al Pacino joue le rôle d'un jeune policier qui lutte contre la corruption chez ses collègues.

SERPICO

300) QUI jouait le rôle du beau-père et en même temps de grand-père dans l'émission télévisée *Quelle Famille* à Radio-Canada au début des années 70?

MICHEL NOËL

301) Spencer Tracy était le narrateur de ce film western à grand déploiement et tourné en Cinérama en 1963. James Stewart, Gregory Peck, John Wayne, Henry Fonda et Debbie Reynolds faisaient partie d'une distribution impressionnante. QUEL était le titre de ce film?

HOW THE WEST WAS WON

302) Dans la série télévisée d'espionnage *Man from U.N.C.L.E.* présentée de 1964 à 1968, David McCallum jouait le rôle de Illya Kuriyakin. QUEL rôle jouait son partenaire Robert Vaughn?

NAPOLEON SOLO

303) QUEL a été le premier film américain à aborder ouvertement le problème de la drogue? Porté à l'écran en 1956, il était réalisé par Otto Preminger et mettait en vedette Frank Sinatra.

THE MAN WITH THE GOLDEN ARM

304) QUEL film italien de Gillo Pontecorvo a provoqué des bagarres à l'intérieur et devant la salle de cinéma de Bordeaux entre spectateurs et nostalgiques de l'Algérie française en 1972?

LA BATAILLE D'ALGER (bonne réponse=1 point de plus)

305) QUI était co-animateur avec Joël Denis de l'émission *Jeunesse d'aujourd'hui* de 1962 à 1965 à C.F.T.M., Télé-Métropole?

PIERRE LALONDE

306) QUEL chanteur compositeur français fait ses débuts en 1957 avec Pierre Brasseur dans le film *Porte des lilas* du réalisateur René Clair?

GEORGES BRASSENS

307) QUELLE actrice jouait le rôle principal dans la série télévisée *Police Woman* au réseau N.B.C. à partir de 1974?

ANGIE DICKENSON

308) QUEL a été le premier film de Roger Moore dans le rôle de James Bond? C'était en 1973.

LIVE AND LET DIE

309) QUI tenait un des deux rôles principaux dans l'émission télévisée pour enfants *Maigrichon et Gras Double* de 1971 à 1973? Il est le fils d'un comédien célèbre depuis décédé.

DANIEL GADOUAS

310) L'émission radiophonique *Un Homme et son Péché* prend fin en 1962. COMBIEN d'années cette émission a-t-elle gardé l'antenne sans interruption?

VINGT-QUATRE ANS (elle a débuté en 1939). (Jeu de 2 ans + ou - alloué)

311) Cette émission de science fiction était l'œuvre de Rod Serling qui en écrivait les scénarios et en faisait la narration. COMMENT se nommait cette émission qui a été à l'horaire du réseau C.B.S. de 1959 à 1964?

TWILIGHT ZONE (bonne réponse=1 point de plus)

312) Dans le film de 1972, *Lady sings the Blues*, QUELLE chanteuse jouait le rôle de *Lady*?

DIANA ROSS (rôle de Billie Holiday)

313) QUI était l'animatrice des émissions *À la catalogne* à l'antenne de C.F.T.M., Canal 10, de 1963 à 1967?

MARGOT LEFEBVRE

314) QUELS étaient les prénoms des deux filles de Michael Redgrave qui ont joué respectivement en 1966 dans *Georgy Girl* et *Morgan*?

LYNN et VANESSA (2 points de plus pour le 2ᵉ prénom)

315) QUI était l'animateur de l'émission *Pays et Merveilles* à la télévision de Radio-Canada en 1965?

ANDRÉ LAURENDEAU (journaliste, auteur, scénariste et homme politique)

316) Ce film canadien de 1973, raconte les derniers jours d'un vieux couple. Jean-Léo Gagnon, Marthe Nadeau et Marcel Sabourin en sont les principaux interprètes. QUEL est le titre de ce film?

LES DERNIÈRES FIANÇAILLES (bonne réponse= 1 point de plus)

317) QUEL acteur canadien jouait un rôle principal dans le film *M.A.S.H.* en 1970?

DONALD SUTHERLAND

318) Lee J. Cobb, James Drury et Doug McClure étaient les vedettes de cette série western de télévision américaine de 1962 à 1971. NOMMEZ-la.

THE VIRGINIAN (bonne réponse=2 points de plus)

319) Après 27 ans à la radio, cette chanteuse américaine voit son émission hebdomadaire prendre fin en 1958. QUI était cette artiste qui a fait de la chanson *God Bless America*, le deuxième hymne national américain?

KATE SMITH

320) Dans le film de 1969 *Love Bug* de Walt Disney, QUI portait le nom de *Herbie*?

UNE VOLKSWAGEN COCCINELLE

321) Entre 1963 et 1966, Marcel Dubé a signé les scénarios de deux téléromans: *Côte de Sable* et QUEL autre?

DE 9 À 5

322) QUI jouait le rôle-titre du film *Zorba le Grec* en 1964?

ANTHONY QUINN

323) Inspiré du roman sulfureux de Pauline Réage, le cinéma français poursuit en 1975 sur sa lancée de la production de films érotiques frôlant la porno, avec ce film du réalisateur Just Jaeckin. QUEL en est le titre?

HISTOIRE D'O

324) En 1960, les gens de la télévision française trouvent une nouvelle expression pour traduire l'expression américaine *anchorman*, celui qui fait la lecture des bulletins de nouvelles ou qui animent des soirées d'élections ou autres événements d'importance. QUELLE a été cette «trouvaille» française?

HOMME-TRONC (joli?)

325) QUELLE actrice a reçu deux Oscars pour ses rôles de soutien dans les films *The Diary of Anne Frank* en 1959 et *A Patch of Blue* en 1965?

SHELLEY WINTERS (bonne réponse= 1 point de plus)

326) Cette adaptation française d'une émission américaine fait les délices des enfants au Québec entre 1966 et 1971. *Fanfan, Jackie* et *Cécile* sont les noms des trois enfants, neveux de celui qui donne son nom à l'émission. *Monsieur Félix*, joué fort bien par Sebastian Cabot, est un domestique omniprésent. QUEL était le titre français de cette série?

CHER ONCLE BILL (Family Affair)

327) Ce critique de films des *Cahiers du cinéma* fait ses débuts de réalisateur dans QUEL film de 1958 considéré comme le premier du style *nouvelle vague?* Et QUEL est le nom de ce réalisateur?

LE BEAU SERGE - CLAUDE CHABROL (2 bonnes réponses=3 points)

328) S'inspirant du succès remporté par *All in the Family*, le réseau N.B.C. en remet avec une autre comédie, mais cette fois dominée par des Noirs. Redd Foxx en est la vedette. QUEL était le nom de cette série qui a gardé l'antenne de 1971 à 1975?

SANFORD AND SON

329) QUEL grand acteur québécois partage la vedette avec la comédienne française Jeanne Moreau dans le film canadien de 1973, *Je t'aime*, réalisé par Pierre Duceppe?

JEAN DUCEPPE

330) Le réseau américain CBS a commencé à diffuser des émissions en couleur sur une base régulière dès 1962. Au Canada, les réseaux de la CBC et de Radio-Canada ont adopté la couleur en 1966. En QUELLE année l'ORTF a-t-elle donné aux Français la télé-couleur? 1963, 1967 OU 1970?

1967 (sur une base très limitée. En 1973, seulement 10% des foyers possèdent des appareils couleur)

331) Ce film d'Alfred Hitchcock de 1957, diffère des autres par son contenu mi-fiction, mi-documentaire. Inspiré d'une histoire vraie, il met en présence Henry Fonda dans le rôle d'un musicien accusé faussement de meurtre et Sarah Miles dans celui de sa femme. QUEL est son titre?

THE WRONG MAN (bonne réponse=2 points de plus)

332) Ovila Légaré a joué le rôle du *Père Didace* dans trois téléromans différents durant les années 50: *Le Survenant, Marie-Didace* et QUEL autre?

LE CHENAL DU MOINE

333) Le film de 1957 *Island in the Sun*, est le premier à présenter des idylles amoureuses entre Noirs et Blancs. Le scénario réunit James Mason avec Dorothy Dandridge et Joan Fontaine avec QUEL artiste noir très populaire?

HARRY BELAFONTE

334) Lorsque les Canadiens Ferguson, Kroitor et Kerr ont inventé le cinéma Imax en 1968, c'était pour le pavillon canadien à l'Exposition universelle de 1970 à Osaka au Japon. QUE veulent dire les lettres IMAX?

*I POUR EYE PLUS et **MAX** POUR MAXIMUM (Le maximum de ce que l'œil humain peut voir)*

335) Lancée en 1950, cette émission consacrée aux œuvres de dramaturges québécois a tenu l'antenne de la radio de Radio-Canada jusqu'en 1962. Cette série de radio-théâtres a servi de tremplin à 320 pièces originales écrites par Marcel Dubé, Yves Yhériault, Jacques Languirand, Félix Leclerc, Jacques Godbout et nombre d'autres. QUEL était son titre?

LES NOUVEAUTÉS DRAMATIQUES (bonne réponse=2 points de plus)

336) En QUELLE année a eu lieu le premier débat télévisé entre deux chefs de partis politiques québécois en prévision d'une élection?

1962 (entre le libéral Jean Lesage et l'unioniste Daniel Johnson)

337) QUEL acteur jouait le rôle du détective *Hercule Poirot* dans le film britannique de 1974, *Murder on the Orient Express?*

ALBERT FINNEY (bonne réponse=1 point de plus)

338) L'actrice chanteuse Shirley Jones et ses quatre enfants sont les vedettes de QUELLE nouvelle émission au réseau A.B.C. en 1970? Elle contribuera au lancement de la carrière de chanteur du jeune David Cassidy.

THE PARTRIDGE FAMILY (David Cassidy était le plus vieux des quatre enfants de Shirley Jones et de son défunt mari, Jack Cassidy)

339) Inspiré du roman de Brian Moore, ce film canadien de 1964 tourné à Montréal met en vedette Robert Shaw et Mary Ure. COMPLÉTEZ son titre ... The Luck of ....

GINGER COFFEY (bonne réponse=1 point de plus)

340) Après Z en 1969 et *L'Aveu* en 1970, Yves Montand tourne un autre film du même genre en 1973, toujours sous la direction de Costa-Gravas. Cette fois, l'action se déroule dans un pays d'Amérique du Sud, là aussi dirigé par une junte militaire. QUEL est le nom de ce film?

ÉTAT DE SIÈGE

341) QUEL comédien doué d'un talent pour les rôles comiques, a fait ses débuts à la télévision québécoise durant les années 70 dans le rôle de *Conrad* dans la télésérie *Rue des Pignons?*

GILLES LATULIPPE

342) QUI étaient les producteurs des films de James Bond à partir de 1962 et jusqu'aux années 80? Un s'appelait Harry Saltzman. QUI était l'autre?

ALBERT BROCCOLI (qu'on appelait Cubby)

343) L'actrice Ellen Burstyn a été proclamée meilleure actrice de l'année pour son rôle dans QUEL film de 1974?

ALICE DOESN'T LIVE HERE ANYMORE

344) COMBIEN d'émissions ont été consacrées au débat télévisé entre les candidats présidentiels Richard Nixon et John Kennedy en 1960?

QUATRE (toutes diffusées aux trois réseaux de télévision)

345) QUEL réalisateur québécois a tourné en 1967 le documentaire *La Visite du général de Gaulle au Québec?*

JEAN-CLAUDE LABRECQUE

346) QUEL acteur britannique mieux connu pour ses films américains, a gagné l'Oscar du meilleur acteur en 1958 pour son rôle dans *Separate Tables?*

DAVID NIVEN

347) En 1959, le réseau C.B.C. présente une émission de musique country réalisée à Halifax. L'émission porte le nom de son violoniste et directeur musical. QUI était-il?

DON MESSER (Don Messer's Jubilee. L'émission a été annulée en 1969)

348) Jeannne Moreau et Brigitte Bardot partagent la vedette de cette comédie de Louis Malle, produite en 1965 et dont l'action se déroule au Mexique. NOMMEZ-la.

VIVA MARIA

349) Gene Hackman, Ernest Borgnine et Shelley Winters sont parmi les vedettes de ce film de 1972, qui raconte l'histoire d'un paquebot victime d'un raz de marée. DONNEZ le titre de ce film, celui qui a généré les plus forts revenus aux guichets en 1972?

THE POSEIDON ADVENTURE

350) La marche historique sur la lune le 20 juillet 1969, a été retransmise à la télévision dans 49 pays avec un auditoire potentiel de 600 millions de personnes. C'est aux États-Unis que la cote d'écoute a été la plus forte. QUEL a été le pourcentage des foyers américains à l'écoute? 77 %, 85 % OU 94 %?

QUATRE-VINGT QUATORZE POUR CENT

351) Ce film québécois de 1972 de Denis Héroux, est une comédie qui met en vedette Dominique Michel, René Simard et le comédien français Jean Lefebvre. QUEL est son titre?

J'AI MON VOYAGE

352) Ce cinéaste britannique a été à l'origine de la création par le gouvernement canadien, de l'Office National du Film en 1939. En peu de temps, il a donné à l'Office une notoriété internationale grâce à ses films qu'il avait appelés documentaires, une appellation qui lui revient. Il est allé travailler à New York en 1945 puis à l'UNESCO et à la télévision. Il est mort en 1972. QUI était-il?

JOHN GRIERSON (bonne réponse=2 points de plus)

353) QUI était le descripteur des matchs de football des *Alouettes* de Montréal durant les années 60 à C.J.M.S. et au réseau Radio-Mutuel?

RHÉAUME BRISEBOIS (mieux connu sous le nom de Rocky)

354) En QUELLE année la France a-t-elle inauguré sa première chaîne de télévision? La première émission a été un téléjournal.

1949 (jeu d'un an + ou - alloué)

355) Le film de 1962, *The Miracle Worker*, a valu aux actrices Anne Bancroft et Patty Duke, les Oscars de meilleure actrice et meilleure actrice de soutien respectivement. Ce film raconte l'histoire de QUELLE fille remarquable?

HELEN KELLER (sourde, muette et aveugle à la suite d'une maladie infantile. C'est aussi l'histoire non moins remarquable d'Annie Sullivan qui s'occupe de l'éduquer et de la diriger dans ses études)

356) Cet animateur américain de radio-télé n'est ni acteur, ni chanteur, ni danseur ou musicien. Ses émissions de radio et de télé, lancées en 1945 et 1948 sont consacrées aux nouveaux talents. Puis en 1972, il met fin à son émission de radio au réseau C.B.S. après 27 ans de succès. QUI était-il?

ARTHUR GODFREY (Pat Boone a été une de ses découvertes)

357) Une page d'histoire a été tournée en France en 1975 lorsqu'une loi a scindé QUEL organisme national de communications, afin de créer sept nouvelles sociétés de diffusion dont trois chaînes de télévision indépendantes?

L'O.R.T.F. (Organisme de radiotélévision française)

358) John Frankenheimer a réalisé ce film en 1965 avec Burt Lancaster, Jeanne Moreau, Paul Scofield et Michel Simon. C'est l'histoire de la lutte livrée par la Résistance aux forces allemandes d'occupation. QUEL est son titre?

THE TRAIN

359) Pierre Harel a réalisé ce film de 1974 mettant en vedette Raymond Lévesque et Yvan Ducharme. QUEL en était le titre?

BULLDOZER (bonne réponse=1 point de plus)

360) Afin de concurrencer le *Tonight Show* avec Johnny Carson au réseau N.B.C., un nouvel animateur est embauché en 1969 par A.B.C. pour faire les interviews d'une émission de fin de soirée. QUI est cet animateur?

DICK CAVETT (The Dick Cavett Show)

361) De 1961 à 1969, il a été l'animateur d'une émission quotidienne d'actualités à Télé-Métropole qui avait nom *Télé-Métro*. QUI était-il?

JEAN COUTU (bonne réponse=1 point de plus)

362) Ce film pornographique de 1971, a été tourné en six jours avec un budget de 40 mille dollars. Il a rapporté à ses producteurs des recettes de trois millions 200 mille dollars en un an. QUEL en est le titre?

DEEP THROAT

363) QUEL acteur canadien a joué des rôles de premier plan dans les films *The Sound of Music* en 1965 et *Battle of Britain* en 1969?

CHRISTOPHER PLUMMER

364) Durant les années 60 et au début des années 70, ce très bon lecteur de nouvelles à la télé de la C.B.C. portait des lunettes et possédait une voix très grave. Il faisait aussi des publicités pour le dentifrice *Crest*. QUI était-il?

EARL CAMERON (bonne réponse=2 points de plus)

365) Après avoir été une des vedettes de la série télévisée *Beverley Hillbillies* durant les années 60, cet acteur aux 40 années de métier au cinéma, joue le rôle d'un détective privé dans une nouvelle série de télévision en 1973. QUI est cet acteur et QUEL est le nom de l'émission?

BUDDY EBSEN - BARNABY JONES (2 points de plus pour la 2e réponse)

366) NOMMEZ le film de 1963 de Jean-Luc Godard mettant en vedette Michel Piccoli et Brigitte Bardot.

LE MÉPRIS (bonne réponse=1 point de plus)

367) C'est en 1958 que le Canada tout entier est relié à la télévision nationale grâce à QUEL système de relais?

MICRO-ONDES

368) Après le film à succès *The Apartment* de 1960, Jack Lemmon et Shirley MacLaine se retrouvent en 1963 dans un autre film dont l'action se déroule à Paris. QUEL en est le titre?

IRMA LA DOUCE

369) QUEL jeune réalisateur américain a lancé sa carrière avec un film tourné en noir et blanc pour la télévision en 1971? Ce film intitulé *Duel*, raconte l'histoire d'un automobiliste terrorisé par un camion-citerne sans chauffeur et qui tente de le tuer.

STEVEN SPIELBERG

370) QUI jouait le rôle de *Bidou* dans le téléroman *Les Belles Histoires des Pays d'en Haut* durant les années 60 à la télévision de Radio-Canada?

YVON LEROUX

371) QUELLE actrice a été la première à gagner un Oscar pour avoir été la meilleure actrice de l'année en 1932 dans le film *The Sin of Madelon Claudet*, et un Oscar à titre de meilleure actrice de soutien en 1970 pour son rôle dans le film *Airport*?

HELEN HAYES (bonne réponse=2 points de plus)

372) QUELLE comédie québécoise tournée en 1974 mettait en vedette Yves Létourneau, Denis Drouin, Céline Lomez, Gilles Latulippe et Janine Sutto?

POUSSE MAIS POUSSE ÉGAL

373) Lorsque la série télévisée *The Untouchables* a été lancée en 1959, on a fait appel à QUEL journaliste new-yorkais bien connu pour faire la narration?

WALTER WINCHELL

374) Avec QUEL grand acteur Charles Aznavour partage-t-il la vedette dans le film de 1961, *Un Taxi pour Tobrouk*?

LINO VENTURA

375) Le film de 1973, *La Nuit Américaine*, dans lequel jouait le réalisateur François Truffaut, mettait aussi en présence Jean-Pierre Léaud et QUELLE actrice américaine d'origine britannique et au nom français?

JACQUELINE BISSET (le titre américain du film est Day for Night)

376) QUEL journaliste de la télévision américaine, a ouvertement critiqué la politique américaine de faire la guerre au Vietnam, lors de son bulletin d'information télévisé en 1968? Il s'était rendu au Vietnam afin de constater la futilité de cette guerre et avait choisi de briser le silence tralitionnel des commentateurs vis-à-vis des politiques du pays.

WALTER CRONKITE (du réseau C.B.S.)

377) QUEL nouveau poste de radio voit le jour à Paris en 1971? Au fil des ans, il sera au cœur d'un réseau européen.

FRANCE-INTER

378) Marjolaine Hébert jouait le rôle de *Clémence Allard* dans ce téléroman de l'auteur Réginald Boisvert de 1962 à 1965? QUEL en était le titre?

LE PAIN DU JOUR (bonne réponse=1 point de plus)

379) QUEL rôle jouait Steve McQueen dans le film de 1975 *Towering Inferno*?

CHEF DES POMPIERS DE SAN FRANCISCO

380) QUI était le partenaire de Romy Schneider dans le film *La Piscine* de Jacques Deray en 1968?

ALAIN DELON

381) QUI jouait le rôle du plus jeune des trois fils de Ben Cartwright dans la série western *Bonanza* de 1959 à 1973?

MICHAEL LANDON

382) QUEL film fictif de 1975 racontant l'histoire d'un désastre, a été le seul de cette catégorie de toute l'histoire des films du cinéma américain, à être finaliste à titre de meilleur de l'année?

THE TOWERING INFERNO (il n'a pas gagné)

383) L'émission de dessins animés *The Flintstones* a été lancée en 1966 aux États-Unis. QUEL comédien québécois a prêté sa voix au personnage principal, *Fred Flintstone*, dans la version française quelques années plus tard?

PAUL BERVAL

384) Un sondage fait auprès de 70 critiques européens de cinéma en 1962, pour connaître leurs choix des meilleurs films de l'histoire du cinéma à travers le monde, proclame QUEL film comme étant le meilleur?

CITIZEN KANE (film d'Oson Welles. Lors du sondage de 1952, il avait été placé au onzième rang)

385) C'est en 1969 que cette émission du matin prend fin à la radio de C.B.F. de Radio-Canada à Montréal après 14 ans d'antenne. NOMMEZ-la.

CHEZ MIVILLE (animée par Miville Couture et nombre de participants)

386) QUELLE actrice jouait un rôle de premier plan avec Omar Sharif dans le film de 1963 *Docteur Jivago*?

JULIE CHRISTIE

387) NOMMEZ l'actrice québécoise qui jouait aux côtés de Richard Dreyfuss dans le film canadien de 1974, *The Apprenticeship of Duddy Kravitz*?

MARTINE LANCTÔT

388) QUELLE série télévisée britannique présentée au réseau public de PBS devient un succès aux États-Unis en 1969? L'émission raconte la saga d'une famille britannique d'après les romans de John Goldsworthy.

LA SAGA DES FORSYTH (bonne réponse=1 point de plus)

389) QUEL film français du réalisateur Max Ophüls, met la France en état de choc en 1971? Il raconte l'histoire d'une France collaboratrice et résignée qui s'accommode avec lâcheté du régime pétainiste durant la Deuxième Guerre?

LE CHAGRIN ET LA PITIÉ (bonne réponse=2 points de plus)

390) André Gagnon est le pianiste, Pierre Thériault est co-animateur et l'émission du matin à l'antenne de CKAC en 1964 s'appelle *Cocorico*. QUELLE chanteuse bien connue co-anime l'émission?

MONIQUE LEYRAC

391) Isabelle Adjani est la vedette de ce film d'amour fou de François Truffaut. Il a pour titre *l'Histoire d'Adèle H*. C'est une histoire d'amour inspirée par le journal intime de cette fille d'un Français célèbre du XIXe siècle. QUE signifie le *H.* dans le titre du film ?

HUGO (Adèle Hugo, fille du célèbre écrivain Victor Hugo)

392) Cette poupée a fait ses débuts à la *Boîte à surprises* durant les années 50. Puis elle donne son nom à une nouvelle émission pour enfants en 1968. C'est Kim Yaroshevskaya qui écrit le scénario et qui joue le rôle-titre. LEQUEL ?

FANFRELUCHE

393) QUELLE émission policière lancée au réseau A.B.C. en 1958, se terminait par la phrase suivante dite par un narrateur : « There are eight million stories in ... ». COMPLÉTEZ la phrase et vous obtenez la réponse. James Franciscus et John McIntire étaient les principaux acteurs de cette série.

THE NAKED CITY (....this has been one of them. Fin de la narration)

394) Une quinzaine de grandes vedettes du cinéma avaient été réunies pour le film franco-américain *Paris brûle-t-il ?* tourné en 1966. Le scénario, inspiré par les derniers jours de l'occupation allemande, avait été écrit par Francis Ford Coppola et Gore Vidal et la musique composée par Maurice Jarre. QUEL réalisateur français a signé ce film ?

RENÉ CLÉMENT (bonne réponse=2 points de plus)

395) Le film américain *One Million Years B.C.* connaît un succès médiocre en 1966. Mais le grand poster couleur d'une nouvelle actrice vêtue d'une peau d'animal provoque un intérêt général. Sa carrière vient d'être lancée. QUI est-elle ?

RAQUEL WELCH

396) Un nouveau téléroman prend l'affiche de la télévision québécoise en 1963. Il s'intitule *Septième Nord*. QUI en est l'auteur ?

GUY DUFRESNE

397) En 1964, cet acteur a joué dans deux émissions de télé aux États-Unis : *Gilligan's Island* et *Mr Magoo* où il ne prêtait que sa voix puisqu'il s'agissait de dessins animés. QUI était-il ?

JIM BACKUS

398) QUEL personnage de l'histoire a été le plus joué dans l'histoire du cinéma international ? *Jésus, Napoléon, Hitler, Cléopâtre, Élisabeth I* ou *Lincoln* ?

NAPOLÉON (il a été joué 179 fois, Jésus 147 fois, Lincoln, 130 fois)

399) QUEL film de 1974 du cinéaste suédois Ingmar Bergman portait le nom d'un opéra ?

DIE ZAUBERFLÖTE (La Flûte enchantée de Mozart)

400) QUI jouait le rôle du capitaine *Tony Nelson* dans la série télévisée *I Dream of Jeanie* de 1965 à 1970? Sa véritable notoriété allait être acquise plus tard dans la série *Dallas*.

LARRY HAGMAN

401) En 1974, le réalisateur Claude Sautet met en scène la génération des hommes de 50 ans dans un film qui réunit Yves Montant, Serge Reggiani et Michel Piccoli. QUEL en est le titre?

VINCENT, FRANÇOIS, PAUL ET LES AUTRES

402) QUELLE nouvelle actrice britannique partage la vedette avec Roger Moore dans le film de James Bond, *Live and Let Die* en 1973?

JAYNE SEYMOUR

403) QUI était la tête d'affiche des émissions *Entre vous et moi, Histoire d'une étoile* et *Le temps d'aimer*, à Télé-Métropole entre 1961 et 1973?

LUCILLE DUMONT

404) NOMMEZ le panéliste le plus âgé et le plus cinglant des trois membres réguliers du groupe d'intervieweurs de l'émission de télévision *Front Page Challenge* présentée au réseau de la C.B.C. à partir de 1957.

GORDON SINCLAIR (journaliste et auteur. Décédé en 1984)

405) QUEL rôle a été tenu par Julie Andrews dans la comédie musicale *My Fair Lady* sur scène à partir de 1956, puis par Audrey Hepburn en 1964 dans la version cinématographique?

ELIZA DOOLITTLE (bonne réponse=1 point de plus)

406) Lorsque le *Carol Burnett Show* a été lancé par le réseau C.B.S. en 1967, on y retrouvait deux comiques réguliers: Lyle Waggoner et Harvey Korman. Il y en avait un troisième, le plus drôle, qui est devenu lui aussi membre régulier de l'équipe, peu de temps après le début de la série. QUI était-il?

TIM CONWAY

407) Deux ans avant de réaliser le film *La vraie nature de Bernadette* en 1972, QUEL réalisateur québécois nous a donné *Les Mâles*?

GILLES CARLE

408) Jean Desprez était l'auteur de QUEL radio-roman entendu à la radio de C.B.F. à Montréal durant la fin des années 50?

JEUNESSES DORÉES (bonne réponse=2 points de plus)

409) NOMMEZ l'actrice qui a été gagnante d'un Oscar à titre de meilleure actrice de l'année pour son rôle dans le film de 1971, *Klute*.

JANE FONDA

410) Après le film *Le Beau Serge* en 1958, ce réalisateur, précurseur du cinéma *nouvelle vague*, ramène Jean-Claude Brialy et Gérard Blain en 1959 pour jouer dans *Les Cousins*. QUI est ce réalisateur?

CLAUDE CHABROL

411) QUELLE était la plus populaire des émissions de sport à la télévision québécoise en 1959?

L'HEURE DES QUILLES

412) QUI jouait le rôle de l'homme *bionique* dans la série *The Six Million Dollar Man* au réseau A.B.C. à partir de 1974?

LEE MAJORS

413) Ce film franco-italien d'une durée de 3 heures et demie est porté à l'écran en 1962. Il raconte quatre histoires réalisées par quatre Italiens dont Federico Fellini. On retrouve entre autres Romy Schneider, Sophia Loren et Anita Ekberg. QUEL est son titre?

BOCCACIO 70

414) Version cinématographique d'un roman de Léon Uris, ce film de 1957 est considéré comme un des meilleurs westerns de l'histoire du cinéma. Il met en vedette Kirk Douglas et Burt Lancaster dans les rôles de *Wyatt Earp* et de *Doc Holliday*. QUEL en est le titre?

GUNFIGHT AT THE OK CORRAL

415) QUEL comédien québécois bien connu pour ses rôles sérieux, était l'animateur du jeu questionnaire *Ni oui Ni non* à la télévision en 1968?

GILLES PELLETIER

416) Le réalisateur Claude Sautet fait mouche avec son film *Les Choses de la vie* en 1969. C'est une peinture d'une certaine bourgeoisie aux prises avec les désarrois et les peines de cœur. QUI est la partenaire de Michel Piccoli?

ROMY SCHNEIDER

417) *Maman Fonfon* est rapidement devenue une émission de télé de prédilection pour les enfants à la fin des années 50 au Québec. Pendant ce temps à la radio de Radio-Canada, l'émission pour enfants la plus écoutée était toujours la même depuis longtemps. NOMMEZ-la.

TANTE LUCILLE

418) C'est John Huston qui a réalisé ce film racontant l'histoire d'un capitaine d'un bateau qui veut se venger d'une baleine qui lui a enlevé une jambe. QUEL est le titre de ce film de 1956 mettant en vedette Gregory Peck?

MOBY DICK

419) QUEL jeune acteur était le meilleur ami de *Fonz* dans la série *Happy Days* de 1974? Il est devenu plus tard l'un des bons jeunes réalisateurs de Hollywood.

RON HOWARD

420) La publicité commerciale fait son entrée au réseau de télévision européen T.S.R. en 1965. QUE signifie cette abréviation?

TÉLÉVISION SUISSE ROMANDE

421) Cette émission pour enfants présentée le matin à la télé québécoise durant les années 60 était à la fois instructive et divertissante. Au point qu'elle était aussi présentée au réseau anglais de la CBC. QUI en était l'animatrice?

HÉLÈNE BAILLARGEON (le titre : Chez Hélène)

422) *The Harder They Fall*, a été le dernier de 77 films pour cet acteur américain populaire, décédé en 1957 d'un cancer à l'âge de 57 ans. QUI était-il?

HUMPHREY BOGART (en 3 ans entre 1937 et 1939, il a joué dans 20 films)

423) QUEL film Claude Fournier a-t-il réalisé en 1971 avec Louise Turcot et Donald Pilon?

LES CHATS BOTTÉS (bonne réponse=1 point de plus)

424) Elle est née à Tokyo en 1938, a vécu au Canada durant les années de guerre, mais elle est d'origine et de nationalité norvégienne. Elle s'est fait remarquer pour son rôle dans le film *Persona* en 1966. Puis elle est devenue l'actrice privilégiée du réalisateur Ingmar Bergman. QUI est-elle?

LIV ULLMANN

425) Ce film de 1961 raconte l'histoire d'une divorcée dans la quarantaine qui se console avec son jeune amant des infidélités de son mari. Yves Montant, Ingrid Bergman et Anthony Perkins en sont les vedettes. QUEL est son titre?

AIMEZ-VOUS BRAHMS? (bonne réponse=2 points de plus)

426) NOMMEZ la speakerine française qui en 1957 s'est vue confier la présentation du journal télévisé à la seule chaîne de France. En alternance avec un autre présentateur, elle présentait trois journaux télévisés par jour à longueur de semaine. Elle a fait ce métier durant 34 ans.

DANIELLE BREEM (bonne réponse=3 points de plus)

427) La cérémonie d'ouverture des Jeux Olympiques d'été à Munich, a attiré le plus grand nombre de téléspectateurs de l'histoire de la télévision mondiale. À COMBIEN a-t-on estimé ce nombre? 500 millions, 750 millions OU un milliard?

UN MILLIARD

428) NOMMEZ le réalisateur du film *Ben Hur* en 1959? C'était son troisième Oscar, ayant mérité cet honneur pour les films *Mrs Miniver* en 1942 et *The Best Years of our Lives* en 1946.

WILLIAM WYLER (bonne réponse=1 point de plus)

429) QUEL rôle Françoise Faucher jouait-elle dans le téléroman *La Pension Velder* de 1958 à 1962?

ÉLISE VELDER

430) QUELLE célèbre actrice des années 30 et 40 a été nommée ambassadrice des États-Unis auprès de l'O.N.U. en 1968?

SHIRLEY TEMPLE

431) Michael Landon vole de succès en succès. Après *Bonanza*, il est la vedette d'une nouvelle série télévisée pour toute la famille en 1974. LAQUELLE?

LITTLE HOUSE ON THE PRAIRIE

432) NOMMEZ la cinéaste québécoise qui a réalisé les films *De mère en fille* en 1967 et *Les filles du Roy* en 1974.

ANNE-CLAIRE POIRIER (bonne réponse=1 point de plus)

433) Après avoir gagné deux Oscars à titre de meilleure actrice de l'année en 1944 et 1956, elle en gagne un troisième comme meilleure actrice de soutien pour son rôle dans *Murder on the Orient Express* en 1974? QUI est-elle?

INGRID BERGMAN

434) COMMENT se nommait le lion dans la série télévisée *Daktari* présentée de 1966 à 1969 au réseau CBS? Ses yeux louchaient.

CLARENCE

435) QUI était le descripteur des combats de lutte à la télévision de Radio-Canada durant les années 50 et 60?

MICHEL NORMANDIN

436) L'actrice américaine Olivia de Havilland, gagnante de deux Oscars à Hollywood, devient la première femme en 1965 à être élue présidente du jury au festival de Cannes. L'année suivante, autre femme présidente. Elle est européenne et a déjà gagné elle aussi un Oscar. QUI est-elle?

SOPHIA LOREN

437) Cet imitateur canadien est allé faire fortune aux réseaux américains de télévision durant les années 60 et 70 après avoir fait ses débuts au réseau CBC au début des années 60. QUI est-il?

RICH LITTLE (originaire d'Ottawa)

438) Ce film soviétique réalisé par Serguei Bondarchouk a remporté l'Oscar à titre de meilleur film étranger en 1967. Il a fallu cinq ans pour le produire à un coût de 40 millions de dollars. NOMMEZ ce film qui respecte scrupuleusement une œuvre littéraire russe célèbre.

GUERRE ET PAIX (de l'écrivain Léon Tolstoï)

439) QUELLE station de radio-FM de langue française a été inaugurée en 1964 à Montréal?

CJMS-FM (CKMF aussi acceptée)

440) Cet excellent film à suspense de 1957 du réalisateur américain Billy Wider et tiré d'une pièce d'Agatha Christie, met en présence Charles Laughton, Tyrone Power et Marlene Dietrich. QUEL est son titre?

WITNESS FOR THE PROSECUTION

441) Après *Angélique* des années 60, le cinéma français nous donne *Emmanuelle* en 1974, d'après le livre du même nom d'Emmanuelle Arsan. QUI jouait le rôle-titre de ce film et des autres qui suivront?

SYLVIA KRISTEL

442) QUI jouait le rôle de détective privé dans la série télévisée *The Rockford Files* lancée par le réseau N.B.C. en 1974?

JAMES GARNER

443) QUI étaient les deux vedettes masculines du film québécois *Les Colombes* en 1972?

JEAN BESRÉ ET JEAN DUCEPPE (1 point par bonne réponse)

444) QUI jouait le rôle de *Michel-Ange* dans le film *The Agony and the Ecstasy* en 1965?

*CHARLTON HESTON (la critique Judith Crist a dit: **L'agonie, oui, l'extase, non**)*

445) QUELLE expression populaire a été utilisée dans les publicités de la brasserie Labatt à la télévision québécoise au début des années 60? Elle était dite par un comédien populaire.

LUI Y CONNAIT ÇA (Olivier Guimond)

446) C'est l'acteur James Earl Jones qui jouait le rôle du boxeur Jack Johnson (appelé Jefferson), dans la version cinématographique de 1970 du champion mondial des poids lourds au début du siècle. QUEL était le titre de ce film?

THE GREAT WHITE HOPE

447) Les Beatles ont tourné leur premier film en 1964. QUEL en était le titre?

A HARD DAY'S NIGHT

448) Ses chansons à succès dont *April Love* le propulsent à la télévision où il est l'animateur d'une émission au réseau A.B.C. de 1957 à 1960. QUI est-il?

PAT BOONE

449) QUELLE radio d'État atteignait en 1975 le plus d'auditeurs à travers le monde?

LA B.B.C. (British Broadcasting Corporation)

450) NOMMEZ le film d'intrigue de 1968 du réalisateur canadien Norman Jewison qui mettait en vedette Steve McQueen et Faye Dunaway? Le film nous a aussi donné la chanson *Les Moulins de ton cœur (The Windmills Of Your Mind)*.

THE THOMAS CROWN AFFAIR

451) COMMENT se nommait la première émission scientifique de télévision que nous présentait Fernand Seguin à la télé de Radio Canada à la fin des années 50?

LE ROMAN DE LA SCIENCE

452) Ce film français très touchant de 1971, *Ça n'arrive qu'aux autres* de Nadine Trintignant, met en vedette Marcello Mastroianni et QUELLE actrice française?

CATHERINE DENEUVE

453) Une émission de télévision western nouveau genre, a fait ses débuts en 1959 avec Gene Barry dans le rôle-titre. Il préférait le dialogue au pistolet. Il était toujours élégant, sa canne pouvait se transformer en épée. L'homme de loi que jouait Barry était authentique. Il avait été un agent du célèbre Wyatt Earp. QUEL était le nom de ce western?

BAT MASTERTON (il est resté à l'horaire durant trois années)

454) QUELLE actrice a reçu deux Oscars à titre de meilleure actrice de soutien pour ses rôles dans *Women in Love* de 1970 et *A Touch of Class* de 1973?

GLENDA JACKSON

455) Ce comédien est battu de justesse aux élections fédérales de 1958 et devient en 1963 censeur du Bureau de censure de la province de Québec. De retour à la télé en 1966, il devient *Jules* le Cuisinier dans la télésérie *Mont-Joye* et l'embaumeur dans *La Petite Patrie*. QUI était cet acteur drôle?

GILLES PELLERIN

456) Après avoir lancé sa carrière avec Lawrence Olivier dans le film *Hamlet* en 1948, cette actrice britannique a choisi de faire carrière aux États-Unis où elle a joué superbement dans *Elmer Gantry* en 1960 et *The Happy Ending* en 1969. Elle a aussi joué avec Kirk Douglas dans *Spartacus* en 1960. QUI était-elle?

JEAN SIMMONS (bonne réponse=1 point de plus)

457) QUI jouait le rôle de l'agent de la C.I.A. choisi pour abattre son patron, rôle joué par Burt Lancaster, dans le film de 1972, *Scorpio* ?

ALAIN DELON

458) QUI a réalisé le film dramatique québécois *Gina* en 1975 ? Gabriel Arcand, Céline Lomez et Claude Blanchard jouaient les premiers rôles ?

DENYS ARCAND

459) QUI a été le premier présentateur de la série télévisée *Biography* en 1962 ? Il était aussi un reporter de premier plan au réseau C.B.S.

MIKE WALLACE

460) Ce film de 1968 de Claude Chabrol, raconte l'histoire d'un ménage à trois, deux lesbiennes et un jeune architecte qui tombe amoureux des deux femmes. Jean-Louis Trintignant, Stéphane Audran et Jacqueline Sassard en sont les principaux acteurs. NOMMEZ ce film.

LES BICHES (bonne réponse=1 point de plus)

461) John Wayne a remporté son seul Oscar en 1969 pour son rôle dans QUEL film western ?

TRUE GRIT (les critiques ont décrié ce choix, alléguant que c'était un choix sentimental pour couronner un acteur au déclin)

462) Cette version hollywoodienne d'une pièce pour la télévision, écrite par Rod Serling, mettait en vedette Anthony Quinn, Jackie Gleason et Mickey Rooney. Les boxeurs Jack Dempsey et Cassius Clay faisaient aussi partie de ce film de 1962. QUEL en était le titre ?

REQUIEM FOR A HEAVYWEIGHT

463) Dans la série télévisée québécoise *Les Enquêtes Jobidon* des années 1962-1964, QUI jouait le rôle de l'inséparable compagnon détective d'Yvon Dufour ?

MARC FAVREAU

464) En 1958, un jury international de spécialistes du cinéma proclame ce film de 1926, le meilleur de l'histoire du cinéma. En 1948, le choix avait été le même. QUEL est ce film qui n'a pas été produit aux États-Unis ?

LE CUIRASSÉ POTEMKINE

465) En 1969, cet acteur comédien chanteur américain est la vedette d'une émission télévisée de variétés qui porte son nom. Il avait joué précédemment à la télé dans la série *Gomer Pyle*. QUI est-il ?

JIM NABORS (bonne réponse=1 point de plus)

466) Il a acquis une belle renommée comme humoriste à l'émission *Métro-Magazine* à la radio de Radio-Canada durant les années 60. Journaliste, animateur, intervieweur, concepteur, recherchiste et chroniqueur, il participe aux émissions de télévision *Carrefour, Dossiers* et *Insolences d'une caméra.* QUI était-il?

 CARL DUBUC (bonne réponse=1 point de plus)

467) QUEL jeune acteur jouait le rôle de *D'Artagnan* dans la production britannique de 1969 du roman classique de Dumas, *Les Trois Mousquetaires?*

 MICHAEL YORK (Britannique)

468) En 1954, le pourcentage de films américains consacré au genre western est de 21,4 pour cent. Vingt ans plus tard, à la suite d'un sondage sur les préférences des cinéphiles, on constate que les goûts ont changé de manière radicale. Dites QUEL pourcentage de films a été consacré en 1976 aux westerns? 1 %, 5 % OU 8 %?

 UN POUR CENT

469) QUE signifiait *U.N.C.L.E.,* titre de la série d'espionnage télévisée américaine avec Robert Vaughn et David McCallum de 1964 à 1968?

 UNITED NETWORK COMMAND FOR LAW AND ENFORCEMENT (bonne réponse=3 points de plus)

470) QUELLE série policière télévisée américaine mettait en vedette Karl Malden et le jeune Michael Douglas de 1972 à 1977?

 THE STREETS OF SAN FRANCISCO

471) COMMENT a-t-on familièrement appelé les trois premiers films western de Clint Eastwood tournés en Espagne par le réalisateur Sergio Leone entre 1964 et 1966? Ce sont ces films qui ont lancé la carrière de Eastwood.

 SPAGHETTI (parce qu'ils étaient produits par des Italiens)

472) En 1934, 6 des 10 vedettes de cinéma générant les plus forts revenus à Hollywood sont des femmes. En 1974, le chiffre tombe à une sur dix et les perspectives pour l'avenir sont peu prometteuses. Les rôles dominants des films de Hollywood favorisent les hommes dans une proportion de 12 contre un. QUI a été la seule actrice, chanteuse surtout, à faire partie du groupe sélect de 1974?

 BARBRA STREISAND (cette étude a été réalisée par la revue Newsweek)

473) Ce film de 1968, *The Shoes of the Fisherman*, raconte l'histoire d'un évêque russe qui devient pape. QUI jouait le rôle de l'évêque?

 ANTHONY QUINN

474) QUEL film aux sensations fortes de 1975, a généré des revenus records de 120 millions de dollars aux guichets au cours des 80 premiers jours de sa projection aux États-Unis?

JAWS (de Steven Spielberg)

475) En 1970, la comédie hebdomadaire télévisée *Moi et l'autre* avait une cote d'écoute de 2 millions d'auditeurs. QUI était l'auteur des textes joués par Dominique Michel, Denise Filiatrault et autres comédiens?

GILLES RICHER (bonne réponse=1 point de plus)

476) NOMMEZ le film de François Truffaut de 1960 qui met en vedette Charles Aznavour dans le rôle d'un pianiste, Nicole Berger et Michèle Mercier.

TIREZ SUR LE PIANISTE

477) QUEL film canadien des studios Crawley d'Ottawa a été proclamé le meilleur long-métrage étranger de 1975, lors de la soirée des Oscars à Hollywood?

THE MAN WHO SKIED DOWN MOUNT EVEREST

478) QUELLE émission hebdomadaire lancée en 1975 et au style plutôt téméraire pour l'époque, ne craignait pas de ridiculiser par le cynisme, la caricature et le sourire, les gens qui faisaient les manchettes? John Belushi, Chevy Chase et Dan Aykroyd en étaient les principales têtes d'affiche.

SATURDAY NIGHT LIVE

479) QUEL excellent film de 1957 du réalisateur Sidney Lumet, met en vedette Henry Fonda et Lee J. Cobb? L'action de déroule presque entièrement dans une même pièce d'une cour de justice.

TWELVE ANGRY MEN (douze hommes en colère)

480) QUEL film américain de Robert Altman, qui devait obtenir un succès fou dans sa version télévisée peu de temps après, a remporté la palme d'or au Festival de Cannes en 1970?

M.A.S.H.

481) QUELLE grande actrice québécoise jouait avec Amulette Garneau dans le film de 1972 de Joseph Mankiewicz et *Françoise Durocher, waitress?*

MONIQUE MERCURE (bonne réponse=1 point de plus)

482) Autre film d'animation à succès des studios Walt Disney en 1961. Une fois de plus, adapté d'un conte pour enfants, ce film nous présente *Cruella*, le personnage féminin le plus méchant depuis la sorcière de *Blanche Neige*. QUEL est le titre de ce film?

LES 101 DALMATIENS

483) À QUELLE actrice française Claude Lelouch a-t-il fait appel pour jouer dans le film *Un homme qui me plaît*, en 1959? En 1971, André Cayatte lui donne le rôle de Gabrielle Russier dans le film *Mourir d'aimer*.

ANNIE GIRARDOT

484) QUI est devenu l'animateur du matin (morning man) à l'antenne de C.J.M.S. en 1974? Il y restera plusieurs années.

SERGE BÉLAIR

485) QUEL grand événement a servi de tremplin à la naissance de la télévision belge en 1958?

L'EXPOSITION UNIVERSELLE DE BRUXELLES

486) George Hemsley est le personnage dominant de cette télésérie inspirée par le succès de l'émission *All in the Family*, avec cette différence que les élans de racisme et d'arrogance sont maintenant ceux d'un Noir. COMMENT se nommait cette émission lancée par CBS en 1975?

THE JEFFERSONS

487) Jusqu'en 1964, la région de Hull Ottawa n'était desservie que par une seule station de radio, C.K.C.H. Puis Radio-Canada s'est installée en 1964 suivie d'une autre station en 1965. À QUELLE chaîne appartenait-elle?

RADIOMUTUEL (C.J.R.C. à Ottawa. Depuis lors déménagée à Gatineau)

488) NOMMEZ l'acteur suédois, protégé d'Ingmar Bergman, qui jouait dans le film de 1973, *l'Exorciste* avec Ellen Burstyn et Jason Miller.

MAX VON SYDOW

489) C'est l'histoire d'un policier qui tente d'incriminer un politicien. Le film *Adieu Poulet* a été porté à l'écran en 1975. QUI en était le principal acteur?

LINO VENTURA (Patrick Dewaere était aussi une vedette du film)

490) De 1955 à 1958, ce comédien a joué le rôle de *Frédéric Gagnon* dans la télésérie *La Pension Velder* à Radio-Canada et peu de temps après a joué dans l'émission *Le Paradis terrestre*. QUI était-il?

GAETAN LABRÈCHE

491) QUEL rôle de vilain, l'acteur Burgess Meredith jouait-il dans la série télévisée Batman de 1966 à 1968?

LE PINGOUIN

492) QUELLE compagnie aérienne américaine a été la première au monde à offrir la projection de films à bord de ses appareils en 1964? Le fait que cette compagnie soit la propriété d'un magnat du cinéma, n'est pas étranger à cette innovation.
TRANS WORLD AIRLINES

493) QUI a réalisé les films québécois *Poussière sur la ville* en 1965 et *Le Mépris n'aura qu'un temps* en 1969?
ARTHUR LAMOTHE (bonne réponse=3 points de plus)

494) Efrem Zimbalist Jr jouait le rôle principal dans cette série télévisée policière au réseau A.B.C. de 1965 à 1974? QUEL en était le titre?
THE FBI

495) Ce très bon film de 1975 de Sidney Pollack, a pour titre *Three Days of the Condor.* QUEL acteur joue le rôle d'un agent de la CIA que celle-ci cherche à assassiner?
ROBERT REDFORD

496) Après avoir tourné le film *Les Idoles* en 1968, elle s'impose l'année suivante dans le film de Jacques Rivette, *L'Amour fou.* La consécration vient toutefois en 1971 avec le film *La Salamandre.* QUI est cette actrice française?
BULLE OGIER (bonne réponse=1 point de plus)

497) QUEL acteur jouait le rôle principal dans l'émission de télévision américaine *The Defenders*, devenue au début des années 60 une sérieuse rivale d'une série déjà très populaire, *Perry Mason*?
E.G. MARSHALL (deux trophées Emmy en 1960 et 1961)

498) Cette version américaine du cinéma vérité est un succès international en 1969. Les deux principaux acteurs sont également les auteurs du scénario et un d'eux en assure la réalisation. Un film particulièrement apprécié des amateurs de motocyclette et de politique. NOMMEZ les deux vedettes.
PETER FONDA - DENNIS HOPPER (le film s'intitule Easy Rider) (2 points de + pour la 2ᵉ réponse)

499) QUELLE série historique rappelant les grands jours d'un célèbre explorateur, a été présentée à la télévision de Radio-Canada en 1967 et 1968? Albert Millaire et Françoise Faucher étaient deux des principaux acteurs.
D'IBERVILLE

500) QUEL film franco-britannique de 1968 et réalisé par Terence Young met en vedette Catherine Deneuve, Omar Sharif, James Mason et Ava Gardner? Il raconte une célèbre histoire d'amour vécue au XIXᵉ siècle en Europe.
MAYERLING (l'histoire de Sissi, l'impératrice d'Autriche)

501) En plus d'être l'animateur de l'émission télévisée *Jeunesse Oblige* à Radio-Canada, il anime en même temps l'émission de radio *Radio-Transistor* à C.B.F. QUI était ce jeune animateur?

   JACQUES BOULANGER

502) En 1975, ce journaliste reporter animateur de télévision, originaire de la Nouvelle-Écosse, devient le co-animateur du plus important bulletin d'information de la chaîne américaine P.B.S. avec Jim Lehrer. QUI est-il?

   ROBERT MACNEIL

503) QUEL acteur populaire partage la vedette avec Elizabeth Taylor dans le film de 1958 *Cat on a Hot Tin Roof*?

   PAUL NEWMAN

504) QUEL nouveau réseau de télévision la province de l'Ontario se donne-t-elle en 1971?

   TV ONTARIO (télévision publique et éducative)

505) Eric Rohmer a écrit le scénario et réalisé QUEL film de 1969 qui raconte l'histoire d'un jeune commis, amoureux d'une élégante divorcée mais qui épouse finalement une femme plus jeune? Françoise Fabian et Marie-Christine Barrault partagent la vedette avec Jean-Louis Trintignant.

   MA NUIT CHEZ MAUD (bonne réponse=2 points de plus)

506) QUI jouait le rôle du capitaine *Dreyfus*, dans le film de 1958 *I Accuse (J'accuse)*, basé sur le livre du même titre d'Émile Zola?

   JOSE FERRER

507) QUI a été la première animatrice de l'émission *Femme d'Aujourd'hui* à la télévision de Radio Canada en 1964?

   LIZETTE GERVAIS

508) QUELLE actrice jouait le rôle de la femme du comédien Eddie Albert dans la série télévisée *Green Acres (Les Arpents Verts)* de 1965 à 1971 à CBS?

   EVA GABOR

509) Barbra Streisand a joué le même rôle dans les films *Funny Girl* de 1968 et *Funny Lady* de 1975. QUELLE célèbre artiste de Broadway incarnait-elle?

   FANNY BRICE (chanteuse juive américaine des années 10 et 20)

510) L'avènement de la télévision au Canada à partir de la fin des années 50 a été si percutant, que les cinémas ont enregistré une perte d'assistance énorme. En 1952, 248 millions de personnes étaient allées au cinéma. QUEL a été le pourcentage de la baisse d'assistance en 1963?

   SOIXANTE-CINQ POUR CENT (Jeu de 5% + ou - alloué)

511) Après le film *Pour la suite du monde*, projeté en 1963 et dont la technique et le sujet produirent un effet de choc sur le public et les cinéastes, les réalisateurs Michel Brault et Pierre Perrault consacrent un documentaire de l'ONF aux francophones du Nouveau-Brunswick en 1971. QUEL en était le titre?

   L'ACADIE, L'ACADIE (bonne réponse=1 point de plus)

512) Beatrice Arthur est la vedette d'une nouvelle série télévisée américaine qui s'inspire des mêmes sujets controversés de société qu'avait exploité non sans controverse, la série *All in the Family* durant les années 60. QUEL était le titre de cette émission hautement cotée présentée de 1972 à 1978?

   MAUDE

513) C'est dans l'île de Tobago que les producteurs de la maison Walt Disney ont tourné ce film très divertissant pour toute la famille. Il a été le plus productif de 1960 avec des revenus de 20 millions de dollars aux guichets. QUEL est le titre de ce film qui porte le nom d'une famille et dont le roman a été écrit en 1813?

   SWISS FAMILY ROBINSON

514) QUEL film franco-italien du réalisateur Vittorio de Sica et mettant en vedette Sophia Loren et Marcello Mastroianni, a remporté l'Oscar au titre de meilleur film étranger en 1964?

   HIER, AUJOURD'HUI ET DEMAIN (bonne réponse=2 points de plus)

515) QUI étaient les co-auteurs de la série télévisée des années 60, *Rue des Pignons*?

   LOUIS MORRISET ET MIA RIDDEZ (1 point pour chaque nom)

516) QUEL film de 1965 a généré les recettes les plus élevées des années 60 aux guichets des cinémas américains et canadiens, soit 80 millions de dollars?

   THE SOUND OF MUSIC

517) QUELLE est la seule émission de télévision américaine à avoir été parmi les dix plus populaires au cours de trois décennies, celles des années 50, 60 et 70? Ce n'était pas une émission de variétés.

   GUNSMOKE (un western)

518) QUEL acteur britannique jouait le rôle principal dans la version cinématographique peu réussie de la comédie musicale *Camelot* de 1967?

   RICHARD HARRIS

519) QUI a été l'auteur de la plupart des textes des émissions humoristiques de Télé-Métropole dont *Cré Basile* durant les années 60, 70 et 80?

   MARCEL GAMACHE

520) NOMMEZ les deux interdictions qui ont été levées par les studios de Hollywood en relation avec la télévision en 1956.
LA PROJECTION DE LEURS FILMS - LA PRÉSENCE DE LEURS ACTEURS AU PETIT ÉCRAN (2 réponses=3 points)

521) A l'exemple de *La Saga des Forsythe*, une autre mini-série produite en Grande-Bretagne, connaît un succès inattendu aux États-Unis en 1974. NOMMEZ-la.
UPSTAIRS, DOWNSTAIRS (bonne réponse=1 point de plus)

522) QUEL film américain de 1973 réalisé par George Lucas a créé une nostalgie des années 50 et a servi de tremplin à la carrière de Richard Dreyfuss?
AMERICAN GRAFFITI

523) QUEL film des scénaristes-réalisateurs Georges Dufaux et Clément Perron de 1967, se moque de façon savoureuse de la servitude des francophones envers le Canada anglais et les Américains? Paul Hébert, Paul Buissonneau, Jacques Desrosiers et Michèle Chicoine en sont les principaux acteurs.
C'EST PAS LA FAUTE À JACQUES CARTIER (Bonne réponse = 2 points de plus)

524) Ce film français de 1956 réalisé par Jules Dassin, a été rendu célèbre par sa scène d'un vol d'une durée de 25 minutes sans le moindre dialogue. NOMMEZ ce film dont l'acteur principal était Jean Servais.
RIFIFI (bonne réponse=1 point de plus)

525) NOMMEZ l'animateur de télé américaine qui a été un des premiers à attaquer les sujets tels l'avortement, l'infidélité conjugale et la peine capitale, avec ses invités et son public en studio, en après-midi, à partir de 1966.
PHIL DONOHUE

526) Dans QUEL film de 1964 l'actrice chanteuse Julie Andrews, a-t-elle remporté l'Oscar de la meilleure actrice de l'année?
MARY POPPINS

527) QUELLE émission d'interviews était animée par Fernand Seguin durant les années 60 et 70 à la télévision de Radio-Canada?
LE SEL DE LA SEMAINE

528) QUELLE actrice partageait la vedette avec Bette Davis dans le film de 1962, *Whatever Happened to Baby Jane*?
JOAN CRAWFORD

529) Ce film dramatique de 1970 de Claude Lelouch, *Le Voyou*, raconte l'histoire de l'enlèvement de l'enfant d'un employé de banque et d'une demande de rançon aux patrons du père. QUEL acteur est la vedette de ce film?
JEAN-LOUIS TRINTIGNANT

530) QUEL animateur connu de la télévision américaine, refusait d'inviter Elvis Presley à son émission en 1956 ? Il prétendait que le style du jeune phénomène du rock and roll était vulgaire.

ED SULLIVAN (lorsqu'il a cédé, il a ordonné aux caméramans de ne pas montrer Presley plus bas que la taille)

531) Le cowboy québécois Willie Lamothe a joué un rôle principal dans une comédie dramatique de 1975 avec Luce Guilbault. Le film porte le nom d'une famille de chevaux racés. LEQUEL ?

MUSTANG

532) QUI était le partenaire de Marylin Monroe dans le film de 1960, *Let's Make Love*, partenaire avec lequel elle a vécu, hors des studios, une brève aventure amoureuse ?

YVES MONTAND

533) QUI a été le premier météorologue à faire de la radio sur une base régulière à l'émission *Montréal Express* de la station C.B.F. à Montréal, à partir de 1972 ?

GÉRARD CHAPLEAU (bonne réponse = 3 points de plus)

534) Le réalisateur Mel Brooks nous a donné deux comédies à succès durant l'année 1974. Toutes deux mettaient en vedette Gene Wilder. NOMMEZ-les.

BLAZING SADDLES - YOUNG FRANKENSTEIN (2 bonnes réponses = 3 points)

535) QUI a été le premier animateur de l'émission *Consommateurs Avertis* à la télévision de Radio-Canada en 1973 ?

SIMON DURIVAGE

536) Fred Astaire abandonne ses souliers de danse pour jouer avec Gregory Peck et Ava Gardner, dans QUEL film de 1959 du réalisateur Stanley Kramer et dont l'action se déroule surtout dans un sous-marin ?

ON THE BEACH (bonne réponse = 1 point de plus)

537) L'acteur britannique Roger Moore a lancé sa carrière avec l'émission de télévision *The Saint* en 1967. QUELLE marque de voiture conduisait-il dans cette série ?

UNE VOLVO

538) Denis Héroux a réalisé ce film en 1972. Jean Duceppe, Donald Pilon et Christine Olivier font revivre l'insurrection des patriotes en 1837. QUEL en est le titre ?

QUELQUES ARPENTS DE NEIGE

539) Ce film d'animation britannique de 1968 nous fait entendre les Beatles, mais on ne les voit pas. QUEL est le titre de ce film ?
YELLOW SUBMARINE

540) Une station de radio de New York a été la première en Amérique du Nord à consacrer ses ondes à QUEL genre de programmation exclusive en 1965 ?
L'INFORMATION

541) Outre Howard Cosell, QUI était l'analyste des matches de football du *Monday Night Football* au réseau A.B.C. en 1970 ?
DON MEREDITH (ex-quart des Cowboys de Dallas)

542) Le réseau N.B.C. a déboursé une somme de 10 millions de dollars en 1974 pour les droits exclusifs de diffusion de QUEL film gagnant d'un Oscar à titre de meilleur film de l'année ? N.B.C. exigeait 225 mille dollars pour les pubs.
THE GODFATHER I

543) QUEL film québécois avant-gardiste de 1963 de Claude Jutras, met en vedette le réalisateur lui-même, Victor Désy, Guy Hoffman, Monique Mercure et Monique Joly ? Décrié par certains comme étant trop narcissique, ce film a été le premier au Québec à exposer, quoique discrètement, l'homosexualité.
À TOUT PRENDRE (bonne réponse=1 point de plus)

544) QUI a réalisé les comédies *Le Corniaud* en 1965 et *La Grande Vadrouille* en 1967 ? Tous deux ont battu les records d'assistance aux guichets lors de leurs premières.
GÉRARD OURY (bonne réponse=2 points de plus)

545) QUELLE actrice joue le rôle de *Dawn* qu'affectionne le gorille King Kong dans la reprise de 1976 du classique du même nom de 1933 ?
JESSICA LANGE

546) Yvan Ducharme et Rita Bibeau sont les vedettes de ce téléroman écrit par Marcel Marin et qui est présenté en 1970 au réseau TVA. QUEL est son nom ?
LES BERGER

547) QUELLE émission d'information télévisée du matin, voit le jour au début de 1975 au réseau américain ABC et devient rapidement la plus populaire, grâce à l'arrivée 10 mois plus tard de QUEL animateur ?
GOOD MORNING AMERICA - DAVID HARTMAN(en janvier 1975, l'émission s'appelait A.M. America. Le titre a changé en novembre)
(2 points de + pour la 2e réponse)

548) QUEL a été le premier film québécois à atteindre des recettes de plus d'un million de dollars en 1969 ?
VALÉRIE (du réalisateur Denis Héroux)

549) Dans le film américain de 1975, *The Four Musketeers*, QUELS acteurs jouent les rôles de *Madame Bonacieux* et du cardinal *Richelieu*?

RAQUEL WELCH - CHARLTON HESTON (2 bonnes réponse =3 points de plus)

550) Le cinéma japonais nous offre sa version du gorille King Kong en 1956. QUEL nom lui a été donné dans ce film qui mettait aussi en vedette Raymond Burr?

GODZILLA (... King of the Monsters)

551) Elle a été non seulement la première femme à animer en 1973 une émission d'information à la télévision de Memphis au Tennessee, mais aussi la première personne de race noire. Une belle carrière venait d'être lancée. QUI est-elle?

OPRAH WINFREY

552) QUELLE première mondiale dans le monde de la radio a été enregistrée en 1973 lorsque la station C.K.R.L.-M.F. est entrée en ondes à Québec?

PREMIÈRE STATION COMMUNAUTAIRE DE LANGUE FRANÇAISE

553) En 1969, cet acteur natif de Québec, partage la vedette avec Jane Fonda dans le film *They Shoot Horses, Don't They!* QUI est-il?

MICHAEL SARRAZIN

554) QUELLE émission de télévision western a servi de tremplin à la carrière de Clint Eastwood? Lancée en 1959 par le réseau CBS, elle a gardé l'antenne jusqu'en 1966.

RAWHIDE (bonne réponse=2 points de plus)

555) QUEL film du réalisateur Philippe de Broca, de 1964, mettait en vedette Jean-Paul Belmondo et Claudia Cardinale? Le film raconte l'histoire d'un Robin des bois du XVIIIe siècle à Paris.

CARTOUCHE (bonne réponse=1 point de plus)

556) Les films musicaux *My Fair Lady* et *Mary Poppins*, de 1965, ont été finalistes à 25 titres à la soirée des Oscars. COMBIEN en ont-ils remportés?

TREIZE (My Fair Lady, 8 - Mary Poppins, 5). (Jeu de 1 + ou - alloué)

557) QUEL acteur canadien jouait le rôle du détective qui, pendant cinq ans, était à la recherche d'un présumé meurtrier dans la série télévisée américaine *The Fugitive* de 1963 à 1967?

BARRY MORSE (bonne réponse=2 points de plus)

558) *Fanfreluche* et *Le Pirate Maboule* étaient des personnages de QUELLE émission pour enfants portée à la télévision par Radio-Canada en 1956?

LA BOÎTE À SURPRISE

559) NOMMEZ l'acteur canadien qui partageait la vedette avec Jane Fonda dans le film de 1971, *Klute*.

DONALD SUTHERLAND

560) Darren et Samantha Stephens étaient les principaux personnages de QUELLE populaire comédie télévisée, présentée de 1964 à 1972 au réseau CBS?

BEWITCHED (Ma sorcière bien-aimée)

561) QUI tenait le rôle du joueur de football *Brian Piccolo* dans le film *Brian's Song* produit en 1971 pour la télévision?

JAMES CAAN (Piccolo est mort d'un cancer alors qu'il jouait pour Chicago)

562) Cette excellente production franco-britannique de 1973, s'inspire d'une des nombreuses tentatives d'assassinat contre le président Charles de Gaulle durant les années 60, par un tueur professionnel au service de l'O.A.S. QUEL est le titre de ce film et QUI joue le rôle de l'assassin?

THE DAY OF THE JACKAL - EDWARD FOX (2e réponse =3 points de plus)

563) Dans la série *Bonanza* à la télévision américaine, *Ben Cartwright*, joué par Lone Greene, était le père de trois fils. En 1965, le réseau ABC a offert une série western dont le chef de famille était une mère jouée par Barbara Stanwyck. QUEL était le titre de cette télésérie qui a gardé l'horaire durant quatre années?

THE BIG VALLEY

564) QUEL acteur canadien anglais bien connu, partage la vedette avec Yvon Deschamps et Dominique Michel dans le film de 1971 du réalisateur Jean Bissonnette, *Tiens-toi bien après les oreilles de papa*?

DAVE BROADFOOT

565) QUI était l'acteur-vedette du film italo-américain de 1968, *Il était une fois dans l'ouest (Once Upon a Time in the West)* du réalisateur Sergio Leone?

CHARLES BRONSON

566) QUI jouait le rôle de *Des Groseillers* dans l'excellent feuilleton de 1957-58, *Radisson*, à l'antenne de Radio Canada?

RENÉ CARON (Radisson était joué par Jacques Godin)

567) Ce drame psychologique de 1970 du réalisateur Claude Sautet, met en vedette Romy Schneider, Michel Piccoli et Lea Massari. QUEL est le titre de ce film qui raconte l'histoire d'un architecte blessé dans un accident et qui revoit les incidents d'une vie plutôt bouleversante?

LES CHOSES DE LA VIE (bonne réponse=1 point de plus)

568) NOMMEZ la chanson qui a valu à son auteur Bert Bacharach un Oscar en 1969. Elle était extraite du film *Butch Cassidy and the Sundance Kid*.

RAINDROPS KEEP FALLING ON MY HEAD (interprétée par B.J.Thomas)

569) QUELLE célèbre actrice des années 30, fait un retour à l'écran en 1968 en acceptant un rôle dans le film *Myra Breckenridge* de l'auteur Gore Vidal ?

MAE WEST (bonne réponse=2 points de plus)

570) QUELLE station radiophonique de Montréal a été la première au Canada à utiliser le système moderne de la quadriphonie pour la diffusion de ses émissions en 1975 ?

CHOM-FM

GRANDS NOMS

Chapitre III

«Ne vous demandez pas ce que votre pays peut faire pour vous, mais plutôt ce que vous pouvez faire pour votre pays».
Cicéron (Marcus Tullius Cicero) orateur romain, 63 Av. J-C.

«Chers compatriotes, ne demandez pas ce que votre pays peut faire pour vous - demandez ce que vous pouvez faire pour votre pays».
John Kennedy, président américain, 1960-1963

«Il n'existe pas un fardeau plus lourd qu'un grand potentiel».
Linus, bande desssinée Peanuts, 1961

«Les droits égaux pour les sexes seront acquis lorsque les femmes médiocres occuperont des postes de commande».
Françoise Giroud, secrétaire d'État à la condition féminine dans le gouvernement français. 1974

«La rançon du succès, c'est d'être emmerdé par ceux qui vous «snobbaient» auparavant».
Nancy Astor, femme politique britannique née aux États-Unis. 1956

SYNOPSIS

La prospérité phénoménale des années d'après-guerre et particulièrement, celles des années 60 à 75, a donné naissance à un si grand nombre d'innovations, d'inventions, de précédents et de réalisations phénoménales, que la tâche de choisir des Grands Noms devenait à la fois facile et agréable. Jamais nous n'avions assisté à pareille abondance de personnalités dans un aussi grand nombre de secteurs de l'activité humaine tels que : la conquête de l'espace, la technologie, la médecine, la musique, les sports, l'actualité politique, économique et artistique, les médias, le cinéma, la télévision et la radio, les produits de consommation, les exploits, la littérature, les magnats du monde des affaires, les conflits et révolutions, l'évolution effrénée de la société des années 60, les modes, le transport, les sciences, le féminisme, la littérature, la peinture et l'architecture, la danse, le rock, les grandes voix classiques, les héros et les zéros, la liste des secteurs d'activités est longue. Et celle de leurs artisans encore plus.

Le Québec, enfin sorti de son isolationnisme maladif des soixante premières années du siècle, a donné au Canada une fenêtre éclatante d'activités politiques, culturelles et économiques comme jamais auparavant. Le reste du pays a aussi été actif et productif, mais en faisant moins de bruit.

Ce chapitre fait le tour quasi complet d'un monde plus grand, plus dynamique et mieux connu, grâce aux moyens de communication plus raffinés. Cette technologie révolutionnaire nous aura appris à mieux connaître ceux qui débordent les frontières habituelles de notre province, notre pays et notre continent. Ce n'était pourtant qu'une étape, importante certes, qui nous conduira vers la dernière période du siècle, encore plus folle celle-là.

DEGRÉ DE DIFFICULTÉ - De moyennement facile à difficile, selon l'âge.
NOMBRE DE QUESTIONS - 353
QUESTIONS RÉSERVÉES AU CANADA - 103 (dont 54 au Québec)
POURCENTAGE SUR 353 - 29,2 %

1) QUEL écrivain russe a été empêché de recevoir son prix Nobel de littérature en 1958?

   BORIS PASTERNAK (son célèbre roman Docteur Jivago était interdit en U.R.S.S. Les autorités lui ont refusé le droit de quitter le pays afin de recevoir son prix)

2) QUI est celui qui a dénoncé les carences de notre système d'éducation dans son livre *Les Insolences d'un frère Untel* en 1960?

   JEAN-PAUL DESBIENS

3) QUEL médecin a réussi la première transplantation cardiaque en 1967?

   CHRISTIAN BARNARD (à Cape Town en Afrique du Sud)

4) NOMMEZ le pétrolier géant de 118 mille tonnes qui s'est échoué et brisé sur des récifs au sud de l'Angleterre laissant s'échapper 860,000 barils de pétrole en 1967?

   TORREY CANYON (En six semaines, tout avait été nettoyé).
   (Bonne réponse =2 points de plus)

5) NOMMEZ le sénateur qui présidait le comité d'enquête sénatoriale constitué en 1973 pour faire la lumière sur l'affaire du Watergate.

   SAM J. ERVIN (bonne réponse=1 point de plus)

6) Cet homme politique a été nommé président à vie de son pays d'Afrique du Nord en 1975. QUI était-il?

   HABIB BOURGUIBA (il avait été élu président de la Tunisie en 1957)

7) Ce ténor dramatique canadien a fait ses débuts à l'opéra du Métropolitain de New York en 1960 dans le rôle de *Paillasse* de Leoncavallo. QUI est-il?

   JON VICKERS

8) QUEL homme politique chilien a perdu la vie lorsque son gouvernement a été renversé par un coup d'État en 1973?

   SALVADOR ALLENDE (il est dit qu'il s'est suicidé. D'autres affirment qu'il a été assassiné lors du coup d'État monté par la C.I.A.)

9) Ce chanteur américain, un des premiers crooners du début des années 30, était avec Robert Morse une des vedettes de la comédie musicale *How to Succeed in Show Business Without Really Trying*, lors de la première sur Broadway en 1961 et plus tard au cinéma. QUI était-il?

   RUDY VALLEE

10) QUI a publié en 1970 le roman *Kamouraska*?

   ANNE HÉBERT

11) QUI était le commanditaire principal de l'émission de télévision *Porte Ouverte* à Radio-Canada durant la deuxième moitié des années 50?

    DU MAURIER (Richard Garneau en faisait la publicité et fumait la cigarette à l'écran. Pourtant, Garneau n'a jamais été un vrai fumeur)

12) QUI était à la tête du gouvernement israélien au moment de la quatrième guerre israélo-arabe, celle du Yom Kippour, en 1973?

    GOLDA MEIR

13) QUEL Canadien a réalisé le film *In the Heat of the Night*, meilleur film de l'année en 1967 avec Sidney Poitier et Rod Steiger en 1967?

    NORMAN JEWISON

14) L'opéra *Vanessa* a été présenté en première au Metropolitan Opera de New York en 1958. QUI en était le compositeur?

    SAMUEL BARBER (bonne réponse=2 points de plus)

15) Cette féministe américaine dirige une manifestation d'envergure nationale en 1970, afin de souligner le 50e anniversaire du droit de vote des femmes. Elle déclare: «Il ne s'agit pas d'une bataille de chambre à coucher, mais bien d'un mouvement politique.» QUI était cette célèbre féministe militante?

    BETTY FRIEDAN (bonne réponse=1 point de plus)

16) Ce chimiste américain a été récipiendaire du prix Nobel de chimie en 1954. En 1962, il a gagné le prix Nobel de la paix pour sa croisade contre les armes nucléaires. QUI était ce grand scientifique?

    LINUS PAULING

17) QUEL médecin de l'Institut de cardiologie de Montréal, a été le premier au Canada à pratiquer une transplantation cardiaque en 1968?

    DOCTEUR PIERRE GRONDIN

18) NOMMEZ le paquebot italien qui a coulé au large de New York, après être entré en collision avec le cargo Stockholm en 1956. Cinquante personnes ont perdu la vie.

    ANDREA DORIA (bonne réponse=1 point de plus)

19) QUI a été le premier astronaute américain à se rendre dans l'espace en 1961? Son vol a duré 15 minutes.

    ALAN B. SHEPARD (à bord de Freedom 7)

20) En 1966, lorsqu'il devient maire de la ville de New York, cet homme doit faire face à une grève générale des services publics de transport. QUI était ce maire?

    JOHN LINDSAY

21) NOMMEZ celui qui était à la tête du gouvernement hongrois, lors du soulèvement du peuple de Hongrie en 1956 et qui a été exécuté par les autorités communistes en 1958.

IMRE NAGY (il s'était réfugié à l'ambassade yougoslave après la révolte. Après lui avoir promis de ne pas l'inquiéter, les autorités communistes l'ont arrêté puis exécuté)

22) NOMMEZ le chef d'orchestre qui a été choisi au poste de directeur musical de l'orchestre symphonique de Montréal en 1961.

ZUBIN MEHTA (il y est demeuré jusqu'en 1967)

23) La peinture *Le Pont des arts*, est vendue pour la somme de 1,550,000 dollars en 1968. QUI en était l'artiste?

AUGUSTE RENOIR

24) Ce scientifique canadien du Conseil national des recherches à Ottawa, a été proclamé en 1971 récipiendaire du prix Nobel de chimie pour son travail en strectoscopie moléculaire. QUI était-il?

GERHARD HERZBERG (bonne réponse=3 points de plus)

25) QUEL grand danseur de ballet soviétique, a demandé l'asile politique aux autorités canadiennes alors qu'il était en tournée à Toronto en 1974?

MIKHAÏL BARICHNIKOV (le Canada le lui a accordé)

26) C'est en 1957 que cette maison de haute couture française offre la robe «sac» dont la silhouette est la plus radicale depuis 10 ans. NOMMEZ cette maison.

GIVENCHY

27) QUEL écrivain amézicain a publié en 1961 *The Winter Of Our Discontent?*

JOHN STEINBECK (bonne réponse=1 point de plus)

28) En 1950, Diners Club a lancé la première carte de crédit. QUELLE a été la deuxième à envahir le marché en 1958?

AMERICAN EXPRESS (il fallait payer des frais annuels d'adhésion)

29) C'est en 1958 que la production de cette luxueuse voiture américaine a cessé après 59 ans d'existence. NOMMEZ-la.

PACKARD

30) QUEL célèbre soprano espagnol a fait ses débuts au Metropolitan Opera de New York en 1965 dans l'opéra *Faust* de Gounod?

MONTSERRAT CABALLE (bonne réponse=1 point de plus)

31) QUEL était le nom de famille du pape Jean XXIII, élu souverain pontife par le Sacré Collège en 1958?

RONCALLI (Giuseppe)

32) Marylin Monroe est morte en 1962. QUEL était son véritable nom de fille?

NORMA JEAN MORTONSEN (nom de fille. Baker était le nom de son 1er mari)

33) Cet homme politique a voulu réconcilier le marxisme et la liberté. Mais ses rêves ont été écrasés par les forces communistes lors du Printemps de Prague en 1968. QUI était ce secrétaire général du parti communiste de Tchécoslovaquie?

ALEXANDRE DUBCEK

34) QUI a été le premier joueur de naissance tchécoslovaque à jouer dans la ligue Nationale de hockey en 1959?

STAN MIKITA (Hawks de Chicago)

35) Il a été vice-premier ministre du Québec de 1960 à 1966. NOMMEZ-le.

PAUL GÉRIN-LAJOIE

36) NOMMEZ le ministre des Affaires étrangères d'U.R.S.S. qui a été le premier détenteur de ce poste à visiter le Canada en 1969.

ANDREÏ GROMYKO

37) QUEL fabricant étranger et non-américain d'automobiles a été le premier à établir en 1963 une ligne d'assemblage de ses voitures au Canada?

VOLVO (à Dartmouth en Nouvelle-Écosse)

38) NOMMEZ le poids lourd canadien qui a été battu par décision unanime en 15 rounds par le champion mondial Muhammad Ali en 1966 à Toronto?

GEORGE CHUVALO (il n'est pas allé au plancher une seule fois)

39) C'est en 1965 que ces deux astronautes américains ont «marché» ou flotté dans l'espace. NOMMEZ un des deux.

JAMES MACDEVITT ou EDWARD WHITE (2 points pour 2 réponses)

40) Cet auteur est le premier à utiliser les mots «beat» et «beatnik» dans son roman *On The Road* en 1957. QUI est-il?

JACK KEROUAC

41) Ce directeur général du Metropolitan Opera annonce sa retraite en 1971 après 22 ans passés à ce poste. Il a été fait chevalier peu de temps après par la reine Élisabeth. QUI était-il?

RUDOLF BING (bonne réponse=1 point de plus)

42) C'est en 1960 que ce missile a été propulsé pour la première fois à partir d'un sous-marin nucléaire submergé: le USS George Washington. COMMENT se nommait-il?

POLARIS

43) QUELLE femme a été la première astronaute à se rendre dans l'espace en 1963?

VALENTINA TERESHKOVA

44) Ce fabricant de voitures américaines, a cessé ses opérations en 1964 aux États-Unis et en 1966 au Canada. Son dernier modèle a été l'Avanti d'un style à la fois sportif et avant-gardiste. NOMMEZ cette entreprise dont les débuts remontaient au début du siècle.

STUDEBAKER

45) C'est dans le rôle de *Desdemona* de l'opéra *Lucia di Lammermoor*, que ce grand soprano australien a fait ses débuts au Metropolitan Opera de New York en 1961. QUI était cette artiste remarquable?

JOAN SUTHERLAND

46) En 1959, cet interprète-compositeur-auteur-acteur écrit la chanson *Amenez-en d'la pitoune*, fonde une maison d'éditions, publie un recueil de poèmes qu'il intitule *Étraves*, joue dans le film *La Canne à Pêche* et conçoit la série télévisée pour enfants, *Le Grand Duc*. QUI était ce prodigieux artiste?

GILLES VIGNEAULT

47) QUI a été chancelier de la République fédérale allemande de 1969 à 1974 et récipiendaire du prix Nobel de la paix en 1971?

*WILLY BRANDT (il avait écrit **Ostpolitik**)*

48) Cet économiste de naissance canadienne et professeur à l'Université Harvard, a publié en 1958 *L'Ère de l'opulence (The Affluent Society)* et en 1967 *Le Nouvel état industriel (The New Industrial State)*. QUI est cet éminent économiste?

JOHN KENNETH GALBRAITH (bonne réponse=1 point de plus)

49) Ce contralto canadien née à Montréal, a soulevé l'auditoire et gagné les critiques new yorkais en 1956, grâce à son interprétation de la symphonie *Résurrection* de Gustav Mahler dirigée par Bruno Walter. En 1961, elle fait ses débuts scéniques à Toronto dans le rôle d'*Orphée* de Gluck. En 1966, pour l'inauguration du New York City Opera à Lincoln Center, elle triomphe dans le rôle de *Cornelia* de l'opéra *Jules César* de Haendel. QUI est-elle?

MAUREEN FORRESTER

50) NOMMEZ celui, qui à sa première élection politique, est élu gouverneur de l'état de la Californie en 1966?

RONALD REAGAN

51) Cet écrivain français de naissance russe, a gagné le prix Goncourt en 1956 pour son roman *Les Racines du ciel*. Il a aussi écrit le scénario du film *Les Oiseaux vont mourir au Pérou* en 1968. QUI était-il?

ROMAIN GARY (bonne réponse=1 point de plus)

52) QUELLE skieuse canadienne a gagné une médaille d'or et une médaille d'argent aux Jeux Olympiques d'hiver de Grenoble en France en 1968?

NANCY GREENE

53) QUEL satellite a été mis en orbite en 1962 et a transmis peu de temps après la première émission de télévision en direct entre les États-Unis et la Grande- Bretagne?

TELSTAR I

54) Après avoir été élu au Sénat américain en 1965, il a déclaré : « Maintenant, je peux redevenir impitoyable. » À QUI appartient cette citation?

ROBERT KENNEDY (depuis 1961, il avait été procureur général des États-Unis)

55) QUI a été le premier joueur de tennis noir, à gagner le championnat en simple pour hommes à Wimbledon en 1975?

ARTHUR ASHE

56) Cette voiture américaine a été mise sur le marché à la fin de 1964 par la compagnie Ford. Elle est rapidement devenue populaire chez les fervents des voitures d'allure sportive. COMMENT s'appelait-elle?

MUSTANG

57) QUEL était le nom de famille de celle qui est devenue la femme de Pierre-Elliott Trudeau en 1971?

SINCLAIR (Margaret. Fille d'un ancien ministre fédéral)

58) QUEL député libéral, a été le plus grand artisan de la fusion des municipalités de l'île Jésus en 1965 et qui est devenue la ville de Laval?

JEAN-NOËL LAVOIE

59) NOMMEZ le pilote de l'avion espion américain U-2 qui a été capturé par les Soviétiques après qu'un missile eut abattu l'appareil au-dessus de l'U.R.S.S. en 1960.

FRANCIS GARY POWERS

60) NOMMEZ la plus grande et la plus célèbre ballerine des années 40, 50 et 60 du Commonwealth?

MARGOT FONTEYN (Britannique)

61) Il a été le père de la bombe à hydrogène en U.R.S.S. durant les années 50. En 1975, il a été nommé récipiendaire du prix Nobel de la paix pour sa lutte contre l'abus du pouvoir et le mépris pour la dignité humaine. QUI était-il?

ANDREÏ SAKHAROV (le gouvernement soviétique lui a refusé la permission de se rendre à Oslo pour recevoir son trophée sous prétexte qu'il était un risque à la sécurité. Sa femme Yelena est allée accepter son prix)

62) C'est en 1964 que ce ministre de la Défense du Canada a annoncé son projet d'unifier les trois branches des forces armées canadiennes en un seul service. QUI était ce ministre?

PAUL HELLYER

63) Le premier leader du gouvernement de l'Allemagne de l'Est, Walter Ulbricht, démissionne en 1971 après 25 ans à la tête du parti communiste de ce pays. NOMMEZ celui qui lui a succédé et qui demeurera en poste jusqu'en 1989.

ERICH HONECKER

64) QUEL grand acteur britannique jouait le rôle du professeur *Higgins* dans la comédie musicale *My Fair Lady*, lors de la première du film en 1956 à New York?

REX HARRISON

65) Cet homme politique a été ministre des Ressources hydrauliques dans les gouvernements de MM Duplessis, Sauvé et Barrette de 1958 à 1960. NOMMEZ-le.

DANIEL JOHNSON

66) Ce haut fonctionnaire a quitté la présidence du Canadien National en 1967 après 17 ans à ce poste. Il avait offusqué les Québécois durant les années 50 par ses propos controversés. QUI était-il?

DONALD GORDON

67) QUI a publié *Profiles in Courage* en 1956, un récit d'un acte d'héroïsme dans le Pacifique durant la Deuxième guerre? Son œuvre lui a valu un prix «Pulitzer».

JOHN F. KENNEDY

68) NOMMEZ l'astronaute américain qui a été le 2e à fouler le sol lunaire après Neil Armstrong lors de la mission Apollo XI en 1969.

BUZZ ALDRIN

69) Le plus vieil homme d'État au monde annonce sa retraite en 1973 à l'âge de 90 ans. Il était président de l'Irlande depuis 1959, après en avoir été le premier ministre durant 22 ans. QUI était-il?

EAMON DE VALERA

70) QUI a tourné les images, les seules, qui nous ont fait voir l'assassinat de John F. Kennedy en 1960?

ABRAHAM ZAPRUDER (1 point de plus pour le prénom)

71) Ce pianiste américain a gagné le concours de piano Tchaikowsky en U.R.S.S. en 1958. L'année suivante, son enregistrement du concerto No 1 pour piano de Tchaikowsky, devenait le premier microsillon de musique classique à se vendre à plus d'un million d'exemplaires. QUI est ce pianiste ?

VAN CLIBURN (Harvey Lavan)

72) QUEL inventeur français, décédé en 1960, avait fait la découverte des principes de l'éclairage au néon au début du siècle ?

GEORGES CLAUDE (bonne réponse=2 points de plus)

73) C'est en 1965 que le schisme vieux de 900 ans entre l'Église catholique romaine et l'Église orthodoxe grecque prenait fin grâce à une rencontre historique entre le pape Paul VI et QUEL patriarche de l'église orthodoxe à Istamboul ?

ATHENAGORAS I (bonne réponse=1 point de plus)

74) Ce réputé microbiologiste québécois, a été à l'origine de l'Institut de micro-biologie et d'hygiène de l'Université de Montréal, auquel on devait donner son nom en 1975. NOMMEZ ce scientifique.

DOCTEUR ARMAND FRAPPIER

75) QUEL athlète américain est le seul à avoir gagné la médaille d'or aux Jeux Olympiques d'été, quatre fois consécutives en 1956, 1960, 1964 et 1968 ?

AL OERTER (lanceur du disque)

76) Ce compositeur américain, le plus grand selon certains, est mort en 1964 à l'âge de 72 ans. Au nombre de ses nombreuses chansons à succès, il y a eu *Night and Day, I've Got You Under My Skin, Anything Goes* et *Just one of those Things.* QUI était-il ?

COLE PORTER

77) Comme Léon Blum et Pierre Mendés-France, elle est de descendance juive. Rescapée de l'enfer d'Auschwitz, elle devient mère de famille et magistrate. En 1974, le président Valéry Giscard d'Estaing la fait entrer dans son Conseil des ministres, la 2ᵉ femme seulement à accéder à ce conseil dans l'histoire de la France. QUI était cette femme extraordinaire ?

SIMONE VEIL

78) Ce chanteur américain a offusqué les puristes de la musique folk en 1964 lorsqu'il a choisi de s'accompagner à l'aide d'une guitare électrique. Il était aussi compositeur et son véritable nom était Robert Zimmerman. QUEL était le nom de cet artiste qui a marqué son époque ?

BOB DYLAN

79) Quatre-vingts rois et chefs d'État assistent aux funérailles de cet homme d'État en 1970. QUI était-il ?

CHARLES DE GAULLE

80) Ce satellite canadien lancé dans l'espace en 1972, a pour but d'améliorer les communications de la radio, de la télévision et du téléphone pour les citoyens du Canada. QUEL nom portait-il?

ANIK I

81) QUEL premier ministre provincial a été défait en 1972 après 20 ans de pouvoir?

WILLIAM C. BENNETT (Colombie-Britannique)

82) NOMMEZ l'astronaute américain qui a été le premier en 1965 à se rendre dans l'espace une 2ᵉ fois?

GORDON COOPER (à bord de Gemini-5). (Bonne réponse=2 points de plus)

83) Le quotidien québécois Le Nouveau Journal a été lancé en 1964. QUI en a été le premier rédacteur en chef?

JEAN-LOUIS GAGNON

84) NOMMEZ le leader nord-vietnamien qui a donné l'ordre à ses armées d'envahir la Corée du Sud en juin 1950.

KIM IL SUNG

85) NOMMEZ le skieur qui a remporté la triple couronne du ski alpin lors des Jeux Olympiques de 1956 à Cortina d'Ampezzo? Médailles d'or en slalom, descente et slalom géant.

ANTON SAILER (d'Autriche. Appelé Toni)

86) QUEL ministre libéral a servi sous quatre premiers ministres canadiens et a été défait lors des congrès au leadership du Parti libéral en 1958 et 1968?

PAUL MARTIN (a servi sous M. King, L. Saint-Laurent, L. Pearson et P.E. Trudeau)

87) QUI est l'auteur du livre The Godfather (le Parrain), le roman de l'histoire du crime le plus vendu au monde? Il a été publié en 1969.

MARIO PUZO

88) Cette femme de lettres acadienne nous donne en 1958 un premier roman, Pointe-aux-Coques. Ses œuvres suivantes dont Mariaagélas en 1973, la conduiront aux plus grands honneurs dont le prix Goncourt. QUI est-elle?

ANTONINE MAILLET

89) Condamné à 13 ans de prison pour fraude en 1967, ce syndicaliste américain voit sa peine commuée par le président Nixon en 1971. Il disparaît mystérieusement en 1975 et son corps n'est jamais retrouvé. QUI était-il?

JAMES HOFFA

90) Après avoir été élu maire de Berlin-Ouest en 1957, il échoue par trois fois dans sa tentative de devenir chancelier de l'Allemagne de l'Ouest. Il y parvient finalement en 1969, puis démissionne en 1974. NOMMEZ cet homme politique.

WILLY BRANDT

91) Ce grand interprète compositeur français, écrit en 1962 un opéra dont l'action se situe sur une petite île de la côte ouest de l'Irlande. QUI est ce compositeur? Et QUEL est le nom de cet opéra, son seul?

GILBERT BÉCAUD - OPÉRA D'ARAN (2 points de plus pour la 2ᵉ réponse)

92) QUEL cycliste français a été le premier à gagner le Tour cycliste de France à cinq reprises entre 1957 et 1964?

JACQUES ANQUETIL

93) Lorsque Richard Nixon a gagné l'investiture du parti républicain en 1968, il a défait deux autres candidats au premier tour de scrutin. QUI a terminé au 2ᵉ rang?

NELSON ROCKEFELLER

94) C'est en 1959 que ce journaliste et écrivain américain a publié son best-seller *The Rise and Fall of the Third Reich*. QUI était-il?

WILLIAM SHIRER

95) Après avoir été député libéral de St Jacques au Parlement de Québec de 1942 à 1944, ce syndicaliste a été le premier à présider le Congrès du travail du Canada en 1956. QUI était-il?

CLAUDE JODOIN (ce syndicat est né de la fusion de deux autres syndicats)

96) QUELLE compagnie de transport commercial nord-américaine a été la première au monde en 1961, à offrir un système de service automatique de réservation?

TRANS-CANADA AIRLINES (bonne réponse=1 point de plus)

97) NOMMEZ le groupe rock qui a enregistré en 1963 la chanson *Come On*. Cette chanson devait être le tremplin d'une prodigieuse série de succès pour ce groupe de style *rythm and blues*.

LES ROLLING STONES

98) En 1973, deux prix Nobel de la paix ont été décernés, un au secrétaire d'État américain Henry Kissinger et l'autre au ministre des Affaires étrangères du Nord-Vietnam pour leur contribution à l'entente du cessez-le-feu au Viêtnam, en 1973. NOMMEZ le récipiendaire vietnamien.

LE DUC THO (il a refusé d'accepter le prix disant que la paix n'était pas encore acquise)

99) En 1959, ce chef d'orchestre très populaire au Canada et aux États-Unis depuis le début des années 20, voit le chiffre de ses disques atteindre les cent millions d'exemplaire vendus. QUI était-il ?

GUY LOMBARDO (et ses Royal Canadians. Né à London, Ontario)

100) QUI a donné le coup d'envoi au premier poste privé de télévision au Québec, C.F.T.M., en 1961 ?

ALEXANDRE DE SÈVES

101) Ces deux comiques de la radio et de la télévision de la C.B.C., ont été invités à l'émission *Ed Sullivan* à New York en 1958. Ils ont été appréciés à ce point par Sullivan, qu'ils sont devenus des invités réguliers durant les 10 années qui ont suivi. QUI étaient-ils ?

WAYNE AND SHUSTER (John et Frank)

102) En désaccord avec les politiques fiscales de son gouvernement, ce ministre des Finances au fédéral a démissionné de son poste en 1975. NOMMEZ-le.

JOHN TURNER

103) QUELLE chaîne de restauration rapide, déjà bien connue aux États-Unis, a ouvert sa première concession au Canada en 1967 ?

MCDONALD'S

104) Ce député et ministre libéral à Québec a représenté sa circonscription durant 40 ans sans interruption à partir de 1956. QUI était-il ?

GÉRARD D. LÉVESQUE (député de Bonaventure)

105) QUEL gouverneur général du Canada a été le premier à effectuer une visite d'État officielle en 1969 ? Il avait alors visité quatre pays des Caraïbes.

ROLAND MICHENER

106) Il aura fallu cinq ans avant que les autorités canadiennes lèvent l'embargo sur l'entrée au pays de QUEL magazine américain en 1958 ?

PLAYBOY

107) QUEL dramaturge canadien a écrit *Un Simple soldat* en 1958 ?

MARCEL DUBÉ

108) QUELLE chanteuse noire américaine de jazz a gagné cinq trophées Grammy remis pour la meilleure interprétation vocale entre 1958 et 1962 ?

ELLA FITZGERALD

109) NOMMEZ le poète américain qui, lors d'un rassemblement anti-guerre à l'université d'Oakland en Californie en 1965, a utilisé l'expression «Flower Power» pour la première fois.

*ALAN GINSBERG (il voulait ainsi décrire la **coopération amicale**)*

110) QUEL membre du groupe de révolutionnaires de Fidel Castro de 1956 à 1959, médecin et Argentin de naissance, est allé poursuivre sa carrière de révolutionnaire en Amérique du Sud durant les années 60?

CHE GUEVARA

111) C'est en 1968 que les quatre plus grandes banques canadiennes ont offert cette carte de crédit à leurs clients. NOMMEZ-la.

*CHARGEX (elle est devenue éventuellement la carte **Visa**)*

112) Ce ténor dramatique né à Madrid, étudie le chant, la composition, le piano et la direction d'orchestre à Mexico durant les années 60. Après une tournée en Europe, il fait ses débuts au Metropolitan Opera de New York en 1968. En 71, il suit des cours de Maria Callas à New York. QUI est ce ténor?

PLACIDO DOMINGO

113) QUEL leader a conduit l'ancienne colonie britannique de la Côte d'or à l'indépendance et l'a appelée le Ghana en 1957?

KWAME NKRUMAH (bonne réponse=1 point de plus)

114) Seulement deux joueurs des ligues majeures de baseball ont atteint le cap des 2,000 points produits au cours de leurs carrières: Babe Ruth et QUEL autre joueur dont la carrière s'est jouée durant les années 50, 60 et 70?

HANK AARON (des équipes Milwaukee et Atlanta)

115) En 1975, la compagnie Sony a mis le magnétoscope Betamax sur le marché. QUELLE compagnie répliquait la même année avec le V.H.S.?

J.V.C.

116) NOMMEZ le célèbre écrivain américain qui se serait suicidé dans sa résidence de l'Idaho en 1961. Âgé de 62 ans, il était en mauvaise santé et dépressif.

ERNEST HEMINGWAY (sa mort a été jugée accidentelle)

117) Un mois après le lancement du Spoutnik soviétique en 1957, un deuxième satellite du même nom transporte le premier animal dans l'espace. COMMENT se nommait-il?

LAIKA (une chienne. Elle est morte lors du retour du satellite)

118) QUI a été le créateur de la voiture Mustang de la compagnie Ford en 1964?

LEE IACCOCA

119) QUEL auteure québécoise a reçu le prix littéraire français Médicis en 1966 pour son œuvre *Une saison dans la vie d'Emmanuel*, publiée en 1965?

MARIE-CLAIRE BLAIS

120) Elle a été la première femme au monde à accéder au poste de première ministre, succédant à son mari au Ceylan en 1959. QUI était-elle?

SIRIMAVO BANDANARAIKE (Son mari avait été assassiné l'année précédente). (Bonne réponse=3 points de plus)

121) Décès du pape Jean XXIII en 1963. Paul VI lui succède. QUEL est le nom de famille du nouveau pape?

MONTINI (Giovanni Batista. Le 262ᵉ pape de l'histoire)

122) Cette basse québécoise a fait ses débuts à l'Opéra de Paris en 1960. Avec la troupe du Bolchoï, il interprète fréquemment le rôle de *Boris Godounov* en U.R.S.S. où il est acclamé à chacun de ses trois engagements durant les années 60. QUI est cet artiste?

JOSEPH ROULEAU

123) Ce romancier américain nous a donné *Hôtel* en 1965 et *Airport* en 1968. QUI est-il?

ARTHUR HAILEY

124) NOMMEZ une de deux grandes compagnies pétrolières achetées par le gouvernement canadien afin de créer la société d'État Petro-Canada en 1975.

GULF CANADA - PETRO-FINA (3 points pour les 2 réponses)

125) QUEL boxeur poids lourd américain n'a jamais été défait durant sa carrière professionnelle? Il a gagné les 49 combats qu'il a livrés entre 1952 et 1956.

ROCKY MARCIANO

126) Lorsqu'il présente sa collection de vêtements «designer» prêt-à-porter pour femmes en 1959, ce couturier français est expulsé de la Chambre syndicale de couture parisienne qui juge son geste inadmissible. QUI était ce dessinateur?

PIERRE CARDIN (lorsque d'autres maisons imiteront son geste, il sera réadmis au sein de l'organisme en 1963)

127) Cet homme politique canadien a été un héros de la Première Guerre mondiale et a passé 51 ans à Ottawa comme député puis comme sénateur. Il a écrit en 1966 *A Party Politician*, son autobiographie, une des meilleures du genre écrites par un politicien. Né à Sillery, il a succédé à son père comme député libéral de Québec-Sud à Ottawa en 1917. Il est décédé en 1968. NOMMEZ-le.

CHARLES GAVAN POWER (bonne réponse=3 points de plus)

128) QUEL chanteur, compositeur québécois a remporté le Grand prix du concours de «Chansons sur mesure» à Bruxelles en 1962?

*JEAN-PIERRE FERLAND (pour la chanson **Feuille de gui**)*

129) Il est mort en 1966 à l'âge de 65 ans. Au cours de sa fabuleuse carrière de concepteur-réalisateur-producteur de cinéma, il a reçu plus de 1000 trophées, prix et récompenses de tout genre dont 29 Oscars. QUI était-il?
WALT DISNEY

130) Pour commémorer le 50e anniversaire de ce groupe d'artistes canadiens, 203 de leurs peintures ont été exposées à la Galerie nationale d'Ottawa en 1970. QUI était ce groupe?
LE GROUPE DES SEPT

131) QUEL chanteur compositeur américain a atteint les 3,000,000 de disques vendus, microsillons inclus, avec la chanson *Rocky Mountain High* en 1972?
JOHN DENVER

132) QUI a été le premier homme sans attache politique à s'adresser aux membres de l'Assemblée générale de l'O.N.U. en 1965?
LE PAPE PAUL VI

133) QUEL acteur joue le rôle de *Louis Dega*, compagnon fictif du prisonnier Henri Charrière, dont la véritable histoire, celle d'un prisonnier qui s'échappe de la prison de l'Île de Diable, est racontée dans le film de 1973, *Papillon*?
DUSTIN HOFFMAN (Steve McQUEEN joue le rôle de Charrière)

134) QUELLE future féministe acharnée est désignée par le Washington Post en 1963, pour aller jouer le rôle de Bunny dans le club Playboy de Chicago et écrire ensuite un article sur son expérience?
*GLORIA STEINEM (elle avait écrit que les **bunnies** étaient exploitées).*
(Bonne réponse=2 points de plus)

135) En 1966, cette compagnie aérienne a été la première en Amérique du Nord à offrir une liaison régulière avec l'U.R.S.S.. NOMMEZ-la.
AIR CANADA (ex-T.C.A., elle venait de changer de nom en 1965)

136) Ce sprinter canadien, a gagné une médaille de bronze aux 100 mètres aux Jeux Olympiques de Tokyo en 1964 et la médaille d'or aux Jeux du Commonwealth à Kingston en Jamaïque en 1966 ainsi qu'aux Jeux panaméricains à Winnipeg en 1967. QUI était-il?
HARRY JEROME

137) D'abord mezzo-soprano, cette artiste de descendance «maori» devient soprano au fil de ses études et fait des débuts retentissants au Covent Garden de Londres dans *Les Noces de Figaro* en 1971. QUI est cette cantatrice?
KIRI TE KANAWA

138) En 1959, la compagnie Coca-Cola met une nouvelle boisson gazeuse sur le marché. Elle est offerte en plusieurs saveurs. QUEL était son nom?
FANTA

139) De 1960 à 1970, il a été président du comité Exécutif de Montréal et président de la commission des Transports de Montréal. QUI était-il?

LUCIEN SAULNIER

140) Lors du centenaire du baseball majeur en 1969, l'Association des journalistes du baseball d'Amérique, a fait connaître son choix du joueur par excellence des cent ans du baseball. QUI a été élu à ce titre?

BABE RUTH

141) Ce célèbre personnage de bande dessinée a été créé par le scénariste René Goscinny et le dessinateur Albert Uderzo en 1959. QUI est-il?

ASTÉRIX

142) En 1961, ce médicament de la compagnie pharmaceutique Hoffman-LaRoche arrive sur le marché. On peut se le procurer sur ordonnance seulement, mais il deviendra rapidement le plus recherché des gens d'affaires. NOMMEZ-le.

VALIUM

143) QUI a été le premier Américain à se rendre en orbite autour de la terre en 1962?

JOHN GLENN

144) QUEL écrivain irlandais, auteur de la pièce *En attendant Godot*, a reçu le prix Nobel de littérature en 1969?

SAMUEL BECKETT

145) QUEL jockey canadien originaire du Nouveau-Brunswick, a conduit le pur-sang Secrétariat à la triple couronne du turf en 1973?

RON TURCOTTE

146) QUELLE voiture américaine a mis sur le marché le modèle Mach 1 en 1969?

MUSTANG (une version plus musclée du modèle déjà existant)

147) C'est en 1973 que ce baryton québécois a fait ses débuts sur la scène du Metropolitan Opera de New York. QUEL est son nom?

LOUIS QUILICO

148) QUEL écrivain, historien et politicien français, est nommé ministre de l'Éducation nationale du gouvernement Pompidou en 1967?

ALAIN PEYREFITTE

149) QUEL a été le premier produit commercial américain à être mis légalement sur le marché en U.R.S.S. en 1973?

*PEPSI-COLA (le président Nixon, un ami intime du président de **Pepsi Cola**, en avait fait la promotion lors de sa visite en U.R.S.S. en 1971)*

150) Ce soprano dramatique noir américain fait ses débuts au Metropolitan Opera de New York en 1961. Une fabuleuse carrière se poursuit. Elle est considérée comme la plus grande *Aïda* contemporaine. QUI est-elle?

   LEONTYNE PRICE

151) Ce favori d'Adolf Hitler a publié en 1970 *Inside the Third Reich*. NOMMEZ-le.

   ALBERT SPEER

152) QUEL écrivain et critique d'art québécois s'est suicidé en 1974?

   CLAUDE GAUVREAU

153) Pionnier dans la construction d'avions à décollage et à atterrissage court, ce constructeur canadien a atteint en 1965 le chiffre de 1,600 monomoteurs Beaver vendus à travers le monde depuis 1947. NOMMEZ ce fabricant.

   DE HAVILLAND

154) Après une prolifique carrière de 35 ans, cet acteur américain, gagnant de deux Oscars au titre de meilleure acteur, est mort en 1961 à l'âge de 60 ans. Il avait souvent joué le rôle d'un cowboy mais jamais celui d'un vilain. Sa réplique préférée à l'écran était « Yup ». QUI était cet acteur?

   GARY COOPER

155) Pour l'ouverture de Lincoln Center, nouveau centre des Arts de New York, le Metropolitan Opera présente une œuvre nouvelle, *Antoine et Cléopâtre* d'un compositeur américain réputé. Leontyne Price en est la tête d'affiche mais l'œuvre est un fiasco. QUI est ce compositeur.

   SAMUEL BARBER (bonne réponse=1 point de plus)

156) QUEL chef d'état a déclaré en 1958: « On ne m'a jamais donné le pouvoir. Je l'ai toujours pris » ?

   CHARLES DE GAULLE

157) QUELLE chanteuse américaine de blues est morte d'une surdose de drogues en 1970?

   JANIS JOPLIN

158) Ce terroriste du Front populaire de libération de la Palestine, a acquis une réputation international au début des années 70, à la suite de ses attentats meurtriers en Europe. Natif du Venezuela, il n'était connu des autorités que par un nom, un prénom. LEQUEL?

   *CARLOS (dit **le Chacal**). (Bonne réponse=1 point de plus)*

159) Stevie Wonder a obtenu son premier disque d'or, *Fingertips*, en 1963. Il n'avait alors que 13 ans. Son nom était précédé à l'époque d'un autre mot. LEQUEL?

   LITTLE (Stevie Wonder. Le diminutif a disparu en 1965)

160) Lancée en 1968, cette émission télévisée d'affaires publiques a reçu 63 trophées Emmy depuis ce temps. QUEL est son titre ?

   SIXTY MINUTES (réseau C.B.S.)

161) Ce grand joueur de hockey des années 50 et 60 et détenteur du plus grand nombre de matchs disputés par un défenseur de la ligue Nationale de hockey, a été tué dans un accident de voiture en 1974. QUI était-il ?

   TIM HORTON (aussi fondateur des restaurants spécialisés dans les beignes)

162) QUI était le secrétaire d'État américain qui a accompagné le président Richard Nixon lors de sa visite historique en Chine en 1972 ?

   WILLIAM ROGERS (Henry Kissinger était du voyage mais à titre de conseiller du président Nixon). (Bonne réponse = 2 points de plus)

163) Fondée en 1939, cette importante société de production de films déménage ses studios à Montréal en 1956. NOMMEZ-la.

   L'OFFICE NATIONAL DU FILM (organisme fédéral)

164) *Close to You*, le premier disque d'or des Carpenters, avait précédemment été enregistré par Dusty Springfield et Dionne Warwick. C'était une composition de celui qui nous avait donné *Moon River* et *Raindrops Keep Fadling on my Head*. De QUEL compositeur s'agit-il ?

   BURT BACHARACH

165) Elle a été la première femme à accéder au poste de ministre au Québec. C'était en 1964 et le ministère était celui des Transports et des Communications dans le gouvernement Lesage. QUI était cette femme ?

   CLAIRE KIRKLAND-CASGRAIN

166) Malgré le scepticisme du cercle médical, ce chimiste américain et prix Nobel de chimie, déclare en 1970 que de fortes doses de vitamine C contribuent à prévenir la grippe et le rhume. QUI était ce scientifique ?

   LINUS PAULING (aussi prix Nobel de la paix)

167) QUELLE compagnie britannique, fabricante de moteurs à réaction pour le nouvel appareil Lockeed Tri-Star, a déclaré faillite en 1971 ?

   ROLLS-ROYCE (le gouvernement britannique l'a sauvée peu de temps après)

168) NOMMEZ le président de la Corée du Sud qui a été destitué après une série de scandales en 1960. Après 12 ans au pouvoir, il s'est empressé de s'exiler.

   SYGMAN RHEE (il avait perdu la confiance des Américains)

169) QUEL groupe vocal européen interprétait la chanson *Waterloo*, gagnante du concours de la chanson Eurovision en 1974 ?

   ABBA (groupe suédois).

170) QUEL chef d'État éduqué en France, a procédé à un massacre systématique de son peuple dès son arrivée au pouvoir en 1975 au Cambodge?

POL POT (leader des Khmers rouges)

171) QUEL grand chef d'orchestre français au répertoire peu orthodoxe, a succédé à Léonard Berstein à la direction de la Philharmonique de New York en 1971?

PIERRE BOULEZ (bonne réponse=1 point de plus)

172) En 1956, la pétrolière Gulf Oil a fusionné avec la plus importante compagnie canadienne de pétrole fondée en 1906. Son nom a disparu à jamais. QUEL était ce nom qui rivalisait avec Imperial Oil pour le nombre de stations-service au Canada à partir des années 30?

B.A. (British American Oil Co., fondée par E. Ellesworth de Toronto en 1906)

173) QUEL couturier français a lancé la minijupe en 1965?

COURRÈGES (André. Selon certains, la Britannique Mary Quant aurait créé la minijupe à peu près en même temps que Courrèges)

174) Après 20 ans d'émissions western originales, le rideau tombe en 1975 sur cette série télévisée américaine. QUEL est son titre?

GUNSMOKE

175) QUEL ministre québécois au sein du gouvernement Pearson, a été contraint de démissionner en 1965 à la suite d'un scandale impliquant le récidiviste Lucien Rivard? La Commission Dorion lui avait reproché d'avoir été négligent dans l'étude du dossier Rivard.

GUY FAVREAU (ministre de la Justice au moment de sa démission)

176) COMMENT se nommait la sonde soviétique qui a été la première à toucher avec succès le sol de la planète Vénus en 1967?

VENUS IV

177) Après quatre tentatives infructueuses, ce jeune étudiant noir réussit à se faire admettre à l'université du Mississipi en 1962, un précédent. Mais il est constamment surveillé et protégé par des soldats fédéraux. QUI était-il?

JAMES MEREDITH (bonne réponse=1 point de plus)

178) QUI a été nommé président et commissaire général des Jeux Olympiques de Montréal en 1971?

ROGER ROUSSEAU

179) En 1960, ce coureur éthiopien a gagné le marathon de Rome pieds nus. Quatre ans plus tard, il répétait l'exploit à Tokyo, cette fois avec des chaussures de course. QUI était cet athlète remarquable?

ABEBE BIKILA (Éthiopien)

180) Cette chanteuse actrice américaine, a donné un concert inoubliable au Carnegie Hall de New York en 1961. Deux ans auparavant, elle était venue à un cheveu de la mort après une défaillance du foi provoquée par un usage abusif de drogues et de boisson. QUI était cette grande artiste ?

JUDY GARLAND

181) Ce chef d'orchestre de naissance hongroise, a été le directeur musical de l'opéra de Covent Garden de Londres de 1961 à 1971. Un an plus tard, il a été naturalisé Britannique. Il a aussi dirigé les orchestres de Chicago et de Paris. QUI est ce chef d'orchestre devenu depuis : « Sir » ?

GEORG SOLTI (bonne réponse=2 points de plus)

182) QUEL ministre des Finances du Québec a créé la régie Loto Québec en 1969 ?

MARIO BEAULIEU (bonne réponse=1 point de plus)

183) En 1962, ce célèbre jazzman et chef d'orchestre américain est le premier à donner un concert au Palais des sports à Moscou. Il est chaleureusement applaudi par l'auditoire et Nikita Khrouchtchev. QUI était ce musicien ?

BENNY GOODMAN

184) QUEL auteur américain a publié *Breakfast at Tiffany's* en 1958 ?

TRUMAN CAPOTE (le film a suivi peu de temps après)

185) Ce Franco-ontarien a été élu neuf fois aux Communes entre 1935 et 1963. Il a détenu des ministères sous trois premiers ministres, son dernier étant celui de la Justice en 1963. Il n'a jamais perdu une élection. QUI était-il ?

LIONEL CHEVRIER

186) Carl Bernstein et QUEL autre journaliste du Washington Post ont publié en 1974 le best-seller *All the President's Men* ?

BOB WOODWARD (leur livre a déclenché l'affaire du Watergate)

187) QUEL compositeur chanteur italien a gagné un trophée Grammy en 1959, pour sa chanson *Nel Blu Dipinto Di Blu*, aussi appelée *Volare* ?

DOMENICO MODUGNO (bonne réponse=1 point de plus)

188) General Mills met sur le marché en 1961 une nouvelle céréale qui, pour la première fois dans la publicité des céréales, met en relief les valeurs nutritives du produit. QUEL est le nom de cette série forte en vitamines ?

TOTAL

189) Durant sa présidence de 1958 à 1969, Charles de Gaulle n'a reçu qu'un seul leader européen à sa résidence de Colombey-les-Deux-Églises. LEQUEL ?

KONRAD ADENAUER (en 1958, après que le chancelier allemand eut refusé d'être reçu en visite officielle à Paris. De Gaulle voulait éloigner Adenauer de l'alliance anglo-américaine et bâtir avec l'Allemagne une nouvelle Europe)

190) Le réseau de télévision américain N.B.C. a payé la somme de 10 millions de dollars en 1974 pour une seule projection de ce film de 1972. LEQUEL ?

THE GODFATHER (N.B.C. a vendu ses réclames 225 mille dollars chacune)

191) Ce célèbre journaliste-correspondant de C.B.S. à Londres durant les années de guerre puis animateur de télévision à son retour aux États-Unis, meurt en 1965. QUI était-il ?

EDWARD R. MORROW

192) NOMMEZ celui qui a été choisi au poste de premier ministre du nouvel État du Congo en 1960.

PATRICE LUMUMBA

193) QUELLE célèbre université européenne, vieille de 700 ans, accepte enfin en 1972 d'ouvrir les portes de cinq de ses collèges aux étudiantes à partir de 1974 ?

OXFORD (en Angleterre)

194) QUEL golfeur professionnel canadien, a remporté neuf victoires sur le circuit de la P.G.A. entre 1961 et 1972 ?

GEORGE KNUDSON

195) QUEL premier ministre provincial a choisi de prendre sa retraite après un an de son septième mandat et 25 ans à la tête de sa province en 1968 ?

ERNEST MANNING (de l'Alberta. Créditiste)

196) Ce recordman de la vitesse en bateau, a inscrit une marque mondiale de 403 milles à l'heure au volant de sa *Bluebird* en 1964. Il a réédité 7 fois ce record du monde et en 1967, il s'est tué alors que son bateau avait atteint une vitesse de plus de 500 milles à l'heure. QUI était ce champion britannique ?

DONALD CAMPBELL

197) Ce ténor lyrique allemand est mort à l'âge de 36 ans en 1966 à la suite d'un accident à sa résidence. Il avait chanté à partir de 1958 à l'opéra de Vienne, de Londres et de Berlin. Il allait faire ses débuts aux États-Unis lorsqu'il est mort accidentellement. QUI était ce chanteur à la voix remarquable ?

FRITZ WUNDERLICH (bonne réponse=2 points de plus)

198) Le plus grand architecte américain du XXᵉ siècle meurt en 1959 à l'âge de 89 ans. Il a dessiné au cours de sa prodigieuse carrière les plans de 750 édifices dont le célèbre hôtel Imperial de Tokyo, de nombreux ponts, musées et autoroutes. QUI était-il ?
   FRANK LLOYD WRIGHT (bonne réponse=1 point de plus)

199) NOMMEZ l'archevêque de Bruxelles et primat de Belgique à partir de 1961, qui était un des quatre modérateurs du Concile Vatican II. Il a été reconnu pour son ouverture d'esprit et au fil des ans a revendiqué le droit à la critique de la hiérarchie romaine au point d'être rabroué par ses pairs.
   MONSEIGNEUR LÉON-JOSEPH SUENENS (élevé au cardinalat en 1981). (Bonne réponse=2 points de plus)

200) Lorsque la comédie musicale *Camelot* a été présentée en première à New York en 1960, QUEL chanteur canadien y jouait un rôle de premier plan ?
   ROBERT GOULET

201) QUEL diplomate scandinave a reçu en 1961 le prix Nobel de la paix à titre posthume ?
   DAG HAMMARSKJÖLD (secrétaire général de l'O.N.U. tué au Congo dans un accident d'avion en 1960)

202) QUEL astronaute américain a été le premier à se rendre dans l'espace une deuxième fois ? C'était en 1965, en compagnie de John Young.
   VIRGIL GRISSOM (il avait fait un vol suborbital en 1961)

203) Deux grands noms de la musique classique disparaissent en 1957. Le premier est le chef d'orchestre Arturo Toscanini. Le second est un ténor lyrique italien de grande réputation. Il avait 67 ans. QUI était-il ?
   BENIAMINO GIGLI

204) QUI est l'auteur du livre *A Thousand Days*, un récit des trois années de John Kennedy à la présidence des États-Unis ?
   ARTHUR SCHLESINGER JR

205) Après 15 années au pouvoir, QUEL leader asiatique est mort en 1968 à l'âge de 79 ans, sans avoir réussi à unifier son pays ?
   HO CHI MINH (du Nord Vietnam. L'unification avec le sud s'est faite en 75)

206) Durant les années 60, cette romancière américaine publie deux best-sellers : *Valley of the Dolls* et *The Love Machine*. QUI est-elle ?
   JACQUELINE SUSANN

207) NOMMEZ le premier chef d'État marxiste à être élu dans l'histoire de l'hémisphère occidental en 1970 ?
   SALVADOR ALLENDE (GOSSENS, président du Chili)

208) C'est *Tosca*, de Giacomo Puccini, qui a été le premier opéra présenté à la nouvelle Place des Arts de Montréal en 1963. QUEL ténor canadien tenait le rôle de *Cavaradossi* ?
RICHARD VERREAU

209) QUEL journaliste et écrivain canadien, a écrit en 1965 un best-seller dans lequel il critique les dirigeants de l'église protestante du Canada. Le titre de ce livre : *The Comfortable Pew*.
PIERRE BERTON

210) Après un règne de 13 ans, ce dictateur d'une nation des Caraïbes meurt à l'âge de 64 ans en 1971. QUI était-il ?
FRANÇOIS DUVALIER (dit Papa Doc)

211) NOMMEZ le scientifique américain et spécialiste du nucléaire qui est décédé en 1967. Il avait dirigé le développement du programme nucléaire américain et le test de la première bombe atomique au Nouveau-Mexique en 1945.
ROBERT OPPENHEIMER (directeur du projet Manhattan)

212) Lors de l'exposition universelle d'Osaka en 1970, une production conjointe du Canada et du Japon fait voir un nouveau format de film de 70 millimètres. COMMENT se nomme cette création révolutionnaire ?
IMAX

213) QUELLE cantatrice est considérée par plusieurs, comme le meilleur mezzo-soprano de l'histoire des États-Unis ? Elle a fait ses débuts au Metropolitan Opera de New York en 1970 dans *Norma* de Bellini avec Joan Sutherland.
MARYLIN HORNE

214) Lorsque Christian Dior est mort en 1957, QUI a été désigné pour diriger son entreprise ?
YVES SAINT LAURENT (protégé de Dior, il n'avait que 21 ans)

215) QUI sont les coauteurs du récit de voyage *Deux innocents en Chine rouge*, publié en 1960 ?
JACQUES HÉBERT et PIERRE-ELLIOTT TRUDEAU (1 point par bonne réponse)

216) QUELLE joueuse de tennis américaine est morte d'un cancer en 1969 à l'âge de 35 ans ? Elle avait gagné le grand chelem du tennis en 1953, avant de se blesser sérieusement l'année suivante en faisant de l'équitation.
MAUREEN CONNELLY

217) QUI est l'auteur du best-seller de 1963 *The Man Who Came in from the Cold* ?
JOHN LE CARRÉ

218) Cet entrepreneur japonais, a fondé en 1946 avec l'aide d'un associé, une petite compagnie de télécommunications. En 1958, la compagnie adopte le nom de Sony. QUI était cet entrepreneur qui a mené cette entreprise à une notoriété au moins égale à celle de Coca-Cola et de General Electric?
    AKIO MORITA

219) QUEL célèbre leader de la mafia américaine, est mort en 1962 en Italie où il avait été exilé peu de temps après la guerre par la justice américaine?
    LUCKY LUCIANO

220) QUELLE célèbre école du Québec a fêté son 100ᵉ anniversaire en 1973?
    L'ÉCOLE POLYTECHNIQUE (Montréal)

221) Ce ministre du gouvernement français a écrit en 1973 *Quand la Chine se réveillera*. QUI est-il?
    ALAIN PEYREFITTE

222) Celui qu'on a qualifié de plus grand leader syndical du XXᵉ siècle a été nommé président des Travailleurs unis de l'automobile en 1946. Il a été tué dans un accident d'avion en 1970. QUI était-il?
    WALTER REUTHER (bonne réponse=1 point de plus)

223) QUEL soprano suédois reconnue pour ses interprétations wagnériennes fait ses débuts au Metropolitan Opera de New York dans l'opéra *Tristan et Iseult* en 1959?
    BIRGIT NILSSON (le plus célèbre soprano wagnérien de son temps)

224) QUEL quotidien québécois est devenu un hebdo à partir de 1957?
    LA PATRIE

225) Ce lauréat du prix Nobel de médecine de 1965, a synthétisé la quinine en 1944, le cholestérol en 1951, la strychnine en 1954, la chlorophylle en 1960 et la vitamine B12 en 1971. QUI était ce chimiste américain?
    ROBERT BURNS WOODWARD (bonne réponse=3 points de plus)

226) QUI est l'auteur du roman best-seller *Shogun* publié en 1975?
    JAMES CLAVELL

227) En 1961, treize ans après l'ouverture d'un restaurant de hamburgers par les frères McDonald en Californie, cet entrepreneur qui avait ouvert plus de 200 autres restaurants franchisés à travers les États-Unis, devient propriétaire de la chaîne pour la somme de 2 millions 700 mille dollars. QUI était-il?
    RAY KROC

228) QUEL journaliste du quotidien Le Devoir, dévoile à la fin des années 50 le scandale qui règne au sein de l'Union nationale après que deux prêtres québécois eurent dénoncé la corruption électorale du régime de Maurice Duplessis?

PIERRE LAPORTE

229) QUEL athlète américain a gagné neuf médailles d'or lors des Jeux Olympiques d'été de 1968 à Mexico et de 1972 à Munich?

MARK SPITZ (ce nageur en a gagné 2 en relais à Mexico et 7 à Munich, dont 4 individuelles en style libre et en papillon. Il a aussi gagné 2 médailles d'argent)

230) QUEL ténor américain détenait le record de longévité au Metropolitan Opera de New York lorsqu'il est mort en 1975? Il a chanté trente rôles différents dans plus de 600 représentations réparties sur 30 ans.

RICHARD TUCKER (61 ans)

231) QUEL grand homme d'état français, à qui on attribue la paternité de la C.E.E., a commenté ainsi la politique française durant les années 50: «Les relations franco-américaines sont bonnes, les relations franco-britanniques excellentes et les relations franco-allemandes s'améliorent chaque jour. Il n'y a que les relations franco-françaises, hélas, qui soient des plus mauvaises»?

ROBERT SCHUMANN (président du Parlement européen de 1958 à 1960)

232) QUEL dramaturge a écrit en 1962 la pièce de théâtre Le Roi se meurt?

EUGÈNE IONESCO

233) En 1964, le plafond de l'Opéra de Paris au Palais Garnier est repeint par ce grand artiste d'origine russe. QUI est-il?

MARC CHAGALL

234) QUEL soprano québécois a reçu avec son mari, le grand prix Charles Cros de Paris en 1961 pour l'enregistrement du disque Airs et duos de Mozart. Elle a aussi été reçue officier de l'Ordre du Canada en 1967.

PIERRETTE ALARIE (son mari est le ténor Léopold Simoneau)

235) QUEL homme de lettres le président De Gaulle a-t-il choisi de nommer au poste de ministre des Affaires culturelles en 1958?

ANDRÉ MALRAUX

236) QUI a été le premier skieur canadien à gagner une épreuve de la Coupe du monde en 1975, à Val D'Isère en France?

KEN READ (il a gagné la descente. C'était aussi le première victoire masculine de l'histoire du Canada sur la scène internationale de ski alpin)

237) QUEL grand soprano américain a finalement fait ses débuts au Metropolitan Opera de New York en 1975, après avoir été la première tête d'affiche du New York City Opera durant 20 ans?
BEVERLY SILLS

238) Ce Canadien du Nouveau-Brunswick était un magnat de la presse. Il a aussi été un des proches du premier ministre britannique Winston Churchill durant la guerre. Il était connu sous le nom de Lord Beaverbrook et est mort en 1964. QUEL était son véritable nom?
WILLIAM MAXWELL AITKEN (bonne réponse=1 point de plus)

239) Un nouvel hebdomadaire consacré à l'actualité sous toutes ses formes, est lancé en France en 1972. NOMMEZ-le.
LE POINT (créé par d'anciens journalistes de l'Express)

240) QUI est l'auteur du roman *The Misfits* dont la version cinématographique de 1961 mettait en vedette Marylin Monroe et Clark Gable? Il s'agissait du dernier film de ces deux artistes avant leur mort.
ARTHUR MILLER

241) NOMMEZ la ballerine canadienne qui, en 1973, a gagné le 2e prix du concours de ballerines de Moscou et qui avec son partenaire Frank Augustyn, a gagné le premier prix du *pas de deux* au même concours.
KAREN KAIN (considérée comme la meilleure ballerine canadienne)

242) QUEL célèbre chanteur compositeur français des années 60 et 70, est aussi le papa de France Gall dont la carrière a débuté en 1963 grâce à une chanson composée par son père?
*CHARLES AZNAVOUR (la chanson est **Sacré Charlemagne**)*

243) QUEL yachtsman britannique de 65 ans a fait le tour du monde en solo à bord d'un voilier de 53 pieds en un temps record de 226 jours en 1966-67? Jamais dans l'histoire un navigateur n'avait parcouru une aussi grande distance, 22 500 milles en si peu de temps.
FRANCIS CHICHESTER (peu de temps après son arrivée à Plymouth en Angleterre, il a été fait chevalier par la reine Élisabeth II)

244) NOMMEZ le chef d'orchestre dont la montée fulgurante le conduit au poste de chef permanent de l'Orchestre symphonique de Boston en 1973. Âgé de 38 ans, il est le plus jeune chef de l'histoire de cet orchestre.
SEIJI OZAWA (il y était toujours en l'an 2000)

245) NOMMEZ l'artiste canadien qui a été nommé au poste de directeur artistique du festival de Stratford en Ontario en 1968.
JEAN GASCON (il y restera jusqu'en 1974)

246) QUEL homme politique français a échoué deux fois dans sa tentative d'être élu président de la République en 1965 et en 1974 ?
FRANÇOIS MITTÉRAND

247) QUEL joueur de baseball a réussi 660 coups de circuit durant sa carrière qui a pris fin en 1972 ?
WILLIE MAYS

248) QUEL historien français, grand communicateur et polémiste, nous racontait à la télévision de Radio-Canada durant les années 60, l'histoire des grands noms tels : Staline, De Gaulle, Hugo, Voltaire, Dieu et autres ?
HENRI GUILLEMIN

249) Ce romancier américain nous a donné *Battle Cry, Armageddon* et en 1958, *Exodus*, son œuvre la plus connue. QUI était-il ?
LEON URIS (bonne réponse=1 point de plus)

250) QUI a été la première chanteuse canadienne à atteindre en 1970, le chiffre d'un million de disques vendus aux États-Unis ? Et avec QUELLE chanson ?
ANNE MURRAY - SNOWBIRD (1 point par réponse)

251) Il a été le premier chef d'orchestre canadien à être fait chevalier. Il est décédé à l'âge de 80 ans en 1973. Il avait dirigé l'Orchestre symphonique de Toronto de 1931 à 1956. QUI était-il ?
SIR ERNEST MACMILLAN (bonne réponse=2 points de plus)

252) Entre 1967 et 1972, ce lanceur des Cubs de Chicago n'a jamais gagné moins de vingt matchs par saison. QUI était-il ?
FERGUSON JENKINS

253) Lorsque John Diefenbaker a été élu à la tête du Parti conservateur du Canada, à QUI a-t-il succédé ?
GEORGE DREW (démissionnaire)

254) QUI a écrit le livre *Un jour dans la vie d'Ivan Denissovitch*, publié en 1962 ?
ALEXANDRE SOLJENYTSINE

255) QUEL chef d'orchestre français était le préféré de la grande cantatrice Maria Callas et du compositeur Francis Poulenc ? Il a dirigé tous les grands orchestres d'Europe et d'Amérique du Nord.
GEORGES PRÊTRE (bonne réponse=2 points de plus)

256) La mission Apollo 8 ne devait pas aller vers la lune en 1968, mais l'imminence d'un lancement soviétique vers la lune a contraint les dirigeants de la N.A.S.A. à le faire par anticipation. Ce qui a été fait. QUI était le commandant de cette mission dans l'espace qui a permis aux Américains d'être les premiers à placer un vaisseau spatial habité en orbite autour de la lune ?

FRANK BORMANN (il est devenu plus tard président d'Eastern Airlines. Les 2 autres astronautes américains d'Apollo 8 étaient James Lovell et Bill Anders)

257) QUI a été nommé président de la société Radio-Canada en 1958 ?

ALPHONSE OUIMET

258) Cette lauréate allemande du prix Nobel de littérature en 1966 devient la sixième femme à mériter ce prix depuis le début du siècle. NOMMEZ cette femme qui a écrit *Présence à la nuit* en 1961 et *Signes sur le sable* en 1962.

NELLY SACHS (Juive allemande, elle a perdu son mari et ses fils, exterminés par les Nazis en 1940). (Bonne réponse=3 points de plus)

259) Après 50 ans d'existence, QUEL magazine à fort tirage publie son premier éditorial en novembre 1973 et dans lequel il demande la démission du président Richard Nixon ?

TIME

260) QUELLE remarquable sprinteuse américaine est devenue la première athlète de l'histoire des Jeux Olympiques à gagner consécutivement l'épreuve du 100 mètres aux Jeux de 1964 à Tokyo et de 1968 à Mexico ?

WYOMIA TYUS

261) QUEL homme d'affaires franco-ontarien, propriétaire d'une petite compagnie d'autobus, est parti de Sudbury pour venir fonder à Montréal à la fin des années 50, un empire financier ?

PAUL DESMARAIS (il a fondé Power Corporation, un holding commercial)

262) En 1960, la première pilule qui supprime l'ovulation est mise sur le marché. QUI l'a inventée ?

GREGORY PINCUS (Américain)

263) Une voix venue du sud de la France bouleverse les Américains en 1966. Lancée par le producteur Johnny Stark, ce nouveau phénomène vocal n'a que 19 ans et connaît déjà les honneurs de la télévision américaine. QUI est cette chanteuse ?

MIREILLE MATHIEU

264) En 1961, le président John Kennedy fait appel aux services d'un professeur de 37 ans de l'université Harvard, pour jouer le rôle de conseiller à temps partiel au sein du comité de la Sécurité nationale. De QUI s'agit-il ?

HENRY KISSINGER

265) QUELLE industrie de Montréal a été la première au pays à franchir le cap du milliard de dollars de ventes dans le monde en un an? C'était en 1965.

SEAGRAM'S

266) En 1970, ce chanteur canadien a écrit et enregistré la chanson *If you Could Read my Mind*, un disque qui a atteint le million d'exemplaires vendus l'année suivante. L'album du même titre a aussi atteint le million. QUI est cet artiste?

GORDON LIGHTFOOT

267) NOMMEZ le poète québécois qui a publié en 1970, *L'Homme rapaillé*, un recueil de poésie et de prose.

GASTON MIRON

268) QUEL acteur rendu célèbre par la radio et la télévision, partageait la vedette avec Walther Matthau dans le film de 1975, *The Sunshine Boys*?

GEORGE BURNS

269) QUI a composé la musique de la comédie musicale *Jésus Christ Superstar* et dont la première a eu lieu à Londres en 1971?

ANDREW LLOYD WEBBER

270) NOMMEZ la célèbre biologiste américaine qui est à l'origine du mouvement écologique moderne. Elle est l'auteur du livre *Silent Spring* de 1962 et dans lequel elle dénonce l'usage abusif de substances chimiques dangereuses.

RACHEL CARSON (sa lutte a contribué à l'interdiction de l'usage du D.D.T.). (Bonne réponse=3 points de plus)

271) En 1973, l'Espagne perd deux de ses plus grands artistes: le violoncelliste Pablo Casals et QUEL autre?

PABLO PICASSO (il avait 91 ans. Casals, 97 ans)

272) QUEL grand jazzman américain, décédé en 1974, n'aimait pas être qualifié de jazzman, car ses milliers de compositions touchaient au jazz, à la mélodie, à la chanson, à la symphonie et à la musique sacrée. Il aimait répéter qu'il «n'y avait que deux genres de musique: la bonne et la mauvaise». QUI était-il?

EDWARD ELLINGTON (dit Duke. Louis Armstrong l'a dit aussi, mais après Ellington)

273) D'abord poète puis romancier, cet artiste canadien s'est tourné vers la chanson en 1966 et il écrit *Suzanne* pour la chanteuse américaine Judy Collins. En 1967, il se fait connaître au Newport Folk Festival. Avec sa voix rauque et ses chansons sombres, il se gagne de nombreux admirateurs en Amérique du Nord et en Europe. QUI est cet artiste né à Montréal en 1934?

LEONARD COHEN

274) Un film de 1972, *Lady Sings the Blues* avec Diana Ross, est tiré de l'autobiographie de QUELLE chanteuse américaine célèbre des années 30-40-50?

BILLIE HOLIDAY

275) QUEL grand ténor italien a été le partenaire préféré du soprano Maria Callas sur les scènes de l'opéra, mais surtout pour les enregistrements de disques d'opéras durant les années 50 et le début des années 60?

GIUSEPPE DI STEFANO (bonne réponse=2 points de plus)

276) QUI jouait le rôle-titre du film de 1971, *Mon oncle Antoine*?

JEAN DUCEPPE

277) Ce grand aviateur américain, décédé en 1974, s'était opposé à l'entrée des États-Unis dans la guerre européenne en 1939-40-41, mais s'était rangé du côté de l'aviation lorsque la guerre a éclaté dans le Pacifique. Il s'est enrôlé à l'âge de 40 ans et a pris part à 50 missions de combat. QUI était-il?

CHARLES LINDBERGH

278) QUELLE compagnie a inventé et mis le magnétoscope sur le marché en 1972? Elle avait aussi inventé la cassette-audio en 1963.

PHILIPS (entreprise néerlandaise)

279) Cette Française a fondé en 1952 avec Jean-Jacques Servan-Schreiber, le magazine L'Express. Lorsque son partenaire se lance en politique en 1970, elle en devient la directrice. En 1974, elle quitte ce poste pour devenir secrétaire d'État à la condition féminine dans le gouvernement français. QUI est cette femme remarquable?

FRANÇOISE GIROUD (bonne réponse=2 points de plus)

280) QUI a été accusé et reconnu coupable d'avoir assassiné Martin Luther King à Memphis au Tennessee en 1968? Il a été condamné à la prison à vie.

JAMES EARL RAY

281) QUI a réalisé les trois premiers films de Clint Eastwood entre 1964 et 1966. Il s'agissait de films western tournés en Espagne. *A Fistfull of Dollars* était le titre du premier film.

SERGIO LEONE

282) QUI a composé la chanson *J'ai rencontré l'homme de ma vie* que Diane Dufresne a popularisée en 1972?

LUC PLAMONDON (il en a composé environ 70 pour Diane Dufresne)

283) QUEL lauréat du trophée Heisman remis au meilleur joueur de football collégial américain en 1972, a choisi de venir jouer à Montréal en 1973?

JOHNNY ROGERS (université du Nabraska)

284) QUEL historien québécois natif de la Martinique, a écrit *Maurice Duplessis l'homme et son temps*? Cette œuvre a été publiée en 1973 aux Éditions de l'homme.

   ROBERT RUMILLY

285) QUELLE grande pétrolière américaine a changé son nom pour celui de Exxon en 1972?

   STANDARD OIL (fondée par John Rockefeller)

286) QUI a été choisi pour présider la première Commission de la radiotélévision canadienne en 1968? Cet organisme remplaçait le Bureau des gouverneurs de la radiotélévision.

   PIERRE JUNEAU

287) En 1975, la reine Élisabeth d'Angleterre accorde le titre de Chevalier à ce grand acteur de naissance britannique âgé de 85 ans. QUI est-il?

   CHARLES CHAPLIN (il dit souhaiter qu'on l'appelle Sir Charles et non Charlie)

288) *Tinker, Tailor, Soldier, Spy* est un best-seller qui a été publié en 1974. Son auteur est britannique. Son véritable nom: David John Moore Carnwell. QUEL est son nom de romancier?

   JOHN LE CARRÉ

289) Entrée au sein du Comité international olympique en 1964, elle en devient la directrice générale en 1971? QUI est-elle?

   MONIQUE BERLIOUX (ancienne nageuse olympique française)

290) QUEL baryton américain est devenu le successeur de Leonard Warren et de Robert Merrill comme tête d'affiche du Metropolitan Opera de New York peu de temps après ses débuts en 1965?

   SHERRILL MILNES (musicien aussi, il peut jouer 11 instruments)

291) QUELLE compagnie québécoise productrice de papier, a été fondée en 1964 par la famille Lemaire? Elle s'est depuis implantée en France et aux États-Unis.

   CASCADES

292) QUELLE maison de haute couture française a mis sur le marché en 1966, le veston style-Nehru, marié à la chemise au col large et rigide?

   PIERRE CARDIN

293) DONNEZ le nom de famille de ces deux frères qui détenaient entre 1953 et 1959 deux des plus importants postes au sein du gouvernement américain: directeur du C.I.A. et secrétaire d'État.

   DULLES (Allen, C.I.A. - John Foster, secrétaire d'État)

294) Symbole de la contestation des années 60 et 70, cette chanteuse américaine se rend à Hanoï en 1972 pour dénoncer la politique de son pays au Vietnam. En 1963, elle avait entonné avec des milliers de manifestants, le *We Shall Overcome* devant la Maison-Blanche au cours d'une manifestation pour protester contre la discrimination raciale. QUI était cette artiste à la guitare ?

JOAN BAEZ

295) Après un règne de 40 ans au sommet des corporations aux plus forts revenus annuels selon le magazine Fortune, General Motors perd son monopole aux mains de QUEL autre géant corporatif en 1975 ?

EXXON

296) Figure mythique de la danse américaine au tournant du siècle, elle commença dans les années 30 une nouvelle carrière influencée par la religion chrétienne. Elle a dansé en public jusqu'à l'âge de 80 ans. QUI était cette danseuse au nom français et qui est morte en 1968 à l'âge de 89 ans ?

RUTH SAINT DENIS (bonne réponse=3 points de plus)

297) QUI est l'auteur québécois du roman *Le Couteau sur la table*, publié en 1965 ?

JACQUES GODBOUT

298) QUEL chanteur rock britannique a quitté le groupe The Faces en 1975, pour entreprendre une carrière solo ?

ROD STEWART

299) En 1971, ce président du Conseil de l'U.R.S.S. a visité le premier ministre Trudeau à Ottawa, la seule visite jamais faite par un haut dirigeant de ce pays au Canada. QUI était ce visiteur ?

ALEXEI KOSSYGUINE

300) NOMMEZ la première cantatrice noire à chanter au festival de Bayreuth en Allemagne en 1961.

GRACE BUMBRY (bonne réponse=2 points de plus)

301) QUEL écrivain québécois a été nommé au sein du jury du prix littéraire Goncourt en 1974 ?

ROGER LEMELIN

302) QUEL lanceur a remporté 27 des 59 victoires des Phillies de Philadelphie de la ligue Nationale de baseball en 1972 dont 15 consécutivement ?

STEVE CARLTON (un gaucher)

303) QUEL chef d'orchestre a été le premier Canadien à gagner un trophée Grammy en 1960 ?

PERCY FAITH (pour sa pièce Summer Place). (Bonne réponse = 1 point de plus)

304) Lors du congrès au leadership du parti libéral du Québec en 1958, Jean Lesage a facilement été élu chef du parti devant deux autres candidats : René Hamel et QUEL autre qui allait devenir peu de temps après un des hommes du tonnerre du gouvernement Lesage ?

PAUL GÉRIN-LAJOIE

305) QUELLE députée irlandaise au parlement britannique, a été incarcérée en 1969 pour incitation à la violence ? Son arrestation a mené à des bagarres violentes à Belfast et à Londonderry qui ont fait 6 morts et des centaines de blessés.

BERNADETTE DEVLIN (bonne réponse=1 point de plus)

306) C'est en 1958, que le Congrès américain a accepté de créer un organisme fédéral pour diriger le programme spatial américain, la N.A.S.A.. QUE signifie cette abréviation ?

NATIONAL AERONAUTICAL SPACE ADMINISTRATION

307) QUEL chef d'orchestre a été l'inséparable compagnon du comédien Bob Hope durant 49 ans ? Partout où il allait, il était là pour l'accompagner.

LES BROWN (And his band of renown)

308) Premier député du Parti québécois à être élu en 1970, il démissionne de son poste de ministre de la réforme électorale et quitte la politique active en 1979. QUI était-il ?

ROBERT BURNS (député de Hochelaga-Maisonneuve)

309) QUEL chanteur québécois a fondé durant les années 60 la compagnie du Grand Opéra de Montréal ?

YOLAND GUÉRARD

310) Après avoir été ambassadeur des États-Unis à l'O.N.U. depuis 1971, il a été nommé par le président Gerald Ford à la tête de la C.I.A. en 1975, remplaçant William Colby, congédié par Ford. QUI est-il ?

GEORGE BUSH

311) NOMMEZ la chanteuse américaine qui détient le record du plus grand nombre de trophées Grammy (sept), à titre de meilleure interprète, remportés entre 1963 et 1986.

BARBRA STREISAND (dans 4 catégories)

312) **QUELLE** dirigeante d'un important pays asiatique, a été reconnue coupable en 1971 de corruption électorale par un haut tribunal du pays et bannie de tout poste politique public pour une période de 6 ans ? Peu de temps après, elle se donne des pouvoirs exceptionnels et retire la majorité des pouvoirs aux tribunaux.

INDIRA GHANDI (Entre 1971 et 1975, elle a aussi fait arrêter 676 adversaires politiques, a imposé la censure aux médias et a banni la plupart des organisations politiques)

313) De **QUELLE** populaire comédie musicale de 1957 la chanson *Maria* est-elle extraite ?

WEST SIDE STORY

314) **QUELLE** poétesse, critique et romancière polyvalente et prolifique canadienne, a publié au début des années 70 *The Edible Woman, Power Politics* et *You are Happy* ?

MARGARET ATWOOD (bonne réponse=2 points de plus)

315) **QUI** a été le premier joueur de baseball à intenter en 1970 une action judiciaire contre les ligues majeures de baseball alléguant que la clause de réserve du baseball majeur violait les lois anti-monopoles ?

CURT FLOOD (des Cards de Saint Louis)

316) La comédie musicale *Fiorello* présentée en première à New York en 1959, raconte la vie de **QUEL** célèbre maire de New York ?

LA GUARDIA (Fiorello est son prénom)

317) **QUEL** homme politique québécois a publié en 1965 le livre *Égalité ou Indépendance* pour contrer les refus du gouvernement fédéral de céder aux revendications légitimes des Québécois ?

DANIEL JOHNSON

318) Le président Harry Truman au piano et **QUEL** acteur au violon, ont donné un concert bénéfice pour l'orchestre philharmonique de Kansas City en 1958 ?

JACK BENNY

319) **QUI** a composé et interprété cette chanson en 1961 et dans laquelle il parle de « petits seins en forme d'accent aigu » ? **NOMMEZ** aussi la chanson.

LÉO FERRÉ - JOLIE MÔME (1 point par bonne réponse)

320) **QUEL** romancier et célèbre réalisateur de films durant les années 40 et 50, a écrit *The Arrangement*, le roman le plus vendu de l'année 1967 ?

ELIA KAZAN (bonne réponse=1 point de plus)

321) L'indice Dow Jones est le plus coté et le plus respecté de la bourse de New York. On retrouve en 2e place l'indice N.A.S.D.A.Q., fondé en 1971. QUEL est le nom complet de cette maison de données?

NATIONAL ASSOCIATION OF SECURITIES DEALERS AUTOMATED QUOTATIONS (bonne réponse=3 points de plus)

322) QUEL gouverneur de l'État de New York a été élu et réélu en 1958, 1962, 1966 et 1970?

NELSON ROCKEFELLER

323) QUEL Canadien a publié en 1971 le livre *Faces of our Time*, une collection de photographies de personnages célèbres?

YOUSUF KARSH

324) QUI est l'auteur du best-seller américain de 1970, *Everything you Wanted to Know about Sex but were Afraid to Ask*?

DAVID RUBEN (bonne réponse=1 point de plus)

325) QUEL quintette instrumental canadien a vu le jour en 1970, pour ensuite acquérir une réputation internationale qui durait toujours 30 ans plus tard?

CANADIAN BRASS

326) QUELLE importante chaîne d'hôtels a été achetée par la compagnie aérienne Trans World Airlines en 1967?

HILTON

327) C'est à l'émission de télévision *Stage Show*, qu'Elvis Presley a chanté son célèbre *Heartbreak Hotel* pour la première fois au petit écran. C'était en 1956 et les co-animateurs étaient frères et musiciens. NOMMEZ-les.

JIMMY ET TOMMY DORSEY

328) Avec son ouvrage littéraire de 1964, *Understanding the Media*, QUEL auteur canadien établit pour de bon son autorité internationale en communications?

MARSHALL MCLUHAN

329) NOMMEZ l'ex vice-roi de l'Inde et amiral de la flotte britannique durant la Deuxième Guerre mondiale qui a été tué en 1979, lorsqu'une bombe posée dans son yacht par des membres de l'I.R.A. a explosé.

LORD LOUIS MOUNTBATTEN

330) Il aura fallu attendre jusqu'en 1972 avant de voir une Québécoise être élue à la Chambre des communes. QUI détient cet honneur?

MONIQUE BÉGIN

331) QUELLE comédie musicale de Lerner and Loewe est présentée pour la 2,217e fois sur Broadway en 1962, un record absolu?

MY FAIR LADY

332) QUELLE remarquable skieuse a remporté la coupe du Monde de ski alpin de 1971 à 1975 en plus de deux médailles d'argent aux Olympiques de 1972 à Sapporo?

ANNEMARIE PROELL (en 1975, elle s'est mariée et est devenue Proell-Moser)

333) Ce fondateur a donné son nom à une maison d'édition française. QUI était cet homme dont le prénom était Gaston et qui est mort en 1975?

GALLIMARD

334) NOMMEZ l'astronaute qui après avoir été le premier Américain à flotter dans l'espace en 1965, a perdu la vie en 1967 lorsqu'une explosion s'est produite à bord du module de commande de ce qui allait devenir la première mission Apollo. L'accident a aussi tué deux autres astronautes alors que l'équipage était à l'entraînement au sol.

EDWARD WHITE (bonne réponse=2 points de plus)

335) Ce couple de chanteurs canadiens de musique country, a été le plus populaire au pays durant les années 60 et 70. QUI étaient-ils?

IAN ET SYLVIA TYSON

336) QUEL ex-joueur des Canadiens de Montréal est devenu président de l'équipe de baseball des Royaux de Montréal en 1956? Il était encore à ce poste lorsque l'équipe a cessé ses activités après la saison de 1960.

*ÉMILE **BUTCH** BOUCHARD*

337) Un sondage Gallup révèle que cette femme célèbre est proclamée pour une 13ᵉ fois la personnalité féminine la plus admirée des Américains en 1962. QUI est cette femme qui n'appartient pas au monde du spectacle?

ELEANOR ROOSEVELT

338) Pour la première fois de l'histoire de la mode, un mannequin noir, Beverley Johnson, paraît en page couverture d'un important magazine de mode américain en 1974. LEQUEL?

VOGUE

339) NOMMEZ le journaliste-columnist-correspondant-commentateur américain, qui a marqué la couverture politique américaine durant les années 40-50-60 par ses commentaires virulents. Reconnu pour son intégrité, il était respecté de tous. En 1948, il avait été pris à partie par le président Truman, qui n'avait pas apprécié un de ses articles qui paraissaient dans plus de 600 journaux.

DREW PEARSON (bonne réponse=2 points de plus)

340) NOMMEZ la joueuse qui a remporté le plus grand nombre de tournois de grand chelem en simple. Elle a réussi l'exploit entre 1960 et 1975.

MARGARET SMITH-COURT (24. Une Australienne)

341) Grâce à un ami et concitoyen de sa ville natale de Prince Albert en Saskatchewan qui l'a aidé financièrement, le ténor canadien John Vickers a vu ses efforts couronnés en 1960 lorsqu'il a fait ses débuts au Metropolitan Opera de New York. QUI était ce mécène ?

JOHN DIEFENBAKER

342) QUEL compositeur et premier guitariste de QUEL groupe rock britannique, a présenté avec succès en 1969 QUEL opéra au Metropolitan Opera de New York (un précédent) et au festival de Woodstock ?

PETER TOWNSHEND - THE WHO - TOMMY (2e et 3e réponse =2 points de plus chacun)

343) QUELLE compagnie a été la première à mettre un photocopieur sur le marché en 1960 ?

XEROX

344) Ce pianiste québécois composait alors qu'il était encore un jeune garçon. Puis il a étudié avec les meilleurs professeurs dont Arthur Honneger au début des années 50. De 1967 à 1973, il a été directeur du conservatoire de Montréal et a reçu le prix d'Europe en 1949 et le prix Calixa Lavallée en 1970. On lui doit des symphonies, des concertos pour piano ainsi que des œuvres vocales. QUI est ce musicien compositeur québécois ?

CLERMONT PÉPIN (bonne réponse=2 points de plus)

345) QUEL quart de la ligue Canadienne de football, a conduit ses équipes le plus souvent à la finale de la coupe Grey, 8 fois, entre 1954 et 1964 ?

BERNIE FALONEY (Edmonton, 1 fois et Hamilton, 7 fois. Il a gagné 3 fois)

346) QUEL entrepreneur du Nouveau-Brunswick a fondé en 1957 ce qui allait devenir une des plus importantes entreprises de denrées alimentaires en Amérique du Nord, en se spécialisant dans les produits congelés ?

HARRISON McCAIN

347) QUEL grand quotidien européen met fin à une pratique vieille de 178 ans en 1966, en consacrant sa première page aux nouvelles plutôt qu'aux petites annonces ?

LONDON TIMES

348) QUEL grand dirigeant politique a fait la déclaration suivante lors d'une réception tenue pour les ambassadeurs occidentaux en 1956 : « L'histoire est de notre côté. Nous allons vous enterrer » ?

NIKITA KHROUCHTCHEV (URSS)

349) En 1975, 70 mille abonnés utilisent ce nouveau mode de communication aux États-Unis. LEQUEL ?

LE FAX (courrier électronique. En 1982, il aura quintuplé)

350) Ces deux maisons de courtage québécoises fondées respectivement en 1902 et 1941, fusionnent leurs activités en 1963 et se donnent QUEL nom?

LÉVESQUE-BEAUBIEN (Jean-Louis Lévesque et Louis de Gaspé Beaubien)

351) QUEL pianiste canadien a reçu une critique élogieuse lors de sa tournée de concerts en U.R.S.S. en 1956?

GLEN GOULD

352) *Mémoires d'une jeune fille rangée*, est l'histoire de son auteure, enfant studieuse et choyée, qui a fait ensuite des études brillantes en philosophie à Paris. QUI est l'auteure de ce récit de 1958?

SIMONE DE BEAUVOIR

353) QUEL acteur canadien populaire de la télévision américaine a enregistré la chanson *Ringo* en 1964? À son grand étonnement, cette chanson qui était plutôt un monologue, s'est vendue à plus d'un million d'exemplaires.

LORNE GREENE

SPORTS

Chapitre IV

«La différence entre les grands marqueurs et les autres, c'est leur faculté de pouvoir changer d'idée en l'espace d'un clin d'œil au moment de tirer. Les grands marqueurs n'ont pas de recette préconçue pour marquer.»
Jacques Plante, gardien de buts. 1970

«Tenter de tromper la vigilance de Rod Carew avec un lancer, c'est comme tenter de faire passer un lever de soleil à l'insu d'un coq.»
Curt Simmons, ex-lanceur des Phillies de Philadelphie. 1974

«Le plus grand défi d'un entraineur, ce n'est pas seulement de gagner le championnat, c'est de le conserver l'année suivante.»
Marv Levy, entraineur-chef des Alouettes de Montréal, peu de temps après leur championnat en 1974.

Agent de bord: «Monsieur Ali, attachez votre ceinture de sécurité»
Muhammad Ali: «Superman n'a pas besoin de ceinture de sécurité».
Agent de bord: «Superman n'a pas besoin d'avion non plus».

SYNOPSIS

Il y a cinquante ans, les sports professionnels que dirigeaient des entrepreneurs impitoyables vivant dans les mêmes conventions inébranlables du premier demi-siècle, vivotaient au rythme de leurs moyens. Le baseball détenait le monopole de l'intérêt collectif avec seize formations qui n'avaient jamais songé à se refaire une beauté et encore moins à ajouter des nouvelles concessions. Le *National Pastime* ne jurait que par ses traditions et n'avait rien à craindre du football ou du basket-ball qui tentaient toujours de gagner un public quelconque. Quant au hockey, il demeurait au mieux une curiosité pour les populations de quatre villes du nord des États-Unis. Au Canada, il y avait les Canadiens, les Maple Leafs et la ligue Canadienne de football. Nous faisons abstraction bien sûr des équipes de calibre semi-professionnel et amateur qui faisaient leurs frais avec peu de moyens.

C'était l'époque de la radio. Après une entrée en scène discrète, la télévision est venue bouleverser l'échiquier des sports. Si bien qu'à partir du milieu des années 50 et de manière plus éclatante durant les années 60, la scène sportive a été transformée à un rythme endiablé. Déménagement des Yankees et des Dodgers, création de nouvelles concessions au baseball, au football et au hockey. Dans l'euphorie de la chasse à la poule aux œufs d'or, plusieurs se sont cassés les reins mais il n'y avait plus d'interrogations quant à la place qu'occuperaient les sports professionnels à la télé. Il suffisait de calmer les esprits d'entrepreneurs trop gourmands et naïfs et de ramener le marché à sa juste dimension. Ainsi, la ligue Américaine de football a épousé sa rivale Nationale pour ainsi doubler ses effectifs et le baseball s'est mis à courtiser tous les marchés susceptibles de lui faire une niche. Le hockey est passé de six à douze équipes en 1967 et cinq ans plus tard, un nouveau circuit, l'A.M.H., venait la gêner avec douze équipes de calibre inférieur, il est vrai, mais qui à coups de millions de dollars, allait forcer la ligue Nationale à faire une fusion afin d'éviter une surenchère devenue trop onéreuse. Le basketball pendant ce temps traînait de la patte avec la N.B.A. L'arrivée d'une 2e ligue (A.B.A.) en 1968 n'allait guère améliorer la situation. L'inévitable fusion des deux circuits allait se faire à la fin des années 70.

La télévision pendant ce temps se régalait de ses millions de dollars en droits exclusifs que se disputaient sans ménagement les équipes. Même les Jeux olympiques étaient devenus attrayants pour les diffuseurs. Dans la foulée de cette ruée vers une présence télévisée quelconque pour un public assoiffé de sports, les diffuseurs se sont tournés vers le golf, le tennis, les courses de tout genre et même les sports amateurs. La folie était devenue contagieuse en Amérique et personne ne s'en plaignait. Dorénavant, tout devenait accessible à tous.

Ce phénomène allait toutefois provoquer des remous au sein des équipes. Si les revenus étaient devenus vertigineux pour les propriétaires, c'est que le spectacle était de qualité. Et les acteurs, eux, ceux qui offraient le spectacle, qu'en pensaient-ils ? N'avaient-ils pas droit à un partage plus équitable des profits ?

La contestation des droits acquis des propriétaires sur le statut des joueurs allait complètement transformer, à partir des années 70, l'image des sports professionnels et par extension, les salaires payés aux joueurs. La course aux millions avait complètement chambardé le décor empirique des magnats. Et qui était qualifié à la fois de grand innovateur et de grand coupable de cette situation ? La télévision. Les sports étaient devenus leur affaire. Sans elle, ils allaient « crever ».

Il ne faudrait quand même pas oublier que durant cette période de gestation des sports professionnels, de grands noms d'athlètes ont surgi et des moments inoubliables de grandes confrontations ont été enregistrés par douzaines. Une période échevelée que celle allant de 1956 à 1975. Faisons grâce de la litanie des noms, trop nombreux à rappeler. Dans ce chapitre, vous en retrouverez un bon nombre, peu importe la discipline, l'endroit et l'année. Bons souvenirs à tous.

DEGRÉ DE DIFFICULTÉ - Moyen pour les amoureux du sport. Pour les autres, un risque de cauchemar.

NOMBRE DE QUESTIONS - 568

QUESTIONS RÉSERVÉES AU CANADA - 190 (dont 89 au Québec)

POURCENTAGE SUR 700 - 33,4 %

1) QUELLE skieuse canadienne a remporté la médaille d'or en slalom aux Jeux Olympiques de Squaw Valley aux États-Unis en 1960 ?

   ANN HEGGTVEIT (d'Ottawa. Elle était la première canadienne à gagner une médaille d'or olympique en ski)

2) QUEL joueur des Canadiens de Montréal a marqué 15 buts en 17 rencontres, lors des éliminatoires de 1973 contre les Black Hawks de Chicago ? Le Tricolore a gagné la coupe Stanley en six matchs.

   YVAN COURNOYER

3) OÙ et QUAND le premier match de la Coupe Grey disputé un dimanche a-t-il été présenté ?

   MONTRÉAL (Autostade) 1969 - (un point par réponse)

4) Ce jockey a annoncé sa retraite en mars 1966. En 40 ans de courses, il a conduit 6032 chevaux à la victoire, un sommet. QUI était-il ?

   JOHNNY LONGDEN (bonne réponse=1 point de plus)

5) Bobby Riggs, ce tennisman américain de 55 ans, a gagné son match contre la meilleure boursière du tennis féminin, lors d'une rencontre organisée par Riggs en mars 1973 dans le but de démontrer la supériorité du tennis masculin. QUI a été vaincue par cet ancien champion de Wimbledon et de Forest Hills ?

   MARGARET SMITH-COURT (l'enjeu était une bourse de 10 mille dollars)

6) QUEL joueur de hockey a été le seul à gagner 4 coupes Stanley avec chacune de deux équipes différentes durant les années 50 et 60 ? Donc, 8 en tout.

   RED KELLY (4 avec Détroit entre 1950 et 1955 et 4 avec Toronto entre 1962 et 1967)

7) En août 1957, le président des Giants de New York annonce que son équipe déménagera sa concession de la ligue Nationale de baseball à San Francisco en 1958. QUI était ce président des Giants ?

   HORACE STONEHAM (bonne réponse=2 points de plus)

8) Cette patineuse canadienne a gagné le championnat du monde de patinage artistique en 1965 à Colorado Springs, ainsi qu'une médaille de bronze aux Jeux Olympiques de 1964 à Innsbruck en Autriche. QUI est-elle ?

   PETRA BURKA

9) QUI a été le premier Noir à être nommé gérant d'une équipe de baseball majeur en 1974 ? Et avec QUELLE équipe ?

   FRANK ROBINSON (joueur gérant) - INDIENS DE CLEVELAND (1 point par réponse)

10) En QUELLE année les Royaux de Montréal ont-ils mis fin à leurs activités dans la ligue Internationale de baseball?

EN 1960 (jeu de 1 an + ou - alloué)

11) QUEL skieur autrichien a été banni des Jeux Olympiques de Sapporo au Japon en 1972, pour avoir enfreint le code de la commandite?

KARL SCHRANZ (il affichait clairement des noms de commanditaires sur ses vêtements et son équipement de ski. Il a servi de bouc émissaire pour d'autres athlètes tout aussi coupables)

12) L'Association des joueurs de la ligue Nationale de hockey a été formée en 1957. QUI en a été le premier président?

TED LINDSAY (les dirigeants de la ligue ne lui ont jamais pardonné)

13) NOMMEZ le sprinter canadien qui a inscrit un record du monde dans le 100 mètres en 1959. Il a couru la distance en 10 secondes.

HARRY JEROME

14) Le record de la ligue Canadienne de football pour le nombre de verges gagnées au sol par un demi dans un seul match, appartient à QUEL joueur? Et de COMBIEN de verges est-il? Il a été inscrit en 1960.

RON STEWART (RRiders d'Ottawa). 286 VERGES (il a été établi contre les Alouettes de Montréal au stade Molson) (jeu de 15 verges + ou - alloué). (2 réponses = 3 points)

15) Ce joueur des Packers de Green Bay a établi un record de points de la ligue Nationale de football en 1960 avec un total de 176. QUI était-il?

PAUL HORNUNG (demi à l'attaque et botteur de précision)

16) Pour la première fois en 60 ans, le baseball majeur élargit ses cadres en 1961. Ainsi, la ligue Américaine ajoute deux équipes: les Angels de la Californie et QUELLE autre?

LES TWINS DU MINNESOTA (elle hérite de l'équipe des Sénateurs de Washington. La capitale se donne alors une nouvelle équipe)

17) Ces deux sœurs skieuses ont gagné 5 médailles olympiques en ski alpin, dont 3 d'or aux Jeux de 1964 à Innsbruck et de Grenoble. QUEL était leur nom de famille?

GOITSCHEL (Les Françaises Christine et Marielle)

18) QUI a été la première femme à gagner 100,000 dollars en bourses dans les sports professionnels en 1971?

BILLIE JEAN KING (tennis professionnel)

19) Cet excellent receveur de passes des Colts de Baltimore a annoncé sa retraite du jeu actif à la fin de 1967. QUI était ce joueur, détenteur du record d'attrapés de la NFL à l'époque avec 631 ?
RAYMOND BERRY

20) QUEL lanceur de relève des Pirates de Pittsburgh a remporté 17 victoires consécutives en 1959 ? Il a terminé la saison avec 18 victoires et une défaite.
ELROY FACE

21) Les Ramparts de Québec ont remporté la coupe Memorial en 1971 après avoir battu Edmonton en finale canadienne. Mais pour y arriver, les Ramparts avec Guy Lafleur dans leur formation, avaient battu QUELLE équipe championne de l'Ontario avec Marcel Dionne au sein de l'équipe ?
ST CATHERINES (Black Hawks. Ils ont déclaré forfait alors que Québec menait la série 3 à 1)

22) QUELLE équipe a remporté le championnat de la N.B.A. (National Basketball Association) onze fois en 13 ans entre 1957 et 1969 ?
LES CELTICS DE BOSTON

23) Pour la première fois dans l'histoire du tournoi des Maîtres, c'est un étranger qui a gagné ce tournoi de golf du grand chelem en 1961 ? QUI était ce golfeur ?
GARY PLAYER (Sud-Africain)

24) QUEL nageur américain de style libre a gagné 4 médailles d'or et une d'argent aux Jeux de Tokyo en 1964 et une autre d'or en 1968 à Mexico ?
DON SCHOLLANDER (bonne réponse=2 points de plus)

25) QUI a été le dernier frappeur à gagner la triple couronne des frappeurs (MOY-CC-PP) dans la ligue Américaine et en QUELLE année ?
CARL YASTRZEMSKI - 1967 (un point par réponse)

26) C'est en janvier 1958 que le premier joueur de hockey noir a joué dans la ligue Nationale de hockey. QUI était-il ?
WILLIE O'REE (Bruins de Boston. 4 buts en 2 saisons). (Bonne réponse =2 points de plus)

27) Dans QUEL stade le match de la coupe Grey a-t-il été présenté en 1956, une première dans ce stade ?
STADE DE L'EXPOSITION NATIONALE DE TORONTO (Edmonton 50, Montréal 27) (auparavant, le match était disputé au Varsity stadium)

28) QUELLE golfeuse a été la première étrangère et la première recrue à gagner le championnat de la L.P.G.A. en 1968 ?
SANDRA POST (du Canada)

29) COMMENT se nommait le stade à San Francisco où les Giants ont disputé leurs matchs après leur déménagement de New York en 1958 ?
SEALS STADIUM (stade des Seals de SF de la ligue 3-A du Pacifique)

30) QUI a été la première plongeuse canadienne à gagner une médaille aux Olympiques ? C'était en 1956 à Melbourne en Australie.

IRENE MACDONALD (à la tour de 10 m). (Bonne réponse=2 points de plus)

31) Le record du plus long touché sur une course au sol de l'histoire de la coupe Grey, a été inscrit en 1968 par un demi des Rough Riders d'Ottawa contre les Stampeders de Calgary. Il est de 80 verges. QUI en est le détenteur ?

VIC WASHINGTON (bonne réponse=1 point de plus)

32) QUELLE équipe de la ligue Nationale a repêché Marcel Dionne en 1971 ?

LES RED WINGS DE DÉTROIT (de St Catherines de l'OHA)

33) QUELLE ville avait été officiellement choisie en 1970 pour présenter les Jeux Olympiques d'hiver en 1976 ?

DENVER (en 1973, les habitants du Colorado, par voie de référendum, ont refusé le plan de financement des jeux)

34) En octobre 1975, Muhammad Ali a défendu son titre mondial des poids-lourds pour une 4ᵉ fois en 10 mois, en l'emportant par KO contre Joe Frazier. OÙ a été disputé le combat ?

MANILLE (Philippines)

35) Après avoir gagné le tournoi des Maîtres du golf en 1968, ce golfeur a été pénalisé et rétrogradé au classement pour avoir signé une carte de marque erronée. QUI était-il ?

ROBERTO DI VICENZO (Argentin. Son score, compilé par un joueur de son groupe, le pénalisait d'un coup. Di Vicenzo n'a pas vu l'erreur et a signé la carte. Même s'il n'avait pas été favorisé par l'erreur, il a quand même été pénalisé et du même coup dépouillé du championnat)

36) Ce nouveau règlement de la ligue Nationale de hockey mis en vigueur en 1956, a provoqué la colère de l'entraîneur Toe Blake des Canadiens de Montréal. Il prétendait que sa puissante attaque venait d'être sérieusement affaiblie. De QUEL règlement s'agissait-il ?

LA FIN D'UNE PÉNALITÉ LORSQU'UN BUT ÉTAIT MARQUÉ EN SUPÉRIORITÉ NUMÉRIQUE

37) Les Canadiens de Montréal ont gagné quatre coupes Stanley entre 1967-68 et 1972-73, mais avec COMBIEN d'entraîneurs différents ! NOMMEZ-les.

QUATRE - TOE BLAKE (68) CLAUDE RUEL (69) AL MCNEIL (71) SCOTTY BOWMAN (73). (1 point par bonne réponse. Maximum de 5 points)

38) Le Canada n'a gagné qu'une seule médaille aux Jeux Olympiques d'hiver de Sapporo au Japon en 1972 .... une d'argent. QUI l'a gagnée ?

KAREN MAGNUSSEN (en patinage artistique). (Bonne réponse = 1 point de plus)

39) L'American Basketball League, fondée en 1961, a perdu un million et demi de dollars lors de sa première et seule saison. A mi-chemin de la seconde, elle a cessé ses activités. Le fondateur de cette ligue avait formé en 1927 la célèbre équipe Harlem Globetrotters. QUI était-il ?

ABE SAPERSTEIN (bonne réponse=1 point de plus)

40) QUEL entraîneur de football professionnel a dit en 1958 ? « Le football n'est pas un sport de contact. C'est un sport de collision. La danse est un sport de contact. »

VINCE LOMBARDI (entraîneur des Packers de Green Bay)

41) Le Canada a redoré son blason sur la scène du hockey international en 1959, en gagnant le championnat mondial de hockey amateur contre l'équipe de l'U.R.S.S. à Prague. En finale, le Canada a gagné 3 à 1. QUELLE équipe senior représentait notre pays ?

LES MACFARLANDS DE BELLEVILLE (Ontario). (Bonne réponse =3 points de plus)

42) QUEL lanceur des Cards de Saint-Louis a retiré 92 frappeurs sur des prises au cours des neuf matchs qu'il a lancés durant les séries mondiales de 1964, 1967 et 1968, dont 17 dans le premier match de la série de 68 contre Détroit ?

BOB GIBSON

43) QUEL gardien de but qui a joué durant 22 saisons pour 3 équipes dans la ligue Nationale entre 1952 et 1974, a toujours refusé de porter un masque protecteur ?

LORNE "GUMP" WORSLEY

44) Le premier Super Bowl du football américain a été gagné en 1967 par les Packers de Green Bay contre les Chiefs de Kansas City. Les Packers ont répété l'exploit en 1968. QUELLE équipe a été leur victime ?

LES RAIDERS D'OAKLAND (battus 33 à 14)

45) QUEL tennisman européen a gagné les Internationaux de tennis du Canada en 1967 et 1975, le premier depuis Robert Bédard en 57-58 à le gagner deux fois ?

MANUEL SANTANA (Espagnol)

46) Après avoir été président de l'Association canadienne de hockey amateur, ce Québécois a été nommé président de la Fédération internationale de hockey amateur, poste qu'il a occupé de 1957 à 1960. Il a été le seul Canadien à avoir détenu ce poste. De 1969 à 1975, il a présidé la nouvelle ligue de hockey junior majeure du Québec. QUI était-il ?

ROBERT LEBEL

47) NOMMEZ la première skieuse canadienne à gagner une médaille aux Jeux Olympiques : une médaille de bronze en 1956 aux Jeux de Cortina d'Ampezzo en Italie.

LUCILLE WHEELER (en descente)

48) QUEL joueur des Red Sox de Boston est devenu le premier à gagner les titres de recrue par excellence et de joueur le plus remarquable la même année, 1975 ?

FRED LYNN

49) Une seule femme de sang latin a réussi entre 1956 et 1975 à gagner le championnat en simple de Wimbledon. Elle l'a gagné trois fois en 1959, 1960 et 1964. QUI était-elle ?

MARIA BUENO (bonne réponse=1 point de plus)

50) QUEL homme d'affaires d'Ottawa est devenu propriétaire des Alouettes de Montréal en 1970 ? Le succès ne s'est pas fait attendre puisque les Alouettes ont gagné la coupe Grey la même année.

SAMUEL BERGER (mieux connu sous le nom de Sam)

51) QUEL pays a gagné la coupe du Monde de soccer en 1958 et 1962 ?

LE BRÉSIL

52) NOMMEZ la gymnaste russe qui a gagné le plus de médailles aux Jeux Olympiques d'été, tous sports confondus ainsi que le nombre.

LARISSA LATYNINA - DIX HUIT (dont 9 d'or). (4 points pour les 2 réponses)

53) COMBIEN de saisons de 20 victoires ou plus, le gaucher Warren Spahn des Braves de Boston et de Milwaukee, a-t-il remporté au cours de sa carrière de 24 ans dans la ligue Nationale de baseball entre 1942 et 1965 ?

TREIZE (jeu de 1 saison + ou - alloué)

54) En 1956, Floyd Patterson est devenu le plus jeune champion mondial des poids lourds grâce à une victoire par knockout au 5e round à Chicago contre QUI ?

ARCHIE MOORE (Patterson succédait à Rocky Marciano alors à la retraite)

55) C'est un amateur, un précédent, qui a gagné l'omnium de golf du Canada en 1956. Il a battu Dow Finsterwald au premier trou de prolongation. NOMMEZ-le.

DOUG SANDERS (Américain). (Bonne réponse=1 point de plus)

56) QUEL puissant cogneur des Sénateurs de Washington a réussi 10 coups de circuit en 6 matches consécutifs en 1968 ?

FRANK HOWARD (bonne réponse=2 points de plus)

57) Lorsque les organisateurs des Jeux Olympiques d'hiver de 1960 à Squaw Valley aux États-Unis ont refusé de construire une piste de bobsleigh, les dirigeants du CIO ont remplacé cette discipline par une autre qui n'avait jamais été au programme des Jeux et qu'on appelait la patrouille militaire dans les pays scandinaves où il était pratiqué. NOMMEZ ce sport.

LE BIATHLON (il est resté au programme et le bobsleigh est revenu en 64)

58) Contre toute attente, les Alouettes de Montréal ont gagné la Coupe Grey en 1970 contre les Stampeders de Calgary. QUI en était l'entraîneur?

SAM ETCHEVERRY (il ne l'avait jamais gagnée comme joueur en 3 occasions)

59) QUELLE équipe a vu quatre de ses joueurs terminer aux quatre premiers rangs des marqueurs (points) de la ligue Nationale de hockey en 1970-71? Pouvez-vous les NOMMER?

BRUINS DE BOSTON - ORR, ESPOSITO, BUCYK, HODGE - (1 point par réponse)

60) En 1964, ce pur-sang canadien, propriété de E.P. Taylor, est devenu le premier cheval canadien à gagner le derby du Kentucky. NOMMEZ-le.

NORTHERN DANCER

61) Sept ans après avoir été admise dans la ligue Nationale de baseball, cette équipe a remporté les honneurs de la série mondiale. NOMMEZ-la.

LES METS DE NEW YORK (en 1969)

62) QUEL coureur canadien a été le premier à courir la distance du mille en moins de quatre minutes en 1966 à San Diego?

DAVID BAILEY (3,59,1 - 12 ans après Roger Bannister). (Bonne réponse = 3 points de plus)

63) QUEL joueur de centre a été le seul de toute l'histoire de la ligue Nationale de hockey à gagner les trophées Hart, Ross et Byng deux années de suite, en 1967 et 1968?

STAN MIKITA (Hawks de Chicago)

64) NOMMEZ le joueur qui a été le plus souvent atteint par des lancers dans la ligue Nationale de baseball, 243 fois. Il a joué durant 12 saisons pour 5 équipes différentes entre 1963 et 1974.

RON HUNT (une des équipes était celle des Expos de Montréal)

65) Dans QUELLE ville européenne le Comité international olympique a-t-il choisi en 1970 la ville de Montréal pour tenir les Jeux Olympiques d'été de 1976?

AMSTERDAM (Moscou a terminé au 2e rang et Los Angeles, 3e)

66) NOMMEZ le golfeur canadien qui a terminé au 2e rang du tournoi des Maîtres à un coup du gagnant, George Archer, en 1969.

GEORGE KNUDSON

67) QUEL patineur canadien a été le premier à réussir un triple saut en patinage artistique lors des championnats du monde en 1962 à Prague? C'était un triple-Lutz.

DONALD JACKSON (c'était la première fois qu'il le tentait en compétition)

68) Le record de la ligue Nationale de hockey pour le nombre de jeux blancs a été inscrit en 1968. QUI en est le détenteur et de COMBIEN est-il?

TONY ESPOSITO (Chicago) -15 - (un point de plus pour le nombre)

69) QUEL joueur des Pirates de Pittsburgh détient seul l'incroyable record de sept coups sûrs dans un match de 9 manches? Ce joueur a réussi 4 simples, 2 doubles et un triple lors de ce match historique en 1975.

RENNIE STENNETT (bonne réponse=2 points de plus)

70) QUI a été le seul pilote automobile à gagner quatre fois les 500 milles d'Indianapolis? Trois de ces victoires ont été remportées durant les années 60.

A.J. FOYT (1961, 64, 67 et 77)

71) QUEL pur-sang a gagné la triple couronne du turf en 1973?

SECRETARIAT

72) C'est en 1972 à Munich que l'épreuve de haies pour femmes est passée à une distance de 100 mètres. QUELLE était la distance courue depuis 1932?

QUATRE-VINGTS MÈTRES (entre 1932 et 1968)

73) Après le *Mud Bowl* de 1950 et le *Fog Bowl* de 1962, COMMENT a-t-on appelé le match de la coupe Grey de 1965 entre Hamilton et Winnipeg à Toronto?

LE WIND BOWL (le vent ouest-est soufflait à une vélocité de 70KH)

74) OÙ a été disputé le premier Grand Prix du Canada de courses de Formule Un? Et en QUELLE année?

MOSPORT, ONTARIO - EN 1967 (deux points de plus pour la date)

75) NOMMEZ le golfeur américain, vainqueur de 11 tournois sur le circuit de la PGA dont l'Omnium britannique, qui a été tué dans un écrasement d'avion en 1966.

TONY LEMA

76) QUEL nouveau règlement révolutionnaire la ligue Américaine de baseball a-t-elle adopté en 1973?

CELUI DU FRAPPEUR DE CHOIX (aussi appelé frappeur désigné)

77) Commissaire du football de la ligue Nationale depuis 1946, il meurt en 1959. QUI était-il?

BERT BELL (Pete Rozelle lui succèdera)

78) En 1956, le Canada, les États-Unis et plusieurs nations européennes boycottent le Championnat du monde de hockey amateur à Moscou. POURQUOI?

POUR PROTESTER CONTRE LA RÉPRESSION DE L'U.R.S.S. EN HONGRIE

79) Cette américaine a été la première Noire à gagner le championnat de tennis de Wimbledon et l'Omnium de tennis des États-Unis à Forest Hills en 1957. QUI était-elle?

ALTHEA GIBSON

80) Ce joueur de basketball des Celtics de Boston a été proclamé le joueur le plus remarquable de la NBA en 1961, 62, 63 et 65. NOMMEZ-le.

BILL RUSSELL

81) Après avoir gagné la médaille de bronze en 1960 et 1962 et la médaille d'argent en 1963 et 1964, ce patineur français a finalement gagné l'or aux championnats mondiaux de patinage artistique en 1965 à Colorado Springs. La France n'a pas gagné un championnat masculin depuis lors. QUI était ce patineur?

ALAIN CALMAT (bonne réponse=2 points de plus)

82) QUEL joueur a remporté 7 fois en 10 ans le championnat des frappeurs de la ligue Américaine de baseball entre 1969 et 1978?

ROD CAREW (Twins du Minnesota)

83) C'est l'équipe de l'université Notre-Dame qui a mis fin en 1957 à la plus longue série de victoires consécutives de l'histoire du football collégial. Cette série était de 47 et était détenue par QUELLE université à forte tradition de football?

OKLAHOMA (Notre-Dame a gagné 7 à 0)

84) NOMMEZ le tennisman qui a gagné deux fois le grand chelem du tennis en 1962 et 1969. Du jamais vu.

ROD LAVER (d'Australie)

85) C'est l'équipe du Canadien junior qui a remporté la coupe Mémorial en 1958. Mais le Canadien junior de QUELLE ville?

HULL-OTTAWA (l'équipe avait déménagé à Ottawa-Hull en 1957)

86) Du jamais vu au baseball majeur: l'arbitre Ed Rommel a été le premier en 1956 à porter QUOI?

DES LUNETTES

87) La première Coupe du monde de ski alpin a été remise en 1967. QUELLE skieuse a été la première à la gagner?

NANCY GREENE (Canada. Elle l'a gagnée aussi en 1968)

88) QUEL futur acteur américain faisait partie de l'équipe olympique d'escrime des Jeux d'été de 1936 à Berlin? Durant les années 40, il a joué les rôles de *Robin des bois* et de *Chopin* à l'écran.

CORNELL WILDE (bonne réponse=2 points de plus)

89) QUI est le détenteur du record du plus grand nombre de coups de circuit durant les séries mondiales disputées entre 1951 et 1964?

MICKEY MANTLE (Yankees de New York, 18 CC - 12 séries)

90) Maurice Richard n'a jamais gagné le championnat des compteurs de la ligue Nationale durant sa carrière. COMBIEN de fois a-t-il terminé au 2e rang?

CINQ FOIS (la dernière fois en 1955)

91) Dick Pound, vice-président du Comité international olympique, a représenté le Canada lors des Jeux Olympiques de Rome en 1960. Dans QUEL sport?

LA NATATION (il a terminé 6e dans la finale du 100 mètres en 56,3 secondes)

92) QUEL coureur cycliste français a remporté l'épreuve du sprint de 1000 mètres aux Jeux Olympiques de 1968 à Mexico et de 1972 à Munich?

DANIEL MORELON

93) En QUELLE année les Black Hawks ont-ils remporté leur dernière coupe Stanley?

1961

94) Rod Laver a remporté les honneurs du tournoi de Wimbledon 4 fois entre 1961 et 1969. QUEL autre joueur australien l'a gagné trois fois entre 1967 et 1971?

JOHN NEWCOMBE (réputé pour son puissant service)

95) QUEL Britannique a remporté le championnat du monde des conducteurs de Grand Prix en 1969, 1971 et 1973?

JACKIE STEWART (Écossais)

96) OÙ ont été présentés les premiers Jeux du Canada en 1967? Il s'agissait de Jeux d'hiver.

QUÉBEC

97) QUELLE équipe a remporté la première coupe Grey de son histoire en 1966?

LES ROUGH RIDERS DE LA SASKATCHEWAN (contre Ottawa 29-14)

98) QUEL lanceur gaucher de la ligue Nationale a été le premier de l'histoire des majeures, à retirer 19 frappeurs sur des prises dans un match de 9 manches en 1969?

STEVE CARLTON (Cards de Saint Louis)

99) COMMENT se nommait le tournoi de golf gagné par Jocelyne Bourassa en prolongation contre Sandra Haynie et Judy Rankin en 1973 au club Municipal de Montréal?

LA CANADIENNE (ce titre a été remplacé en 1974 par la Classique Du Maurier)

100) QUELLE équipe de la ligue de hockey Junior majeure du Québec a remporté la coupe Mémorial en 1972? Pourtant, elle ne jouait pas ses matchs locaux dans une ville québécoise.

LES ROYALS DE CORNWALL (Ontario)

101) Lorsque Toe Blake a gagné sa dernière coupe Stanley comme entraîneur des Canadiens de Montréal en 1967-68, il avait atteint QUEL total de coupes comme joueur et entraîneur?

ONZE (dont 3 comme joueur avec les Maroons et le Tricolore)

102) Lorsqu'il a gagné l'Omnium britannique de golf en 1965, ce golfeur australien ef était à sa 5e victoire à ce prestigieux tournoi. QUI était-il?

PETER THOMSON (bonne réponse=2 points de plus)

103) Avec QUELLE équipe universitaire le quart Russ Jackson a-t-il joué son football collégial avant d'être acquis par Ottawa en 1958?

McMASTER DE HAMILTON (en mathématiques)

104) Le championnat en simple messieurs des Internationaux de tennis des États-Unis à Forest Hills, a été gagné par des étrangers de 1956 à 1967. QUEL joueur a redonné le championnat aux États-Unis en 1968?

ARTHUR ASHE

105) Lorsque le pur-sang Secrétariat a gagné la triple couronne du turf en 1973, il a couronné son exploit par une victoire en un temps record lors de la 3e course, les Stakes Belmont de New York. Mais ce qui a été le plus remarquable fut sa marge victorieuse sur le 2e pur-sang. De COMBIEN de longueurs a-t-elle été? De 14, 23 ou 31 longueurs?

TRENTE ET UNE LONGUEURS

106) C'est au volant d'une Ford GT40 que ce conducteur belge a remporté le premier de six championnats aux 24 heures du Mans. QUI est-il?

JACKIE ICKX

107) Entre 1961 et 1966, ce receveur de passes des Patriotes de Boston de la ligue Américaine de football, a été couronné champion marqueur du circuit à 5 reprises. Il était aussi le botteur de précision des Patriotes. QUI était-il ?

GINO CAPPELLETTI (bonne réponse=1 point de plus)

108) QUEL joueur a marqué six buts au cours d'un même match en 1968, le premier à réussir cet exploit depuis 1944 ?

RED BERENSON (Blues de Saint Louis)

109) Le Canada n'a gagné qu'une seule médaille d'or aux Jeux Olympiques d'été de 1968 à Mexico. Dans QUELLE discipline ?

ÉQUITATION (Grand Prix de sauts d'obstacles)

110) OÙ ont été présentés les premiers Jeux d'hiver du Québec en 1973 ?

SAINT GEORGES DE BEAUCE (bonne réponse=1 point de plus)

111) NOMMEZ le lanceur qui en 1963 a remporté 25 victoires, subi 5 revers, retiré 306 frappeurs sur des prises, conservé une MPM de 1,88 par match et remporté le trophée Cy Young.

SANDY KOUFAX (Dodgers de Los Angeles)

112) QUI a été le premier joueur noir à gagner le trophée Schenley à titre de joueur le plus remarquable de la ligue Canadienne de football en 1962 ?

GEORGE DIXON (demi à l'attaque des Alouettes de Montréal)

113) Lors du premier Grand Prix du Canada de Formule Un sur le circuit de l'île Notre Dame à Montréal en 1978, en QUELLE position Gilles Villeneuve a-t-il terminé ?

CINQUIÈME

114) En 1974, ce Brésilien a été nommé président de la Fédération Internationale de football amateur. QUI était-il ?

JOAO HAVELANGE (il a présidé la FIFA durant 24 ans)

115) QUELLE célèbre course de stock-cars a été instituée en 1959 aux États-Unis ?

DAYTONA 500 (longue de 500 milles)

116) NOMMEZ l'équipe des ligues majeures qui a été la dernière à mettre sous contrat un joueur noir. C'était en 1958, 11 ans après Jackie Robinson.

RED SOX DE BOSTON (Pumpsie Green, un réserviste). (Bonne réponse = 2 points de plus)

117) NOMMEZ la Française qui a été la seule golfeuse amateur de toute l'histoire de l'Omnium de golf féminin des États-Unis à gagner ce tournoi en 1967 ?

CATHERINE LACOSTE (fille du célèbre tennisman René Lacoste)

118) Lors des Jeux Olympiques d'été de 1956 à Melbourne en Australie, les lois sévères empêchant l'entrée d'animaux dans ce pays ont forcé les dirigeants à présenter les épreuves d'équitation dans une ville européenne. LAQUELLE ?
STOCKHOLM

119) COMMENT Toe Blake a-t-il hérité du nom de « Toe » ? Son vrai prénom est « Hector ».
DE SA JEUNE SOEUR (qui n'arrivait pas à prononcer la lettre « R » de Hector lorsqu'il était encore un jeune homme)

120) QUI a cogné le coup de circuit de la victoire en 9e manche du 7e match de la série mondiale de 1960 entre les Pirates de Pittsburgh et les Yankees de New York ?
BILL MAZEROSKI (des Pirates de Pittsburgh qui ont gagné 10 à 9)

121) Entre 1969 et 1974, cet athlète remarquable a gagné 5 fois le Tour de France cycliste. QUI était-il ?
EDDIE MERCKX (Belgique)

122) QUEL quart arrière a réussi le plus grand nombre de passes de touchés dans un seul match de la ligue Canadienne de football en 1962 ? Il en a réussi 8.
JOE ZUGER (Tiger-Cats de Hamilton)

123) QUEL golfeur américain a remporté en 1975 le premier de cinq Omniums de golf britannique ?
TOM WATSON

124) NOMMEZ le skieur italien qui a remporté trois fois la coupe du Monde de ski alpin entre 1971 et 1975.
GUSTAVO THOENI

125) QUELLE équipe n'est restée qu'une saison dans la ligue Américaine de baseball en 1969 ? L'année suivante, elle déménageait à Milwaukee.
SEATTLE (Pilots)

126) NOMMEZ le boxeur cubain qui est mort après avoir été mis hors de combat par l'américain Émile Griffith lors d'un combat de catégorie « welter » à New York en 1962.
BENNY KID PARET (bonne réponse=2 points de plus)

127) QUELLE remarquable sprinteuse américaine a gagné les épreuves du 100 ET 200 mètres en athlétisme aux Jeux Olympiques de Rome en 1960 ?
WILMA RUDOLPH (20e de 22 enfants, elle pesait 4 1/2 livres à la naissance. Elle a souffert de la polio, d'une double pneumonie et de la fièvre scarlatine lui causant la perte de la jambe gauche. À l'âge de 11 ans, après des années de soins et d'exercices, elle a retrouvé l'usage de sa jambe)

128) QUELLE ligue professionnelle de hockey a vu le jour en 1959 sur l'initiative de Sammy Pollock, alors directeur général des Canadiens juniors de Hull-Ottawa ? Six équipes dont celle de Hull-Ottawa en faisaient partie.

LA LIGUE DE HOCKEY PROFESSIONNEL DE L'EST (les autres équipes étaient celles de Montréal, Sudbury, Kingston, Sault-Ste-Marie et Trois-Rivières. Elle a disparu après la saison 63-64)

129) QUEL joueur a gagné le plus de trophées Schenley entre 1953 et 1970 ? Et COMBIEN ?

RUSS JACKSON (Ottawa) SEPT (3 comme joueur le plus remarquable et 4 à titre de meilleur joueur canadien). (2e réponse = 2 points de plus)

130) Lorsque Roger Maris a éclipsé la marque de Babe Ruth pour le nombre de coups de circuit en une saison en 1961, COMBIEN de buts sur balles intentionnels lui ont été accordés durant la saison ? Aucun, 2 OU 5 ?

AUCUN (Mickey Mantle le suivait dans le rôle des frappeurs)

131) C'est en 1971 que cette ville québécoise a présenté pour la première fois son Grand Prix de voitures de courses. NOMMEZ cette ville.

TROIS-RIVIÈRES

132) QUEL était le nom du trophée remis à l'équipe championne de l'Association mondiale de hockey à partir de 1973 ?

LA COUPE AVCO

133) Cette gymnaste européenne a gagné trois médailles d'or aux Jeux Olympiques d'été de 1964 à Tokyo et quatre autres aux Jeux de 1968 à Mexico. QUI était cette athlète remarquable ?

VERA CASLAVSKA (de Tchécoslovaquie. Elle en a aussi gagné 5 d'argent)

134) QUI a été le seul golfeur gaucher de l'histoire du golf à remporter les honneurs d'un tournoi du grand chelem ? C'était en 1968 à l'Omnium de Grande-Bretagne.

BOB CHARLES

135) NOMMEZ le joueur de baseball des Royaux de Montréal qui a abandonné ce sport pour devenir acteur à la télévision américaine en 1958.

CHUCK CONNORS (il était la vedette de la série western The Rifleman)

136) Lorsque les habitants du Colorado ont refusé par voie de référendum en 1973 la tenue des Jeux Olympiques d'hiver de 1976, QUELLE autre ville a accepté d'en assurer la présentation ?

INNSBRUCK (Autriche. Elle avait tenu les jeux de 1964)

137) Il s'appelait Edson Arantes do Nascimento. QUEL était le nom par lequel il était connu à travers le monde ?

PELÉ (Brésilien. Célèbre joueur de soccer)

138) QUEL joueur des Packers de Green Bay a reçu le titre de joueur par excellence lors des deux premiers Super Bowl en 1967 et 1968?

BART STARR (le quart des Packers)

139) QUEL golfeur canadien a remporté deux fois le championnat amateur de golf des États-Unis en 1966 et 1971, ainsi que le championnat amateur du Canada en 1961, un exploit sans précédent pour un golfeur canadien?

GARY COWAN (bonne réponse=1 point de plus)

140) En 1968-69, trois attaquants détenaient la marque de 50 buts en une saison: Maurice Richard, Bernard Geoffrion et Bobby Hull. En mars 1969 cette marque est tombée. Le nouveau recordman en a réussi 54. QUI est-il?

BOBBY HULL (des Hawks de Chicago)

141) Les A's d'Oakland ont gagné la série mondiale du baseball en 1972, 73 et 74. QUI était leur gérant?

DICK WILLIAMS

142) Ce demi à l'attaque des Argonautes de Toronto a gagné plus de 13 mille verges par la course et par la passe au cours de sa carrière entre 1954 et 1965, le 2ᵉ total de la ligue Canadienne de football après George Reed. QUI était ce joueur polyvalent?

DICK SHATTO

143) QUI était l'adversaire de Sugar Ray Robinson en 1958 lorsque Robinson a reconquis pour une 5ᵉ fois le championnat mondial des mi-lourds par décision unanime à Chicago?

CARMEN BASILIO

144) NOMMEZ le tennisman espagnol qui a battu Jimmy Connors en finale des Internationaux de tennis des États-Unis en 1975.

MANUEL ORANTES (bonne réponse=1 point de plus)

145) C'est en 1971 qu'une équipe américaine s'est rendue en Chine pour y disputer une série amicale de matchs aux joueurs chinois, une première étape vers la reprise des relations diplomatiques entre les deux pays. QUELLE discipline sportive a été disputée par les deux équipes à Pékin?

LE TENNIS DE TABLE

146) QUI a été le premier golfeur noir à gagner un tournoi du circuit de la PGA en 1957?

CHARLIE SIFFORD (Long Beach Open)

147) Un record de points a été inscrit par Wilt Chamberlain des Warriors de Philadelphie en 1962. QUEL a été ce record?

100 POINTS DANS UN MÊME MATCH

148) QUELLE équipe de la ligue Canadienne de football a remporté la première coupe Grey de son histoire en 1964?

LES LIONS DE LA COLOMBIE-BRITANNIQUE (contre Hamilton)

149) NOMMEZ le premier défenseur à gagner le championnat des pointeurs de la ligue Nationale de hockey en 1969-70. COMBIEN de fois a-t-il réussi?

BOBBY ORR - DEUX FOIS (1969-70 et 1974-75). (1 point par bonne réponse)

150) QUELLE gymnaste russe a remporté le concours complet des épreuves de gymnastique olympique aux Jeux de Munich en 1972 en plus du championnat du monde? Pourtant, toute l'attention du public à Munich avait été réservée à la jeune merveille russe, Olga Korbut.

LYUDMILLA TURISCHEVA (bonne réponse=2 points de plus)

151) Cette patineuse américaine a remporté 5 championnats du monde consécutifs de patinage artistique entre 1956 et 1960. QUI était-elle?

CAROL HEISS (bonne réponse=2 points de plus)

152) QUEL futur joueur d'attaque des Canadiens de Montréal a porté l'uniforme de l'équipe de hockey du Canada aux Jeux Olympiques d'hiver de 1960 à Squaw Valley aux États-Unis?

ROBERT ROUSSEAU (le Canada a gagné la médaille d'argent, les États-Unis, l'or)

153) Les Tigers de Détroit ont gagné la série mondiale de baseball de 1968 contre les Cards de Saint Louis grâce à QUEL lanceur qui a gagné trois matches?

MICKEY LOLICH (un gaucher)

154) Le premier Grand Prix du Canada a été présenté sur la piste de Mosport en Ontario en 1967. QUEL pilote a remporté la victoire?

JACK BRABHAM (Australien). (Bonne réponse=1 point de plus)

155) En QUELLE année Maurice Richard a-t-il annoncé sa retraite du jeu actif?

1960 (au camp d'entraînement en septembre)

156) QUI a été le deuxième golfeur canadien après Al Balding l'année précédente à gagner un tournoi de la P.G.A. en 1957?

STAN LEONARD (le Greater Greensboro Open). (Bonne réponse = 1 point de plus)

157) QUI a réussi le premier coup de circuit de l'histoire des Expos de Montréal contre les Mets de New York le 8 avril 1969 au stade Shea?

DAN McGINN (un lanceur. À la 3ᵉ manche du 1ᵉʳ match de l'histoire des Expos)

158) Cette nageuse australienne de style libre a gagné la médaille d'or Olympique aux 100 mètres des Jeux de 1956 à Melbourne, de 1960 à Rome et de 1964 à Tokyo, du jamais vu. QUI était cette athlète remarquable?

DAWN FRASER

159) Pour avoir parié sur le résultats des matchs de la NFL, ces deux joueurs sont suspendus pour un an. Paul Hornung des Packers de Green Bay en est un. QUI est l'autre?

ALEX KARRAS (des Lions de Détroit)

160) Des 49 victoires remportées par Rocky Marciano au cours de sa carrière durant laquelle il n'a jamais été battu, COMBIEN ont été acquises par KO?

QUARANTE-TROIS (jeu de 2 combats + ou - alloué)

161) QUEL joueur des Canadiens de Montréal a gagné le championnat des pointeurs de la ligue Nationale de hockey en 1956?

JEAN BÉLIVEAU (avec 88 points)

162) Ce joueur d'inter (arrêt court) de la ligue Nationale de baseball a cogné 512 circuits au cours de sa carrière de 19 ans, un sommet pour un joueur d'inter. QUI était-il?

ERNIE BANKS

163) QUEL demi à l'attaque des Ti-Cats de Hamilton a marqué deux touchés dans la victoire de son équipe, lors du match de la coupe Grey contre Winnipeg, 32 à 7 en 1957? Ce joueur a aussi joué avec Saskatchewan et Toronto avant de jouer avec les Bills de Buffalo de la NFL au début des années 60.

COOKIE GILCHRIST

164) NOMMEZ la skieuse canadienne qui a été la première à gagner un Championnat mondial de ski alpin. C'était en 1958 en slalom géant et en descente en Autriche.

LUCILLE WHEELER

165) NOMMEZ le premier golfeur professionnel noir à être invité à jouer dans le tournoi des Maîtres en 1975.

LEE ELDER (bonne réponse=1 point de plus)

166) Il est le seul plongeur à avoir gagné la médaille d'or à la tour de 10 mètres trois fois consécutives: en 1968 à Mexico, en 1972 à Munich et en 1976 à Montréal. QUI était ce plongeur européen?

KLAUS DIBIASI (d'Italie). (Bonne réponse=2 points de plus)

167) QUEL lanceur a été victime du 61e coup de circuit de Roger Maris des Yankees de New York en 1961?

TRACY STALLARD (Red Sox de Boston)

168) NOMMEZ la patineuse qui a gagné le championnat mondial de patinage artistique en 1966, 1967 et 1968 ainsi que la médaille d'or aux Jeux Olympiques d'hiver à Grenoble en 68.

PEGGY FLEMING (des États-Unis)

169) En 1961, le Canada gagne le Championnat mondial de hockey amateur à Genève en Suisse. QUELLE équipe senior de l'ouest canadien représentait le Canada à ce tournoi ?

SMOKE EATERS DE TRAIL (Colombie-Britannique). (Bonne réponse = 1 point de plus)

170) Ce grand champion québécois de lutte professionnelle, a disputé son dernier combat en 1957 à Québec en faisant équipe avec Jean Rougeau. QUI était ce lutteur qui avait commencé sa carrière en 1931 ?

YVON ROBERT

171) Le trophée Cy Young a été remis pour la première fois en 1956. À cette époque, un seul trophée était à l'enjeu pour les deux ligues. QUI a été le premier récipiendaire ?

DON NEWCOMBE (des Dodgers de Brooklyn)

172) QUEL joueur des Vikings du Minnesota détient le record de la ligue Nationale de football pour le nombre de matches disputés ; 282 ? Il a commencé sa carrière en 1961.

JIM MARSHALL (a pris sa retraite en 1978) (bonne réponse=1 point de plus)

173) QUI était le directeur gérant des Alouettes de Montréal lorsqu'ils ont gagné la coupe Grey en 1970 contre les Stampeders de Calgary ?

RED O'QUINN (ex-receveur étoile des Alouettes durant les années 50)

174) QUELLE équipe de l'expansion de 1967 dans la ligue Nationale de hockey a été la première à gagner la coupe Stanley ? Et en QUELLE année ?

LES FLYERS DE PHILADELPHIE - En 1973-74 (1 point par réponse)

175) C'est dans l'est du pays qu'ont été présentés les premiers Jeux d'été du Canada en 1969 ? Dans QUELLE ville ?

HALIFAX

176) Lorsque la ville de Houston a accueilli sa première équipe dans la ligue Nationale de baseball en 1962, COMMENT s'appelait-elle ?

COLTS 45 (en 65, elle a adopté le nom de Astros)

177) QUEL boxeur cubain a remporté la médaille d'or chez les poids lourds aux Jeux Olympiques de 1972 à Munich, exploit qu'il allait répéter en 76 et 80 ?

TEOFILO STEVENSON

178) À l'âge de 13 ans, ce prodige du basketball mesurait 6 pieds 8 pouces. À l'université U.C.L.A., il a conduit son équipe à trois championnats consécutifs de la N.C.A.A. entre 1967 et 1969. En 1970, avec Milwaukee de la N.B.A., il a gagné le titre de recrue de l'année avec 2,361 points. QUI était ce joueur?

LEW ALCINDOR (en 69, il est devenu Kareem Abdul-Jabbar)

179) NOMMEZ le coureur français qui a inscrit un record du monde dans l'épreuve du mille en 1965? Il a couru la distance en 3 minutes, 53 secondes et 3/5.

MICHEL JAZY (bonne réponse=1 point de plus)

180) En 1970, ce botteur des Saints de la Nouvelle-Orléans a réussi le plus long botté de précision de l'histoire de la N.F.L.: 63 verges. QUI était-il?

TOM DEMPSEY (il portait une chaussure spéciale parce que son pied était plus court que l'autre)

181) QUEL champion boxeur américain a été tué dans un accident d'avion en 1969, dix ans après avoir annoncé sa retraite?

ROCKY MARCIANO

182) Pour la première fois de l'histoire de Wimbledon, deux représentants de l'Amérique du Sud gagnent les simples masculin et féminin. NOMMEZ-les ainsi que leurs pays d'origine.

ALEX OLMEDO - PÉROU - MARIA BUENO - BRÉSIL - (4 bonnes réponses =5 points)

183) QUEL cogneur des Expos de Montréal, a été la vedette offensive lors du match d'ouverture de la première saison des Expos au parc Jarry, en 1969 contre les Cards de Saint Louis? Les Expos ont gagné le match 8 à 7.

MACK JONES (il a produit 5 points à l'aide d'un circuit et d'un triple)

184) QUEL attaquant a été le meilleur marqueur (points) des Canadiens de Montréal durant la saison 64-65? Il a aussi été choisi dans la 1re équipe d'étoiles.

CLAUDE PROVOST (64 points dont 27 buts)

185) QUEL sprinter non américain autre que Percy Williams du Canada en 1928, a réussi à gagner les épreuves du 100 et 200 mètres en athlétisme, lors des Jeux Olympiques de Munich en 1972?

VALERY BORSOV (d'U.R.S.S.). (Bonne réponse=2 points de plus)

186) Ce lanceur des Expos de Montréal a perdu 22 matchs en 1974. QUI était-il?

STEVE RODGERS (il en a gagné 15)

187) Le Québécois Robert Cléroux a gagné le Championnat canadien des poids lourds en 1960 contre QUEL adversaire?

GEORGE CHUVALO

188) NOMMEZ le pilote automobile qui a gagné le Championnat du monde de Formule Un ainsi que les 500 milles d'Indianapolis en 1965.

JIM CLARK (Grande-Bretagne)

189) QUI a été le premier golfeur étranger à gagner le championnat de golf de la PGA américaine en 1962?

GARY PLAYER

190) Ce gardien de buts de la ligue Nationale en a surpris plus d'un en 1972, lorsqu'il a décidé de faire le saut dans l'Association mondiale de hockey avec les Blazers de Philadelphie. QUI était-il?

BERNARD PARENT (il n'a joué qu'une saison avant de revenir à la LNH)

191) QUELLE jeune skieuse canadienne de la région de Hull-Ottawa a remporté le championnat du monde de ski alpin en slalom géant en 1970 à Val Gardena en Italie?

BETSY CLIFFORD (bonne réponse=3 points de plus)

192) On a dit de lui qu'il a été le plus grand coureur à n'avoir jamais gagné une médaille d'or olympique. Cet athlète américain a couru le mille en 3,51,1 en 1966, un record mondial qui a tenu durant 5 ans. QUI était-il?

JIM RYUN (il a gagné une médaille d'argent à Mexico en 68 et rien à Montréal en 76)

193) QUEL lanceur gaucher des Pirates de Pittsburgh a lancé 12 manches parfaites en 1959 contre les Braves de Milwaukee, mais à perdu 1 à 0 à la 13ᵉ manche?

HARVEY HADDIX (son rival Lew Burdette a accordé 13 c.s. mais a gagné)

194) Lorsque Sam Etcheverry et Hal Patterson ont été échangés aux Tigers-Cats de Hamilton en 1960, les Alouettes de Montréal ont obtenu en retour le quart Bernie Faloney et QUEL autre joueur?

DON PAQUETTE (un joueur de ligne défensif)

195) QUI était le gardien numéro un des Canadiens de Montréal lors de leurs quatre conquêtes de la coupe Stanley durant les années 60?

LORNE WORSLEY

196) NOMMEZ la joueuse de tennis australienne qui a été la 2ᵉ de l'histoire à gagner le grand chelem de tennis en simple, en 1970.

MARGARET SMITH-COURT (Maureen Connelly l'avait réussi en 53)

197) C'est en 1960 aux Jeux Olympiques d'été de Rome que le Canada a gagné le moins de médailles de son histoire des Jeux d'été. COMBIEN?

UNE (d'argent)

198) Sam Snead a gagné son dernier tournoi au circuit de la PGA en 1965, le Greater Greensboro Open. COMBIEN en a-t-il gagnés au cours de sa prodigieuse carrière, un chiffre record qui tient toujours?

QUATRE-VINGT UN (Jeu de 6 + ou - alloué)

199) En 1962, le Canadien Donald Jackson a gagné le championnat du monde de patinage artistique. L'année suivante, un autre Canadien du même prénom a gagné ce même championnat. De QUI s'agit-il?

DONALD MCPHERSON

200) NOMMEZ le frappeur des Braves de Milwaukee qui a cogné un circuit de 3 points à la 13e manche contre Harvey Haddix des Pirates de Pittsburgh en 1959, après que Haddix eut retiré les 36 frappeurs qui lui faisaient face jusque-là. Pourtant, son circuit a été transformé en double d'un point.

JOE ADCOCK (Il a été crédité d'un double, parce que le coureur qui le précédait sur les buts (Hank Aaron) s'est dirigé vers l'abri des joueurs après avoir touché le 2e coussin. Et au lieu de 3 points produits, Adcock n'a été crédité que d'un point. Marque finale: 1 à 0 au lieu de 3 à 0)

201) Gagnant de 14 courses d'autos Grand Prix, il s'est rétabli d'un grave accident en 1969 pour gagner l'épreuve des 24 heures du Mans en 1972. En 1975, il a été tué lorsque son avion s'est écrasé dans le brouillard. QUI était-il?

GRAHAM HILL (coureur automobile britannique)

202) QUELLE skieuse suisse a gagné deux médailles d'or en descente et en slalom géant aux Jeux Olympiques d'hiver à Sapporo au Japon en 1972?

MARIE-THÉRÈSE NADIG (bonne réponse=1 point de plus)

203) QUEL demi à l'attaque a gagné le championnat des compteurs de la ligue Nationale de football 8 fois en 9 ans entre 1957 et 1965, pour ensuite annoncer sa retraite à l'âge de 29 ans?

JIM BROWN (Browns de Cleveland)

204) QUEL joueur de tennis a gagné le plus de championnats en simple dans les tournois du grand chelem et COMBIEN? Il a accompli l'exploit durant les années 60.

ROY EMERSON - DOUZE (2 points de plus pour la 2e réponse)

205) QUEL joueur a été le premier à recevoir le trophée Conn Smythe, attribué au joueur par excellence durant les séries éliminatoires de la ligue Nationale de hockey? Il a été remis pour la première fois en 1965.

JEAN BÉLIVEAU

206) QUELLE équipe a enregistré le plus grand nombre de défaites de l'histoire des ligues majeures durant les années 60 et COMBIEN ?

METS DE NEW YORK (en 1962 - CENT VINGT (2 points de plus pour la 2e réponse)

207) Le temps de moins de 3 minutes 50 secondes sur la distance du mille, a été battu pour la première fois en 1975. QUEL coureur a réussi cet exploit ?

JOHN WALKER (Nouvelle-Zélande. Temps de 3 minutes 49 secondes 2/5)

208) Pour la première fois depuis 1940, le match de la coupe Grey a été disputé dans cette ville en 1967. LAQUELLE ?

OTTAWA (Hamilton a défait la Saskatchewan 24 à 1)

209) QUEL athlète américain a été le premier à utiliser le style dorsal dans l'épreuve du saut en hauteur lors des Jeux Olympiques de Mexico en 1968 ? Avec un saut de 2 mètres 24, il a gagné la médaille d'or.

*DICK FOSBURY (on a appelé son style le **Fosbury Flop**)*

210) Mark Spitz a gagné 7 médailles d'or aux Jeux Olympiques de 1972 à Munich. Trois de ces médailles ont été gagnées dans les relais. Des 4 médailles gagnées dans les épreuves individuelles, 2 ont été remportées en style libre. Dans QUELLE épreuve a-t-il gagné les deux autres ?

PAPILLON (100 et 200 mètres)

211) QUI a été le dernier joueur des Canadiens à marquer 5 buts dans un seul match ? C'était en 1964 contre les Wings de Détroit.

ROBERT ROUSSEAU (contre le gardien Roger Crozier). (Bonne réponse = 1 point de plus)

212) QUEL champion frappeur à 7 reprises de la ligue Nationale de baseball a cogné le plus grand nombre de circuits dans les matchs d'étoiles ? Il en a réussi six entre 1948 et 1960.

STAN MUSIAL (bonne réponse=1 point de plus)

213) QUEL coureur automobile australien s'est tué au cours d'une séance d'entraînement en Angleterre en 1970 ? Son nom est resté associé au sport.

BRUCE McLAREN (il a donné son nom à plusieurs bolides célèbres)

214) Wilt Chamberlain des Warriors de Philadelphie a établi une marque de tous les temps en 1961-62 pour la moyenne de points par match dans la N.B.A. QUELLE était cette marque ? 39, 44 OU 50 ?

CINQUANTE

215) Lorsqu'il a pris sa retraite du jeu actif en 1965, ce joueur tout étoile des Argonauts de Toronto avait marqué le plus de touchés de toute l'histoire du football professionnel canadien : 91. QUI était-il ?

DICK SHATTO

216) En gagnant l'omnium de golf des États-Unis en 1965, ce golfeur devient le 3ᵉ de l'histoire à gagner le grand chelem du golf professionnel après Gene Sarazen et Ben Hogan. QUI est-il?

GARY PLAYER (Sud-Africain)

217) QUEL tennisman est devenu le premier joueur à gagner l'Omnium de tennis des États-Unis trois années consécutives en 1975?

JIMMY CONNORS

218) QUI est devenu commissaire de la ligue Nationale de football en 1960 lorsque Bert Bell est décédé l'année précédente?

PETE ROZELLE

219) QUELLE Britannique, un exploit rare pour ce pays, gagne l'Omnium de tennis des États-Unis en 1968 contre l'Américaine Billie Jean King?

VIRGINIA WADE

220) QUEL lanceur des Braves de Milwaukee a remporté trois victoires lors de la série mondiale de 1957 contre les Yankees de New York?

LEW BURDETTE (il a lancé les 9 manches de chaque match)

221) Deux médaillés américains du 200 mètres des Jeux de Mexico en 1968, ont été expulsés du village olympique et de l'équipe américaine après avoir brandi leurs poings vers le ciel en hommage au *Black Power* alors qu'ils étaient sur le podium et qu'on jouait l'hymne national américain. Un s'appelait John Carlos. COMMENT se nommait l'autre?

TOMMY SMITH (bonne réponse=1 point de plus)

222) QUEL joueur détient le record du plus grand nombre de matchs disputés par un défenseur dans la ligue Nationale de hockey: 1446? Il a terminé sa carrière de 24 ans en 1974 et a porté les couleurs de quatre équipes différentes.

TIM HORTON (il a passé le gros de sa carrière avec les Leafs de Toronto)

223) En cinq Jeux Olympiques d'hiver entre 1956 et 1972, c'est l'U.R.S.S. qui a gagné le plus de médailles à 4 de ces Jeux. NOMMEZ la nation qui lui a ravi ce titre à Grenoble en 1968.

LA NORVÈGE

224) QUELLE Canadienne a remporté le championnat mondial de patinage artistique en 1973?

KAREN MAGNUSSEN (aussi 5 fois championne canadienne)

225) QUI a été le premier choix des Expos de Montréal à leur premier repêchage lors de la formation de l'équipe en 1968?

MANNY MOTA (de Pittsburgh)

226) Paul Henderson a marqué le but de la victoire lors du 8e et dernier match de la série du siècle en 1972 entre le Canada et l'U.R.S.S.. QUI a marqué le but gagnant pour le Canada lors des 6e et 7e matchs à Moscou?

PAUL HENDERSON

227) En 1961, le premier match de l'histoire de la coupe Grey à se rendre en prolongation est gagné par les Blues Bombers de Winnipeg 21 à 14, contre Hamilton grâce à un touché du quart des Bombers. QUI était ce joueur?

KENNY PLOEN

228) QUEL golfeur professionnel canadien a inscrit le meilleur score individuel lors du tournoi de la Coupe du monde de golf disputé à Rome en 1968? Et en faisant équipe avec George Knudson, le Canada a gagné la coupe du Monde pour la première fois depuis sa création en 1953.

AL BALDING

229) QUEL pilote néo-zélandais au volant d'une Mclaren Ford a remporté les honneurs du Grand Prix du Canada sur la piste du Mont-Tremblant en 1968?

DENNIS HULME (bonne réponse=1 point de plus)

230) NOMMEZ la nageuse canadienne qui, entre 1966 et 1968, a inscrit quatre records du monde dans les épreuves de 100 et 200 mètres dos et 200 mètres papillon.

ELAINE TANNER

231) Aux Jeux Olympiques d'hiver d'Innsbruck en Autriche en 1964, le Canada a connu son pire classement de son histoire au hockey. OÙ a-t-il terminé?

QUATRIÈME

232) C'est un boxeur italien qui a remporté le championnat mondial des poids moyens en 1968. Il a battu l'américain Don Fullmer par décision unanime de 15 rounds. QUI était ce boxeur?

NINO BENVENUTI (bonne réponse=1 point de plus)

233) QUEL couple soviétique a gagné la médaille d'or dans l'épreuve du couple aux Jeux Olympiques d'hiver en 1964 à Innsbruck et en 1968 à Grenoble?

LYUDMILA BELOUSSOVA et OLEG PROTOPOPOV
(bonne réponse =2 points de plus)

234) En 1969, première saison des Expos de Montréal dans la ligue Nationale de baseball, c'est un joueur recrue qui a produit le plus de points. QUI était-il?

COCO LABOY (il en a produit 83)

235) Après le baseball et le football, c'est au tour du basketball de faire son entrée en Californie. La ville de Los Angeles hérite en 1960 des Lakers. De QUELLE ville venait cette concession?

MINNEAPOLIS

236) Entre 1958 et 1963, QUELLE équipe a participé cinq fois à la finale de la ligue Nationale de football sans en gagner une seule?

GIANTS DE NEW YORK

237) QUELLE équipe a remporté le championnat de la ligue Nationale de hockey pour la première fois de son histoire, celui de la saison régulière en 1967?

LES BLACK HAWKS DE CHICAGO (éliminés en demi-finale)

238) Pendant longtemps, courir le mille en moins de 4 minutes ou atteindre 17 pieds au saut à la perche, nous apparaissaient comme des objectifs impossibles à atteindre. Mais en 1966, un athlète américain a réussi un saut de 17 pieds et 3/4 de pouce lors d'une compétition intérieure. QUI est-il?

BOB SEAGREN (bonne réponse=1 point de plus)

239) En QUELLE année le tournoi de championnat de tennis des États-Unis a-t-il été ouvert à tous y compris les professionnels? Il est alors devenu Omnium.

1968 (jeu d'un an + ou - alloué)

240) Le pur-sang canadien Northern Dancer a gagné trois de quatre importantes et prestigieuses courses en 1964: le derby du Kentucky, le Queen's Plate et QUELLE autre épreuve?

LE PREAKNESS (à Baltimore. Il a terminé 4ᵉ aux Belmont Stakes)

241) Ce remarquable frappeur a réussi 521 circuits au cours de sa carrière qui a pris fin en 1960, même s'il a été absent du jeu durant près de 5 ans. Il a pris part au 2ᵉ conflit mondial et à la guerre de Corée. QUI était-il?

TED WILLIAMS (il était pilote de chasse dans le US Marine Corps)

242) Le grand chelem des courses de la Nascar (stock cars) est composé du Daytona 500, le World 600 (Charlotte, C.N.), le Southern 500 (Darlington, C.S.) et QUELLE autre, la plus jeune des quatre et inaugurée en 1969?

TALLEDEGA 500 (Alabama)

243) COMMENT se nommait l'équipe d'Ottawa qui faisait partie de l'Association mondiale de hockey lors de sa fondation en 1972?

LES NATIONALS (bonne réponse=1 points de plus)

244) Pour la première fois depuis leur création en 1930, les Jeux du Commonwealth de 1966 ne sont pas présentés au Canada, en Australie, en Nouvelle-Zélande ou en Grande-Bretagne. OÙ ont-ils été disputés?

EN JAMAÏQUE (à Kingston, la capitale)

245) En 1967, l'Omnium de golf du Canada été disputé au club Municipal de Montréal. QUI l'a gagné en prolongation contre Art Wall Jr?

BILLY CASPER

246) Entre 1972 et 1975, ce lanceur de la ligue Américaine a remporté 90 victoires et subi seulement 38 défaites avec deux équipes. Il a aussi réussi un match parfait en 1968. QUI était ce lanceur dont le salaire en 1975 était le plus élevé de l'histoire du baseball?

*JIM **CATFISH** HUNTER*

247) Dans QUELLE petite ville de la Nouvelle-Angleterre Muhammad Ali a-t-il mis Sonny Liston hors de combat dès le premier round en 1965? Il s'agissait d'un combat revanche entre les deux poids lourds.

LEWISTON, MAINE

248) COMBIEN de médailles (or, argent et bronze) le Canada a-t-il gagnées en patinage de vitesse féminin entre 1924 et 1972? Aucune, 2 OU 5?

AUCUNE

249) QUEL directeur-gérant de la ligue Américaine de baseball des années 1940, 1950 et 1960 a été un des grands innovateurs du baseball? Il a été le premier à faire imprimer le nom des joueurs de Chicago en 1960 sur le dos des uniformes.

BILL VEECK (Browns de Saint Louis, Indiens de Cleveland, W. Sox de Chicago)

250) QUI a été le premier entraîneur des Nordiques de Québec lors de la première saison de l'Association mondiale de hockey en 1972?

MAURICE RICHARD (il a abandonné son poste après 2 matchs)

251) QUI était le tsar et président de la Fédération internationale de hockey amateur en 1970, lorsque le Canada a décidé de se retirer de toutes les compétitions de hockey international et olympique parce que le C.I.O. lui refusait le droit d'utiliser des joueurs professionnels?

BUNNY AHEARNE (bonne réponse=2 points de plus)

252) En 1967, la ligue Canadienne de football a été dirigée en alternance par trois commissaires dont Ted Workman et Allen McEachern. Le premier à hériter du poste était un sénateur. QUI était ce commissaire qui n'a fait que passer?

KEITH DAVEY (en 1968, Jake Gaudaur a été nommé commissaire)

253) Le record de buts volés en une saison dans la ligue Nationale de baseball a été inscrit en 1974. Il est de 118. QUI en était le détenteur?

LOU BROCK

254) NOMMEZ le brillant joueur des Celtics de Boston de la N.B.A. qui a mis fin à sa carrière en 1963, après avoir aidé on équipe à gagner un 5e championnat consécutif. Il jouait au poste de garde.

BOB COUSY

255) NOMMEZ le brillant demi à l'attaque et receveur de passes des Colts de Baltimore qui, en 12 années de carrière entre 1956 et 1967, a marqué 106 touchés dont 63 au sol.

LENNY MOORE

256) En 1970, l'australienne Margaret Court a gagné les Internationaux de tennis du Canada. QUELLE joueuse québécoise a gagné le championnat national la même année ?

ANDRÉE MARTIN

257) Le championnat du monde de curling a été gagné 12 fois en 14 ans par le Canada entre 1959 et 1972. NOMMEZ le skip de l'équipe de la Saskatchewan qui en a gagné 4 en 5 ans à partir de 1959 ?

ERNIE RICHARDSON (bonne réponse=2 points de plus)

258) QUI a succédé à Toe Blake au poste d'entraîneur des Canadiens de Montréal au début de la saison 1968 ?

CLAUDE RUEL (Blake avait pris sa retraite)

259) Deux équipes qui n'ont pas gagné la coupe Grey depuis 1948 et 1952 respectivement, s'affrontent lors de cette grande finale à Vancouver en 1971. QUI a gagné et QUI a perdu ?

CALGARY 14 TORONTO 11 (1 point de plus pour le nom du perdant)

260) NOMMEZ l'athlète allemande qui est devenue en 1972 la plus jeune de toute l'histoire des Jeux Olympiques d'été à gagner une médaille d'or dans une épreuve individuelle ? C'était dans l'épreuve du saut en hauteur à Munich et elle avait 16 ans.

ULRIKE MEYFARTH (bonne réponse=2 points de plus)

261) Lee Trevino a remporté l'Omnium de golf du Canada en 1971 sur QUEL terrain du Québec ?

LA VALLÉE DU RICHELIEU

262) QUI a choisi de déménager la concession des Dodgers de Brooklyn à Los Angeles en 1958 et dites POURQUOI, à l'intérieur du problème économique, a-t-il pris la décision de quitter Brooklyn ?

WALTER O'MALLEY – (Propriétaire et président de l'équipe) – EN 1955, LA VILLE DE NEW YORK AVAIT REFUSÉ DE CONTRIBUER À LA CONSTRUCTION D'UN STADE COUVERT À BROOKLYN (le stade Ebbets Field était vétuste et ne pouvait accueillir plus de 36 000 spectateurs)

263) QUEL promoteur téméraire a créé coup sur coup durant les années 1960, la World Football League et l'American Football Association ainsi que l'Association mondiale de hockey en 1972 ?

GARY DAVIDSON (bonne réponse = 2 points de plus)

264) Dans le bobsleigh à deux et à quatre, cet athlète italien a gagné 6 médailles aux Jeux d'hiver de 1956, 1964 et 1968: deux d'or, deux d'argent et deux de bronze. QUI était-il?

EUGENIO MONTI (bonne réponse=2 points de plus)

265) QUELLE association américaine de voitures de courses a été créée en 1948?

NASCAR (North American Stock Car Association)

266) Les Mets de New York, champions de la série mondiale de 1969, pouvaient compter sur trois excellents lanceurs partants: Jerry Koosman, Tom Seaver et QUEL autre?

NOLAN RYAN

267) En QUELLE année les dirigeants du prestigieux tournoi de tennis de Wimbledon ont-ils finalement admis les joueurs professionnels et accepté d'accorder des bourses d'argent aux vainqueurs?

1967 (Jeu de 1 an + ou - alloué)

268) QUI a été le premier marqueur de 50 buts des Flyers de Philadelphie en 1973?

RICK MACLEISH (il en a marqué 50)

269) QUEL brillant secondeur intérieur des Stampeders de Calgary durant 12 saisons de 1961 à 1972 a été choisi au sein de l'équipe d'étoiles de la ligue Canadienne de football à 8 reprises?

WAYNE HARRIS (bonne réponse=1 point de plus)

270) En 1960, à Squaw Valley aux États-Unis, les deux Allemagnes, politiquement indépendantes depuis 1953, ont continué à présenter une équipe unifiée. Or, il était impossible de jouer un seul hymne national. QUELLE musique a été choisie pour couronner les cérémonies de remise de leurs médailles?

UN EXTRAIT DE LA 9ᵉ SYMPHONIE DE BEETHOVEN

271) NOMMEZ le gagnant du trophée Heisman en 1963 et gagnant de deux Super Bowls en janvier de 1972 et 1978.

ROGER STAUBACH (Cowboys de Dallas)

272) Dans QUELLE ville de Grande-Bretagne ont été présentés les Jeux de l'Empire britannique et du Commonwealth en 1958?

CARDIFF (Pays de Galles)

273) QUEL golfeur américain a gagné deux fois l'Omnium de golf du Canada en 1973 et 1975, aux clubs de la Vallée du Richelieu et Royal Montréal?

TOM WEISKOPF (en 1975, en prolongation contre Jack Nicklaus)

274) NOMMEZ le coureur néo-zélandais qui a réussi un record mondial dans l'épreuve du mille en 1964 en un temps de 3 minutes et 54,1 secondes.

PETER SNELL (bonne réponse=1 point de plus)

275) En 1967-68, la ligue Nationale de hockey ajoute six équipes à ses cadres: Philadelphie, Pittsburgh, Los Angeles, Oakland, Saint Louis et QUELLE autre?
MINNESOTA (North Stars)

276) QUEL pur-sang a gagné le derby du Kentucky en 1968 pour ensuite le perdre à la suite d'une analyse d'urine révélant la présence d'une drogue antidouleur? Sept mois plus tard, une enquête blanchit les responsables et le gagnant conserve son titre.
DANCER'S IMAGE (mais la bourse du vainqueur ne lui a pas été remise).
(Bonne réponse=3 points de plus)

277) Pendant six saisons durant les années 50, l'équipe de baseball de Cincinnati a changé son nom de Reds pour Redlegs. POURQUOI?
*AU PLUS FORT DE LA GUERRE FROIDE ET DE LA MENACE NUCLÉAIRE, LE MOT **REDS** ÉTAIT SYNONYME DE COMMUNISTE*

278) La jeune gymnaste soviétique, Olga Korbut, a volé la vedette aux Jeux Olympiques de Munich en 1972, mais c'est une Allemande de l'Est qui a gagné le plus de médailles individuelles: cinq. QUI était-elle?
KARIN JANZ (2 d'or, 2 d'argent et 1 de bronze. Korbut en a gagné 4 et Ludmila Tourescheva, 4). (Bonne réponse=3 points de plus)

279) QUEL patineur a remporté en 1971 son premier de six Championnats canadiens consécutifs de patinage artistique?
TOLLER CRANSTON

280) En 40 ans, le trophée Heisman n'a jamais été gagné deux fois par le même joueur. QUI a créé le précédent en le gagnant en 1974 et 1975?
ARCHIE GRIFFIN (demi à l'attaque d'Ohio State)

281) QUEL défenseur de la ligue Nationale de hockey s'est fracturé le cou en 1963 et a vu sa carrière prendre fin?
LOU FONTINATO (des Canadiens de Montréal)

282) La soviétique Lydia Skoblikova a été la première athlète à gagner 4 médailles d'or lors des Jeux Olympiques d'hiver. C'était en 1964 à Innsbruck. Dans QUEL sport a-t-elle réalisé son exploit?
PATINAGE DE VITESSE (elle en avait gagné 2 autres en 1960 à Squaw Valley)

283) QUI a inventé en 1966 le poteau sur une seule base pour les bottés de précision au football? Le premier a été installé à l'Autostade Montréal et peu de temps après au stade de l'Orange Bowl à Miami.
JIM TRIMBLE (ex-entraîneur des Ti-Cats de Hamilton et des Alouettes de Montréal)

284) NOMMEZ le coureur américain qui a gagné le premier de ses quatre marathons de Boston en 1975, avec un temps éblouissant de 2 heure 9 minutes 55 secondes.

BILL RODGERS

285) Après Ernie Richardson au début des années 60, QUEL skip de l'Alberta a dominé le curling canadien entre 1966 et 1969 ?

RON NORTHCOTT

286) COMBIEN de buts Jean Béliveau a-t-il marqué au cours de sa carrière entre 1951 et 1971 ?

CINQ CENT SEPT

287) QUEL pilote automobile autrichien a remporté le championnat du Monde des conducteurs en 1970 ? Il a été tué peu de temps après lors d'une course.

JOCHEN RINDT (bonne réponse=2 points de plus)

288) QUEL lanceur a été le premier à gagner trois fois le trophée Cy Young depuis sa création en 1956 ? Rappelons que de 1956 à 1966, ce trophée n'était présenté qu'à un seul lanceur des ligues majeures.

SANDY KOUFAX (1963, 1965, 1966. Dès 1967, chaque ligue a eu droit à un gagnant de ce trophée)

289) Entre 1956 et 1971, le simple masculin de tennis à Wimbledon a été gagné 13 fois en 16 années par des Australiens. QUI a été le seul Américain à gagner ce tournoi durant cette période ? C'était en 1963 ?

CHUCK MCKINLEY (bonne réponse=2 points de plus)

290) QUEL demi à l'attaque de la ligue Nationale de football détient la meilleure moyenne de verges gagnées par course en une saison ? Elle est de 6,4 verges et a été réussie en 1963.

JIM BROWN (Browns de Cleveland)

291) QUELLE golfeuse professionnelle américaine a gagné 33 tournois du circuit de la LPGA en 1961, 62 et 63 ?

MICKEY WRIGHT (bonne réponse=1 point de plus)

292) Le trio d'attaquants des Bruins de Boston de la fin des années 50 qu'on avait surnommé « The Uke Line » était composé de Johnny Bucyk, de Bronco Horvath et de QUI ?

*VIC STASIUK (**Uke** est un diminutif de Ukrainian)*

293) QUEL joueur a marqué 86 touchés en 8 saisons avec les Lions de la Colombie-Britannique entre 1959 et 1968, un record d'équipe ?

WILLIE FLEMING (demi à l'attaque)

294) À QUELS Jeux Olympiques d'été Joe Frazier a-t-il remporté la médaille d'or chez les poids lourds ?

DE TOKYO (en 1964)

295) Après avoir rempli le rôle de commissaire du baseball majeur par intérim, il hérite officiellement de ce poste en 1969. QUI est-il ?

BOWIE KUHN

296) NOMMEZ celle qui a gagné le premier de six Championnats de tennis professionnels des États-Unis en 1975.

CHRIS EVERT

297) La ligue Nationale de hockey porte son total d'équipes à 16 en 1972-73 en ajoutant deux nouvelles équipes : les Islanders de New York et QUELLE autre ?

ATLANTA (Flames)

298) QUEL coureur australien a gagné la médaille d'or en un temps record du monde dans l'épreuve du 1500 mètres aux Jeux Olympiques de 1960 à Rome ?

HERB ELLIOTT (en 3 minutes, 35,6 secondes - Michel Jazy a gagné l'argent)

299) Dans QUELLE catégorie Cassius Clay a-t-il remporté sa médaille d'or à la boxe aux Jeux Olympiques de 1972 à Munich ?

POIDS MI-LOURD

300) Henri Richard a fait partie de onze formations gagnantes de la coupe Stanley à Montréal. NOMMEZ les deux joueurs des Canadiens qui en ont gagné 10.

JEAN BÉLIVEAU - YVAN COURNOYER (1 point par réponse)

301) Après avoir inscrit le meilleur score individuel lors du premier tournoi de la Coupe du monde de golf par équipe en 1954, ce golfeur professionnel canadien a répété l'exploit en 1958. QUI était-il ?

STAN LEONARD

302) Cette athlète native de Shawinigan a été une des plus polyvalentes du Canada. Elle a été championne canadienne de ski alpin en 1962 et 1964 et concurrente dans les trois disciplines de ski alpin aux Jeux Olympiques d'Innsbruck en 1964. En 1967 et 1968, elle est championne canadienne de luge et se classe 12e aux Jeux Olympiques de 1968 à Grenoble. Durant l'été, elle a remporté 14 titres canadiens en ski nautique. QUI était cette athlète remarquable ?

LINDA CRUTCHFIELD (bonne réponse = 2 points de plus)

303) Fondée en 1963, cette rencontre internationale de tennis est le pendant féminin de la coupe Davis chez les hommes. Ce sont les représentantes américaines qui ont gagné la première coupe en 1961? QUEL est son nom?

COUPE DE LA FÉDÉRATION

304) Avec COMBIEN d'équipes, le lanceur québécois Claude Raymond a-t-il joué durant ses 12 saisons dans les majeures?

CINQ (White Sox, Braves (Milwaukee et Atlanta), Astros et Expos)

305) NOMMEZ le joueur qui a été le premier à éclipser la marque de 100 passes en une saison. C'était en 1970-71.

BOBBY ORR (défenseur des Bruins de Boston)

306) QUEL surnom a-t-on donné à Hank Aaron à la fin des années 50?

THE HAMMER (le marteau. Hammering Hank aussi accepté)

307) Après avoir réussi la traversée du lac Ontario à la nage en 1954 et celle de la Manche en 1955, la canadienne Marylin Bell ajoute un autre exploit à son palmarès en 1956: celui de la traversée de QUEL cours d'eau d'Amérique du Nord?

DÉTROIT JUAN DE FUCA (entre l'État de Washington et l'île de Vancouver)

308) À QUEL rang le Canada s'est-il classé au hockey des Jeux Olympiques de 1972 à Sapporo au Japon?

LE CANADA N'ÉTAIT PAS REPRÉSENTÉ (il avait choisi en 1970 de se retirer des compétitions internationales parce que le C.I.O. lui refusait le droit d'utiliser des joueurs professionnels)

309) Lorsque les Dolphins de Miami ont gagné deux Super Bowl au début des années 70, ils possédaient l'attaque au sol la plus diversifiée de la ligue Nationale de football avec Larry Csonka, Jim Kiick et QUEL autre demi?

MERCURY MORRIS

310) QUI était l'entraîneur des Bruins de Boston en 1971-72 lorsqu'ils ont gagné la coupe Stanley?

TOM JOHNSON

311) De 1956 à 1962, ces deux joueurs d'avant champ des White Sox de Chicago ont dominé le jeu défensif de la ligue Américaine de baseball. Luis Aparicio jouait au poste d'inter. QUI était son compagnon de jeu au deuxième but?

NELLIE FOX

312) QUEL pays a gagné la coupe du Monde de soccer pour une 2ᵉ fois en 1974?

L'ALLEMAGNE DE L'OUEST (elle l'avait gagnée une 1ʳᵉ fois en 1954)

313) Entre 1957 et 1967 inclusivement, cette équipe de football a participé à la finale de la coupe Grey neuf fois. De QUELLE équipe s'agit-il?

LES TIGER-CATS DE HAMILTON (ils l'ont gagné 4 fois)

314) Le plus long match en simple de l'histoire de Wimbledon, a été disputé en 1969 entre Charles Pasarell et QUEL autre Américain qui l'a finalement emporté 22-24, 1-6, 16-14, 6-3 et 11-9 après 5 heures et 12 minutes de jeu ?

PANCHO GONZALES (il avait 41 ans, Pasarell, 25)

315) Lorsque Archie Moore a battu Yvon Durelle par knockout au 11e round au Forum de Montréal en 1958, il avait été envoyé au tapis COMBIEN de fois par Durelle durant les rounds précédents ?

CINQ FOIS

316) QUELLE nageuse américaine de style libre est devenue la première de cette discipline à gagner trois médailles d'or lors des mêmes jeux en 1968 à Mexico ?

DEBBIE MEYER (dans les épreuves du 200 mètres, du 400 mètres et du 800 mètres)

317) Avec QUELLE équipe professionnelle les joueurs Gilles Tremblay et Robert Rousseau jouaient-ils avant d'être rappelés pour de bon par les Canadiens de Montréal en 1960-61 ?

LES CANADIENS DE HULL-OTTAWA (ligue Professionnelle de l'Est)

318) Lorsque les Dodgers de Brooklyn ont quitté cette ville après la saison 1957, dans QUEL stade ont-ils joué la saison suivante à Los Angeles ?

AU COLISÉE (stade construit pour les Jeux Olympiques de 1932)

319) QUEL jockey a conduit cinq chevaux à la victoire dans le derby du Kentucky, six dans le Preakness et six dans le Belmont Stakes, au cours de sa carrière qui a pris fin en 1962 après 24,000 courses disputées sur 29 années ?

EDDIE ARCARO (il en a gagné plus de 4000 au cours de sa carrière)

320) QUEL Québécois était le gardien de buts de l'équipe canadienne de hockey aux Jeux Olympiques de 1956 à Cortina d'Ampezzo en Italie ?

DENIS BRODEUR (le Canada a gagné la médaille de bronze)

321) C'est le quart Rick Cassata et le demi Jim Evenson qui ont dirigé cette équipe à la victoire, lors du match de la coupe Grey contre les Eskimos d'Edmonton en 1973. NOMMEZ-la.

OTTAWA (22 à 18)

322) Le nageur canadien Dick Pound a remporté quatre médailles dont une d'or dans le 100 mètres libre aux Jeux du Commonwealth de 1962 disputés dans QUELLE ville ?

PERTH (Australie). (Bonne réponse=1 point de plus)

323) QUI a été choisi au premier rang du repêchage amateur de 1969 dans la ligue Nationale de hockey ?

RÉJEAN HOULE (par les Canadiens de Montréal)

324) QUELLE remarquable nageuse australienne a remporté cinq médailles dont trois d'or en style libre de natation aux Jeux Olympiques de 1972 à Munich?
SHANE GOULD

325) NOMMEZ le boxeur qui a remporté la médaille d'or chez les boxeurs poids lourds aux Jeux Olympiques de 1968 à Mexico.
GEORGE FOREMAN

326) Le plus long match de l'histoire du baseball majeur pour le nombre de manches, 26, a été disputé en 1920. QUEL a été par ailleurs le match le plus long au sens de la durée? Long de 25 manches, il a été disputé en 1984 par Chicago et Milwaukee de la ligue Américaine. Était-ce 6 h 45 min, 7 h 34 min OU 8 h 06 min?
HUIT HEURES ET 6 MINUTES

327) C'est en 1962 que cette golfeuse a remporté la première de ses 88 victoires, un record absolu sur le circuit de la L.P.G.A. QUI est-elle?
KATHY WHITWORTH (bonne réponse-1 point de plus)

328) QUEL défenseur québécois a joué au sein de cinq équipes championnes de la coupe Stanley, quatre à Détroit et l'autre avec les Leafs de Toronto en 1966-67?
MARCEL PRONOVOST

329) Entre 1962 et 1973, QUELLE nation a gagné huit de douze Championnats du monde des conducteurs automobile?
LA GRANDE-BRETAGNE (J. Stewart 3, G. Hill 2, J. Clark 2, J.Surtees 1)

330) NOMMEZ la nageuse canadienne qui a gagné deux médailles d'argent dans les épreuves de 100 et 200 mètres dos en natation et une de bronze dans le 4 X 100 mètres relais libres aux Jeux de Mexico en 1968.
ELAINE TANNER

331) Ce quart des Lions de la Colombie-Britannique a conduit son équipe à la victoire dans le match de la coupe Grey en 1964 puis est allé jouer dans la ligue Nationale de football en 1967. QUI était-il?
JOE KAPP

332) En 1971, quatre lanceurs des Orioles de Baltimore ont gagné chacun 20 matchs ou plus durant la saison: Mike Cuellar, Dave McNally, Jim Palmer et QUEL autre?
PAT DOBSON (bonne réponse=2 points de plus)

333) NOMMEZ le défenseur qui a porté les couleurs de l'équipe olympique du Canada en 1960 à Squaw Valley, mais qui n'a jamais joué dans la ligue Nationale. Pourtant, il a été entraîneur et directeur gérant depuis 1965.
HARRY SINDEN

334) QUELLE joueuse de tennis américaine a remporté entre 1966 et 1975 douze championnats de grand chelem, dont Wimbledon à six reprises?

BILLIE JEAN KING

335) Malgré ses victoires aux dépens de Sonny Liston et de Floyd Patterson, l'Association mondiale de la boxe a refusé en 1966 de reconnaître Muhammad Ali comme champion mondial des poids lourds parce qu'il avait refusé de faire son service militaire. QUI avait alors été nommé champion mondial?

ERNIE TERRELL (Ali l'a battu en 1967)

336) Il a gagné son premier tournoi professionnel de golf en 1936 et son dernier en 1965. Ses 81 victoires sur le circuit de la PGA sont un record. Pourtant, Sammy Snead n'a jamais réussi à gagner QUEL tournoi du grand chelem?

L'OMNIUM DES ÉTATS-UNIS

337) Ces deux athlètes canadiens, Roger Jackson et George Hungerford, ont gagné la médaille d'or dans QUELLE discipline à deux, lors des Jeux Olympiques d'été à Tokyo en 1964?

EN AVIRON (deux sans barreur)

338) Le gardien Terry Sawchuck des Rangers de New York, est mort en 1970 à la suite de blessures subies lors d'une altercation dans sa résidence avec un autre joueur des Rangers. QUI était-il?

RON STEWART (bonne réponse=2 points de plus)

339) QUEL joueur de basketball des Lakers de Los Angeles, a été choisi au sein de l'équipe d'étoiles 10 fois de suite entre 1962 et 1971? En 14 ans de carrière, il a réussi 12,809 points.

JERRY WEST

340) Ce lanceur des White Sox de Chicago a été le premier depuis 1916 à gagner plus de 20 matchs et à en perdre 20 durant la même saison: 1973. QUI est-il?

WILBUR WOOD (en 1973, il a gagné 24 matchs et perdu 20).
(Bonne réponse = 1 point de plus)

341) C'est la compagnie Wilson qui a été la première à vendre la raquette de tennis fabriquée en métal. QUEL ex-grand joueur l'a inventée et dessinée?

RENÉ LACOSTE (célèbre joueur français). (Bonne réponse=2 points de plus)

342) Il était docteur en chirurgie dentaire mais il était reconnu comme golfeur professionnel. Il a gagné 37 tournois en 15 ans sur le circuit de la PGA dont l'Omnium des États-Unis en 1949 et 1956 et le tournoi des Maîtres en 1955. QUI était ce docteur?

CARY MIDDLECOFF

343) NOMMEZ le gardien de buts de l'équipe olympique des États-Unis de 1960 à Squaw Valley, qui a joué durant deux saisons avec les Rangers de New York entre 1960 et 1961. Il n'a toutefois gardé le but que 12 fois.

JACK McCARTAN (médaillé d'or en 1960)

344) Ce joueur polyvalent des Giants de New York de la ligue Nationale de football, a joué comme demi à l'attaque et en défense, comme receveur, au sein des unités spéciales et a même lancé le ballon 63 fois. En 12 saisons, il a marqué 78 touchés. Il a aussi lancé 14 passes de touché. QUI était ce joueur des Giants de 1952 à 1963 ?

FRANK GIFFORD (bonne réponse=1 point de plus)

345) Le Japonais Sawao Kato a gagné six médailles d'or, deux d'argent et une de bronze aux Jeux Olympiques d'été de 1968 et 1972. Dans QUEL sport ?

LA GYMNASTIQUE

346) Sur QUI les Islanders de New York ont-ils porté leur premier choix au repêchage de la ligue Nationale de hockey de 1973 ?

DENIS POTVIN (défenseur des 67 d'Ottawa. 1ᵉʳ choix de la séance)

347) NOMMEZ le joueur qui a gagné en 1974 le premier de ses huit championnats des cogneurs de coups de circuit de la ligue Nationale.

MIKE SCHMIDT (Phillies de Philadelphie)

348) La France n'avait jamais gagné une seule médaille dans les épreuves de piste pour femmes aux Jeux Olympiques jusqu'en 1968 à Mexico. C'est alors que cette coureuse a gagné l'or dans l'épreuve du 800 mètres. QUI était-elle ?

COLETTE BESSON (en 52 secondes). (Bonne réponse=2 points de plus)

349) Des quatre tournois du grand chelem du golf, LEQUEL n'a jamais été gagné par Arnold Palmer ?

CELUI DE LA PGA (il a terminé 3 fois au 2ᵉ rang)

350) Les Flyers de Philadelphie du début des années 70 étaient connus sous le nom de Broad Street Bullies. Quatre de ces joueurs étaient plus « bully » que les autres : Dave Schultz, André Dupont, Don Saleski et QUEL autre ?

BOB KELLY (les Flyers ont gagné la coupe Stanley en 1973-74 et 1974-75)

351) QUI a été le seul pilote automobile américain sacré champion du monde entre 1950, première année de ce championnat et 1975 ? Il a été champion en 1961 et il pilotait une Ferrari.

PHIL HILL (bonne réponse=1 point de plus)

352) Ce coureur de fond a gagné les épreuves du 5000 et du 10000 mètres en 1972 à Munich. Celui du 10000 mètres a été couru en un temps record du monde. QUI était-il ?

LASSE VIREN (Finlande)

353) QUI était l'entraîneur des Jets de New York, champions du Super Bowl en 1969, contre les Colts de Baltimore?
WEEB EWBANK

354) QUELLE équipe de la ligue Nationale de hockey a perdu le plus petit nombre de matchs en une saison en 1972-73? Et COMBIEN?
CANADIENS DE MONTRÉAL - DIX (1 point de plus pour la 2ᵉ réponse)

355) QUEL joueur a privé l'australien Lewis Hoad du grand chelem du tennis en 1956? Hoad avait gagné les Internationaux d'Australie, de France et de Wimbledon avant d'être battu en 4 manches à Forest Hills aux États-Unis.
ROY EMERSON (un autre Australien)

356) Jim Catfish Hunter a fait sauter la clause de réserve du baseball en 1974. Au début de 1975, deux autres lanceurs ont aussi gagné leur cause devant les tribunaux. Un était Andy Messerschmidt des Dodgers de Los Angeles et l'autre portait l'uniforme des Expos de Montréal. De QUI s'agit-il?
DAVE McNALLY

357) QUEL boxeur a réussi le plus de mises hors de combat de toute l'histoire de la boxe professionnelle? Il en a réussi 141 entre 1936 et 1963.
ARCHIE MOORE

358) NOMMEZ la nageuse américaine qui a fracassé trois records du monde en style libre lors des épreuves de qualification pour les Jeux Olympiques de Mexico en 1968.
DEBBIE MEYER (200, 400, et 800 mètres libre. Elle a gagné les 3 épreuves aux Jeux Olympiques) (Bonne réponse=2 points de plus)

359) QUI a été le premier quart arrière noir des Alouettes de Montréal en 1962?
SANDY STEPHENS (il a joué 14 matchs en 1962 et seulement 2 en 1963)

360) Ces deux patineurs américains ont gagné sept championnats du monde de patinage artistique entre 1953 et 1959 et une médaille d'or chacun aux Jeux Olympiques d'hiver de 1956 et 1960. Ils s'appelaient Hayes et David. Ils étaient frères. QUEL était leur nom de famille?
JENKINS

361) NOMMEZ l'équipe qui a remporté le premier championnat de l'Association mondiale de hockey en 1971-73.
LES WHALERS DE LA NOUVELLE-ANGLETERRE (contre Winnipeg)

362) QUEL lanceur des Expos de Montréal a été choisi à titre de recrue de l'année dans la ligue Nationale de baseball en 1970?
CARL MORTON

363) En 1970, ce golfeur professionnel a été le premier Britannique en 50 ans à gagner l'Omnium de golf des États-Unis. QUI est-il?

TONY JACKLIN

364) QUI était le botteur de précision des Alouettes de Montréal lors de leur conquête de la coupe Grey contre Calgary en 1970?

GEORGE SPRINGATE (il venait aussi d'être élu député libéral à Québec)

365) QUEL nom a été donné à l'équipe de descente de ski du Canada en 1975 par un journaliste suisse qui avait été frappé par la témérité de ses membres lors des épreuves de la coupe du Monde de ski alpin en Europe?

CRAZY CANUCKS

366) C'est en 1969 que l'équipe nationale de hockey soviétique est venue disputer ses premiers matchs au Canada. Elle était opposée à l'équipe nationale canadienne dans une série de 8 matchs amicaux. COMBIEN de victoires l'équipe soviétique a-t-elle remportées?

HUIT (l'équipe canadienne était composée de joueurs de calibre amateur)

367) À QUELS Jeux Olympiques d'hiver le Canada a-t-il refusé de déléguer une équipe de hockey pour la première fois de l'histoire des Jeux?

EN 1972 À SAPPORO (Japon. Parce que C.I.O. lui refusait le droit d'utiliser des joueurs de calibre professionnel)

368) NOMMEZ le receveur des A's d'Oakland qui a cogné 4 circuits durant la série mondiale de 1972 contre les Reds de Cincinnati et qui a conservé une moyenne de puissance de .913 durant la série, un record de tous les temps pour une série mondiale de sept matchs.

GENE TENACE (bonne réponse=1 point de plus)

369) QUEL conducteur canadien de chevaux de trot et amble est devenu le premier au monde à conduire 500 chevaux à la victoire en 1965?

HERVÉ FILION

370) NOMMEZ le joueur de ligne à l'attaque des Alouettes de Montréal qui a été choisi cinq fois au sein des équipes d'étoiles offensives ET défensives de l'est du Canada entre 1954 et 1958: un record.

TOM HUGO (centre en attaque - secondeur ou demi en défense)

371) Margaret Smith-Court a gagné le grand chelem du tennis en 1970, un exploit réussi par une seule autre joueuse, l'américaine Maureen Connelly en 1953. COMBIEN de fois la grande joueuse australienne est-elle venue près de gagner à un tournoi le grand chelem du tennis plus d'une fois?

QUATRE FOIS (en 1962, 65, 69 et 73, elle a gagné trois des quatre tournois)

372) Dans QUELLE ville ont été présentés les Jeux Panaméricains en 1967?

WINNIPEG (année du centenaire de la Confédération)

373) QUEL ancien propriétaire canadien de l'équipe de baseball des Maple Leafs de Toronto de la ligue Internationale est allé faire fortune aux États-Unis en devenant propriétaire d'équipes professionnelles de basketball et de football durant les années 60 et 70?

JACK KENT COOKE

374) Lors du premier Super Bowl en 1967, le quart Bart Starr des Packers de Green Bay a été proclamé joueur par excellence de la rencontre. Il a réussi deux passes de touché, une à Max McGee et l'autre à QUI?

BOYD DOWLER (les Packers ont battu K. City 35 à 10). (Bonne réponse = 1 point de plus)

375) QUEL joueur de hockey professionnel a été le premier à obtenir un contrat d'un million de dollars en 1971? Le contrat était d'une durée de cinq ans.

BOBBY ORR (Bruins de Boston)

376) Cette célèbre course de voiliers a été présentée en 1958 après une pause de 21 ans. QUELLE coupe en était l'enjeu pour une 18ᵉ fois?

LA COUPE AMERICA (toujours gagnée par les Américains depuis 1851)

377) QUEL gérant a conduit les Mets de New York de la dernière place en 1968 à la première, et à la victoire dans la série mondiale en 1969?

GIL HODGES (ancienne vedette des Dodgers)

378) POURQUOI l'équipe de hockey d'Ottawa dans la ligue de hockey junior de l'Ontario s'appelle-t-elle les 67?

EN L'HONNEUR DU CENTENAIRE DE LA CONFÉDÉRATION EN 1967, ANNÉE DE LA CRÉATION DE L'ÉQUIPE

379) QUEL golfeur américain réputé pour son tempérament colérique a remporté les honneurs de l'Omnium de golf des États-Unis en 1958?

TOMMY BOLT

380) QUEL fils d'un grand joueur des Maple Leafs de Toronto des années 30 et 40 a joué, comme son père, durant 10 saisons mais avec d'autres équipes: les Rangers, Pittsburgh et Los Angeles de 1970 à 1979-80?

SYL APPS JR (il a marqué 183 buts)

381) NOMMEZ le jockey canadien qui a conduit Riva Ridge à la victoire dans le derby du Kentucky et dans le Belmont Stakes en 1972.

RON TURCOTTE (en 1973, il a conduit Secretariat à la triple couronne du turf)

382) QUEL entraîneur de la ligue Nationale de football, qui a conduit son équipe au premier championnat de cette ligue en 1933, a répété l'exploit 30 ans plus tard avec la même équipe contre les Giants de New York?

GEORGE HALAS (Chicago. Il a gagné 5 championnats de la NFL avec les Bears)

383) Ce lanceur a remporté 24 victoires en 1971 et lancé 30 matchs complets avec les Cubs de Chicago. QUI est ce lauréat du trophée Cy Young de 1971?

FERGUSON JENKINS (joueur noir natif de Chatham en Ontario)

384) QUEL boxeur a enlevé la couronne mondiale des poids lourds à Floyd Patterson en 1962 et l'a encore battu en 1963 lors d'un combat revanche?

SONNY LISTON

385) QUELLE joueuse de tennis a remporté en 1974 le premier de ses sept championnats en simple des Internationaux de France?

CHRIS EVERT

386) QUEL golfeur a gagné en 1971 les Omniums britanniques, américain et canadien?

LEE TREVINO (il a gagné l'Omnium du Canada à la Vallée du Richelieu)

387) NOMMEZ les deux frères qui ont dirigé l'équipe olympique de hockey du Canada aux Jeux Olympiques d'hiver, le premier en 1956 et 1960 et le deuxième en 1964.

BAUER (Bobby, ancienne vedette des Bruins de Boston et David, prêtre)

388) QUEL pays a gagné en 1960 à Rome la première de cinq médailles d'or au concours par équipe de gymnastique masculine, soit de 1960 à 1976?

LE JAPON

389) C'est en 1975 que le sommet du mont Everest a été atteint pour la première fois par une femme. Elle n'était ni Européenne ni Nord-Américaine. De QUELLE nationalité était-elle?

JAPONAISE (bonne réponse=1 point de plus)

390) Lorsque les deux ligues de football professionnel du Canada ont été fusionnées en 1958 pour devenir la ligue Canadienne de football, QUI a été choisi au poste de commissaire?

SIDNEY HALTER (il quittera son poste après la saison de 1966)

391) DEUX villes américaines ont été admises dans la ligue Nationale de hockey en 1974: les Capitals de Washington et QUELLE autre?

LES SCOUTS DE KANSAS CITY (l'aventure n'a duré que deux ans)

392) QUEL joueur d'avant champ, natif de la région de Montréal, a joué durant neuf saisons dans la ligue Américaine de baseball dont sept avec les White Sox de Chicago entre 1963 et 1969? Il a conservé une moyenne au bâton de ,254 et une moyenne de puissance de ,405

PETE WARD (bonne réponse=1 point de plus)

393) Dépouillé de sa couronne des poids lourds et suspendu pour avoir refusé de faire son service militaire en 1967, Muhammad Ali a passé trois ans et demi sans livrer un seul combat. Contre QUI s'est-il battu à Atlanta en 1970 lors de son retour à la compétition?

JERRY QUARRY (il l'a battu par KO au 3e round)

394) QUEL navigateur français a remporté à sa première tentative, la Transat, une épreuve en solitaire entre Plymouth en Angleterre et Newport en Virginie? Il lui a fallu 28 jours pour couvrir la distance à bord de son voilier.

ERIC TABARLY (à bord du Pen-Duick-II)

395) Il est le seul entraîneur à avoir gagné cent matchs ou plus dans la ligue Nationale de football et dans la ligue Canadienne de football durant les années 60 et 70. Il est aussi le seul entraîneur à avoir été élu aux Temples de la Renommée des deux ligues. QUI est-il?

BUD GRANT (avec Winnipeg dans la L.C.F. et Minnesota dans la N.F.L.)

396) QUEL skieur américain a été le premier de l'histoire des États-Unis à gagner une médaille aux Jeux Olympiques d'hiver? C'était en 1964 à Innsbruck en Autriche où il a gagné l'argent dans l'épreuve du slalom.

BILLY KIDD (il a terminé à 14/100 de seconde de Jean-C. Killy).
(Bonne réponse = 1 point de plus)

397) Les Maple Leafs de Toronto ont été les premiers dans la ligue Nationale de hockey à recruter deux joueurs européens durant la même saison. C'était en 1973-74. Un s'appelait Borje Salming. QUI était l'autre?

INGE HAMMERSTRÖM (bonne réponse=1 point de plus)

398) Le simple féminin des Internationaux de tennis du Canada a été gagné pour la première fois par une joueuse française en 1971? QUI était-elle?

FRANÇOISE DURR (bonne réponse=2 points de plus)

399) Le championnat du Monde des conducteurs a échappé aux pilotes européens en 1972 et 1974. QUI a gagné les deux fois?

EMERSON FITTIPALDI (Brésilien)

400) Avec QUELLE équipe de la ligue Américaine de baseball, le lanceur Claude Raymond a-t-il commencé sa carrière en 1959?

LES WHITE SOX DE CHICAGO (il n'a joué que dans trois matchs en 1959)

401) QUELLE équipe a inscrit un record de la ligue Nationale de hockey pour le nombre de buts marqués en une saison, celle de 1970-71? Et COMBIEN?

BRUINS DE BOSTON - 399 (jeu de 10 points + ou - alloué). (2 réponses = 3 points)

402) QUEL golfeur a été le premier à gagner plus de 100,000 dollars en bourse sur le circuit de la PGA en 1963?

ARNOLD PALMER (128 mille $ grâce à sept victoires - Jack Nicklaus en a gagné 100 mille. Réponse Nicklaus acceptée)

403) QUELLE coupe a été présentée pour la première fois en 1965 à l'équipe championne du football universitaire au Canada?

LA COUPE VANIER (au nom du gouverneur général du Canada)

404) QUELLE épreuve cycliste sur route lancée en 1953 par l'ancien cycliste français Yvon Guillou, fêtait son 10ᵉ anniversaire par une épreuve de 1000 milles disputée sur 8 jours sur les routes du Québec en 1962?

LE TOUR DU SAINT LAURENT (bonne réponse=2 points de plus)

405) En QUELLE année Jacques Plante a-t-il porté le masque de manière régulière dans la ligue Nationale de hockey?

1959 (malgré les objections répétées de l'entraîneur Toe Blake des Canadiens)

406) QUEL joueur de 2ᵉ but des Cubs de Chicago s'est tué dans un accident d'avion en 1964? Il avait été choisi au titre de recrue par excellence en 1962 et inscrit deux records de la ligue Nationale pour le nombre de jeux défensifs consécutifs sans erreur, 418 et le nombre de présences au bâton, 661.

KEN HUBBS (bonne réponse=2 points de plus)

407) QUI a été le dernier boxeur blanc à détenir la couronne mondiale des poids lourds reconnue par les toutes les fédérations de boxe?

INGEMAR JOHANSSON (ce suédois a régné de juin 59 à juin 60. Il a perdu sa couronne aux mains de Floyd Patterson)

408) En 1972, cette populaire chanteuse américaine a prêté son nom à un tournoi de golf qui, en moins de cinq ans, est devenu le plus couru du circuit de la L.P.G.A. et un des plus riches. QUI était cette chanteuse?

DINAH SHORE (il est devenu un des 4 tournois du grand chelem de la L.P.G.A.)

409) QUEL joueur de basketball professionnel des Stars de Utah de l'American Basketball Association a été le premier à faire le saut de l'école secondaire au basketball professionnel en 1974?

MOSES MALONE (pour un salaire de 150 mille dollars)

410) QUEL sprinter américain a été le premier au monde à courir le 100 mètres en moins de 10 secondes en 1968?

JIM HINES (en 9,9 secondes lors des Jeux Olympiques de Mexico)

411) Lorsque Sam Etcheverry est devenu le quart des Alouettes de Montréal en 1952, QUI est devenu son second, rôle qu'il a joué jusqu'en 1957?

BRUCE COULTER (bonne réponse=2 points de plus)

412) Lorsque les étoiles de l'Association mondiale de hockey ont disputé une série de huit matchs à l'équipe nationale d'U.R.S.S. en 1974, COMBIEN de victoires l'équipe canadienne a-t-elle remportées?

UNE (l'U.R.S.S. en a gagné 4 et trois matchs ont été nuls)

413) C'est un Canadien qui a été couronné champion du Monde de ski nautique en 1971 et 1973. QUI était-il?

GEORGE ATHANS (les championnats du monde se tenaient aux deux ans)

414) Lors du tournoi de la coupe Davis de tennis en 1959, l'équipe australienne a battu celle du Canada 5 à 0. Ce qu'on a retenu de ce tournoi a été la tenue d'un jeune québécois qui a gagné une manche contre le célèbre Rod Laver. QUI était-il?

FRANÇOIS GODBOUT

415) QUEL trophée à été décerné pour la première fois en 1975 à l'entraîneur de l'année dans la ligue Nationale de hockey?

JACK ADAMS (longtemps entraîneur et directeur-général des Wings de Détroit)

416) NOMMEZ le gérant au tempérament bouillant qui a conduit les Orioles de Baltimore à trois championnats consécutifs de la ligue Américaine de base-ball en 1969-70-71 et deux championnats de division en 1973 et 74?

EARL WEAVER (il a aussi gagné la série mondiale en 1970)

417) Dans QUELLE discipline les Japonais ont-ils remporté les trois premières places aux Jeux Olympiques d'hiver de 1972 à Sapporo au Japon? Ce furent d'ailleurs leurs seules médailles à ces jeux.

SAUT À SKI (tremplin de 70 mètres)

418) Cet entraîneur de football collégial a commencé sa carrière en 1945 à l'université du Maryland. Après avoir dirigé les équipes du Kentucky et Texas A&M, il a dirigé l'équipe de l'Alabama à partir de 1958. Il détient le record du nombre de victoires : 323 en 38 ans de carrière. QUI est-il?

BEAR BRYANT (Alabama a été 5 fois championne nationale)

419) NOMMEZ le joueur qui a reçu le trophée Hart pour la sixième fois de sa carrière en 1963, un sommet à ce moment-là dans l'histoire de la ligue Nationale de hockey.

GORDIE HOWE

420) Six des treize championnats de golf remportés par le célèbre Bobby Jones, ont été acquis dans deux tournois qui avec le grand chelem constituent «les tournois majeurs de championnat». Jack Nicklaus en a gagné deux en 1959 et 61 avant de s'attaquer au grand chelem. QUELS sont ces 2 tournois?

CHAMPIONNAT AMATEUR DES É.-U. - CHAMPIONNAT AMATEUR DE G.-B.

421) QUEL patineur de vitesse néerlandais a gagné trois médailles d'or dans les épreuves du 10,000 mètres, 5000 mètres et 1500 mètres aux Jeux Olympiques de 1972 à Sapporo au Japon?

ARD SCHENK (bonne réponse=3 points de plus)

422) QUELLE joueuse de tennis a dominé la scène mondiale du tennis féminin durant les années 1956-57-58? Elle a gagné cinq tournois du grand chelem et a été finaliste à deux autres reprises.

ALTHEA GIBSON (première Noire à gagner un tournoi du circuit féminin)

423) NOMMEZ le coureur cycliste européen qui a inscrit un record de vitesse pure lors d'une épreuve tenue au vélodrome de Mexico en 1972. Il a été le premier cycliste au monde à atteindre les 49 kilomètres à l'heure.

EDDIE MERCKX (Belge. Il a battu le record par plus d'un demi-kilomètre heure)

424) QUI a été le meilleur marqueur de buts de l'Association mondiale de hockey en 1974-75? Il en a marqué 77.

BOBBY HULL

425) Après une carrière mouvementée ponctuée de 3 présences comme gérant aux séries mondiales, il est sorti de sa retraite en 1961 et est devenu le gérant des Cubs de Chicago en 1966. QUI était ce gérant dont la carrière de joueur et de gérant a duré 40 ans?

LÉO DUROCHER

426) Après avoir joué la saison 1959 avec Hamilton de la ligue Canadienne de football, ce receveur de passes a joué dans la nouvelle ligue Américaine de football à New York. De 1963 à 1972, il a été la cible préférée du quart Joe Namath pour les longues passes. QUI était ce receveur?

DON MAYNARD

427) NOMMEZ le coureur français qui a gagné le marathon des Jeux Olympiques de Melbourne en 1956 après avoir terminé second derrière Emil Zatopek en 1952 à Helsinki.

ALAIN MIMOUN (-0-Kacha. Zatopek a terminé au 6e rang)

428) En 1962, il est devenu seulement le troisième gardien de buts de l'histoire de la ligue Nationale de hockey à gagner le trophée Hart, remis au joueur le plus remarquable de l'année. QUI était-il?

JACQUES PLANTE (les deux autres étaient Chuck Rayner et Al Rollins)

429) QUEL joueuse de statut amateur a remporté à la fois les championnats amateur et Omnium de tennis des États-Unis en 1969?

MARGARET COURT (Australienne. Jusqu'en 1967, le championnat des États-Unis était réservé aux joueurs amateurs. En 68 et 69, il y avait deux catégories. À partir de 1970, il est devenu exclusivement un championnat omnium)

430) QUELS moteurs ont propulsé sept voitures à la victoire en courses de Formule Un entre 1968 et 1974?

FORD (les châssis étaient ceux de Lotus, Matra, Tyrell et McLaren)

431) Ce triple champion olympique des poids moyens et mi-moyens est devenu le premier athlète communiste à devenir boxeur professionnel en 1957. QUI est-il?

LASZLO PAPP (Hongrois. Même s'il a gagné ses 30 combats professionnels, il n'a jamais été champion du Monde. Il a pris sa retraite à l'âge de 38 ans)

432) QUEL receveur de passes a été le champion des receveurs de passes de l'Association de l'Est, deux fois avec les Alouettes de Montréal en 1965 et 1971 et deux fois champion de l'Ouest avec Calgary en 1966 et 1967?

TERRY EVANSHEN

433) QUEL joueur de la ligue Américaine de baseball, a été proclamé le joueur le plus remarquable (MVP) des années 1960 et 1961?

ROGER MARIS (Yankees - 39 CC, 112 PP en 1960 et 61CC, 142 PP en 1961)

434) QUI a été le premier joueur des Rangers de New York à marquer 50 buts en une saison? C'était en 1971-72 et l'exploit n'a été répété par un joueur de cette équipe que 22 ans plus tard.

VIC HADFIELD (il en a marqué exactement 50)

435) Le côté ontarien de l'Outaouais s'est donné une première piste de courses de chevaux en 1965. NOMMEZ cette piste située en banlieue d'Ottawa.

RIDEAU-CARLETON (pour trotteurs et ambleurs)

436) En 1960 aux Jeux Olympiques de Rome, le Danois Knut Jensen est devenu officiellement le premier athlète depuis la création des Jeux à succomber à une surdose de drogues. Dans QUELLE discipline était-il inscrit?

LE CYCLISME (on avait d'abord attribué sa mort à la chaleur excessive)

437) QUEL boxeur latino-américain a remporté le Championnat mondial des poids légers en 1972 à New York, après avoir gagné ses 28 premiers combats professionnels dont 23 par mise hors de combat?

ROBERTO DURAN (son adversaire en 1972 était l'Écossais Ken Buchanan)

438) QUEL golfeur américain a joué 63 coups lors du dernier parcours de l'Omnium de golf des États-Unis en 1973, pour l'emporter par la marge d'un seul coup? Il avait commencé le 4e tour à 6 coups des meneurs.

JOHNNY MILLER (réputé pour la précision de ses fers courts et moyens)

439) NOMMEZ le lanceur des Pirates de Pittsburgh des années 50 et 60, qui demandait à ne pas jouer les dimanches parce qu'il était profondément religieux. De confession mormone, il a néanmoins gagné le trophée Cy Young en 1960 avec une fiche de 20 victoires et 9 défaites. Il a aussi gagné deux matchs contre les Yankees de New York dans la série mondiale en 60.

*VERNON LAW (on l'appelait **Deacon**. Traduction libre: curé). (Bonne réponse = 1 point. de plus)*

440) Entre 1964 et 1975, QUELLE équipe universitaire a gagné 10 Championnats de basketball de la N.C.A.A. en 12 ans?

U.C.L.A.

441) Avant de devenir les Jets en 1963, COMMENT se nommait l'équipe de football de New York dans la nouvelle ligue Américaine de football en 1960?

TITANS (bonne réponse=2 points de plus)

442) QUEL pays africain a été expulsé seulement quelques jours avant le début des Jeux olympiques de 1972 à Munich après que les autres nations africaines eurent exercé de fortes pressions auprès du C.I.O.?

LA RHODÉSIE (à cause du régime ségrégationniste de Ian Smith)

443) QUELLE équipe de l'expansion les Canadiens de Montréal ont-ils vaincue deux fois de suite, en 4 matchs consécutifs, en finale de coupe Stanley en 1967-68 et en 1968-69?

BLUES DE SAINT LOUIS (ils n'ont marqué que 10 buts en 8 matchs)

444) Contre QUI Muhammad Ali a-t-il subi sa première défaite chez les professionnels en 1971 à New York après 31 victoires consécutives?

JOE FRAZIER (il a gagné par décision unanime des juges en 15 rounds)

445) Après Winnipeg en 1967, dans QUELLE ville de l'Amérique latine ont été présentés les jeux Pan-Américains de 1971?

CALI (Colombie). (Bonne réponse=1 point de plus)

446) À Rome en 1966, le C.I.O. fait connaître les noms des villes choisies pour tenir les Jeux Olympiques de 1972: Munich et Sapporo. Les délégations des deux villes canadiennes candidates à ces jeux sont déçues; celle de Montréal dirigée par le maire Jean Drapeau, et l'autre, d'une petite ville qui en était à son troisième échec dans sa demande de tenir les Jeux d'hiver. NOMMEZ-la.

BANFF (Alberta)

447) COMBIEN de matchs les Expos de Montréal ont-ils perdus à leur première saison dans la ligue Nationale de baseball en 1969?

CENT DIX (ils en ont gagné 52)

448) NOMMEZ le joueur, un défenseur, qui a joué dans les séries éliminatoires de la coupe Stanley au cours du plus grand nombre d'années, 20, à partir de 1973?

LARRY ROBINSON (avec Montréal et Los Angeles de 1973 à 1992)

449) C'est en 1966 que l'Omnium de golf du Canada a été présenté pour la première fois ailleurs qu'en Ontario ou au Québec. OÙ a-t-il été disputé?

À VANCOUVER (au club Shaughnessy)

450) QUEL coureur américain de sang autochtone, est devenu le premier de son pays à gagner l'épreuve du 10,000 mètres aux Jeux olympiques de Rome en 1960?

BILLY MILLS (il était de sang Sioux. Ron Clarke, le favori, a terminé 3e).
(Bonne réponse=3 points de plus)

451) La coupe Stanley a été gagnée par deux équipes entre 1967-68 et 1972-73: les Canadiens de Montréal et QUELLE autre formation?

LES BRUINS DE BOSTON (2 fois, Montréal 4 fois)

452) QUEL grand cycliste a été exclu du Tour d'Italie en 1969 pour des raisons de dopage?

EDDIE MERCKX

453) Lorsque les Expos de Montréal ont échangé Rusty Staub aux Mets de New York en 1972, ils ont obtenu en retour Tim Foli, Mike Jorgensen et QUEL autre joueur?

KEN SINGLETON

454) QUEL a été le deuxième stade couvert à être inauguré aux États-Unis en 1975? Le premier avait été l'Astrodome de Houston en 1965.

LE SUPERDOME (Nouvelle-Orléans)

455) Les Jeux Olympiques d'été de 1956 à Melbourne en Australie ont été disputés peu de temps après la révolution hongroise, brutalement réprimée par les armées du pacte de Varsovie. Dans QUELLE discipline les athlètes hongrois se sont-ils sauvagement vengés des athlètes soviétiques à Melbourne?

EN WATER POLO (La Hongrie menait 4 à 0 lorsque l'arbitre a mis fin à la rencontre à cause de la violence entre les joueurs)

456) C'est en 1975 que ce sport atteint son sommet de popularité en Amérique du Nord, avec des ventes de plus de 12 millions d'unités de cet article indispensable pour le pratiquer. QUEL est ce sport?

LE TENNIS (l'article est évidemment la raquette)

457) Bernard Geoffrion est devenu entraîneur des Rangers de New York en 1968 mais la maladie l'a obligé à quitter son poste. En 1972, il a accepté de diriger QUELLE autre équipe de la ligue Nationale?

LES FLAMES D'ATLANTA (encore là, démission précipitée)

458) Le monde des échecs hérite d'un nouveau champion mondial en 1975 lorsque le champion en titre l'américain Bobby Fischer est défait par QUEL maître?

ANATOLY KARPOV (Soviétique)

459) OÙ a été transféré la concession des Sénateurs de Washington de la ligue Américaine de baseball en 1972?

AU TEXAS (ils sont devenus les Rangers. Washington n'est jamais revenu)

460) QUEL entraîneur aguerri a conduit les Rough Riders d'Ottawa à quatre finales de la coupe Grey entre 1960 et 1969 et en a gagné trois?

*FRANK CLAIR (appelé le **professeur**. Il en avait gagné 2 avec Toronto)*

461) En 1969, trois villes canadiennes ont demandé à tenir les Jeux Olympiques d'été de 1976 auprès de l'Association olympique du Canada. Après un premier vote pour déterminer la ville candidate auprès du C.I.O., il y avait égalité entre Montréal et Toronto. Au 2ᵉ tour, les délégués de la 3ᵉ ville alors éliminée, ont accordé leurs votes à celle de Montréal. QUELLE était cette 3ᵉ ville?

HAMILTON (au 1ᵉʳ tour, elle n'avait reçu que 2 votes contre 17 pour Montréal et Toronto)

462) En 1962, Arnold Palmer a gagné le tournoi des Maîtres et l'Omnium de golf britannique. Il est venu près de devenir le deuxième golfeur à gagner trois tournois du grand chelem la même année, lorsqu'il a été battu en prolongation par QUELLE recrue lors de l'Omnium des États-Unis?

JACK NICKLAUS

463) QUELLE nation a gagné pour la première fois la Coupe du Monde de soccer en 1966?

L'ANGLETERRE (au stade Wembley de Londres contre l'Allemagne de l'Ouest)

464) QUEL pays d'Europe de l'Ouest a remporté la première médaille d'or de son histoire aux Jeux Olympiques d'hiver en 1972 à Sapporo au Japon, lorsqu'un de ses représentants a gagné l'épreuve de slalom du ski alpin?

L'ESPAGNE (Francisco Fernandez Ochoa. Il a battu le favori Gustavo Thoeni)

465) Devant l'énorme retard qu'accusait la construction du stade et de la piscine olympiques, QUEL lieu de compétition avait été imaginé par le C.O.J.O. de Montréal pour tenir les épreuves aquatiques en cas d'urgence?

LE FORUM DE MONTRÉAL (on y aurait installé un bassin de 50 mètres)

466) QUEL était le pourcentage des notes accordé aux figures imposées dans les épreuves olympiques et internationales de patinage artistique avant 1973?

SOIXANTE POUR CENT

467) QUEL était le salaire annuel moyen des joueurs des ligues majeures de baseball en 1969?

VINGT-CINQ MILLE DOLLARS (Jeu de 10,000 $ + ou - alloué)

468) Durant toute la saison 1967, ce receveur de passes des Packers de Green Bay n'a saisi que 4 passes. Lors du premier Super Bowl en 1967, il en a attrapé 7 et marqué un touché. Green Bay a gagné le 1er Super Bowl. QUI était ce receveur?

MAX MCGEE

469) COMBIEN de buts Maurice Richard a-t-il réussis au cours de sa carrière qui a pris fin en 1960?

CINQ CENT QUARANTE-QUATRE

470) Après une disette de 11 ans, l'écurie Ferrari gagne enfin le championnat du Monde de Formule Un en 1975 grâce à QUEL conducteur?

NIKI LAUDA (Autrichien)

471) Deux nouveaux sports ont été ajoutés au programme olympique d'été lors des Jeux de 1964 à Tokyo: le judo et QUEL sport collectif intérieur?

LE VOLLEYBALL

472) En QUELLE année une équipe de hockey d'une ligue d'U.R.S.S. est-elle venue disputer ses premiers matchs au Canada?

1957 - (lors de la première rencontre, une équipe de la ligue senior de l'Ontario avait battu les Soviétiques). (Jeu de 1 an + ou - alloué)

473) Ce lutteur de l'Ontario a été au Canada anglais durant les années 50 et 60 ce que Yvon Robert a été au Québec durant les années 40 et 50. QUI était-il?

WHIPPER BILLY WATSON (bonne réponse=1 point de plus)

474) Les épreuves du 1500, 5000 et 10,000 mètres ainsi que le marathon des Jeux Olympiques de 1968 à Mexico, ont été gagnées par des athlètes du même continent. LEQUEL?

L'AFRIQUE (Kenya 2, Éthiopie et Tunisie)

475) En 1962, la direction des Leafs de Toronto a refusé une offre d'un million de dollars des Hawks de Chicago pour les services de QUEL joueur?

FRANK MAHOVLICH

476) Dès janvier 1969, les Expos de Montréal ont fait leur premier échange afin d'obtenir le voltigeur Rusty Staub des Astros de Houston. Outre Jésus Alou, QUEL autre joueur ont-ils donné en retour aux Astros?

DONN CLENDENON (bonne réponse=1 point de plus)

477) En 1965 et 1966, les 500 milles d'Indianapolis ont été gagnés par des pilotes britanniques spécialistes de la Formule Un. Tous deux allaient perdre la vie quelques années plus tard dans des accidents en Europe. NOMMEZ-les.

JIM CLARK - GRAHAM HILL (1 point par bonne réponse)

478) QUI a été le premier demi à l'attaque à gagner 2000 verges au sol dans la ligue Nationale de football? C'était en 1973.

O.J. SIMPSON (Bills de Buffalo)

479) Dans QUELLE ville de l'ouest du Canada les Jeux d'hiver du Canada ont-ils été présentés en 1975?

LETHBRIDGE (Alberta). (Bonne réponse=2 points de plus)

480) NOMMEZ le président d'une équipe de hockey de la ligue Nationale de hockey qui a été condamné à une peine de 3 ans d'emprisonnement, après avoir été trouvé coupable de fraude et de vol en 1972.

HAROLD BALLARD

481) Avec QUELLE équipe Hank Aaron a-t-il joué en 1975, après avoir brisé le record de 714 circuits de Babe Ruth en 1974 avec Atlanta?

LES BREWERS DE MILWAUKEE (la ville où il avait commencé sa carrière)

482) Le match de la coupe Grey de 1972 a été disputé dans QUELLE ville pour la première fois depuis la fin de la Deuxième Guerre mondiale?

HAMILTON (les Tiger-Cats ont battu les RRiders de la Sask 13 à 10)

483) Aux Jeux Olympiques de 1960 à Rome, le record du saut en longueur chez les hommes est fracassé par QUEL athlète? L'ancien record avait été inscrit en 1936 par Jesse Owens à Berlin.

RALPH BOSTON (un saut de 26 p. 7 1/2 po., 2 1/4 po. de plus que celui d'Owens). (Bonne réponse=2 points de plus)

484) QUEL golfeur américain au style orthodoxe et aux coups de fers moyens très précis, a gagné le premier de ses trois Omniums américains en 1974?

HALE IRWIN

485) À QUELS Jeux Olympiques le C.I.O. a-t-il institué ses premiers tests anti-dopage? 1960, 1968, OU 1972? Dites COMBIEN d'athlètes ont été pris en défaut et disqualifiés? Aucun, 1 OU 4?

1968 (Mexico) - UN - (un Suédois en pentathlon moderne).
(1 point par bonne réponse)

486) Il a porté les couleurs des Maple Leafs de Toronto de 1949 à 1971. De sang amérindien, on l'avait surnommé *The Chief.* Au cours de sa carrière de 21 ans il a marqué 296 buts et aidé les Leafs à gagner 4 coupes Stanley. QUI était-il?

GEORGE ARMSTRONG (il était Amérindien)

487) QUELLE équipe a été la première à se faire battre trois fois à la grande finale du Super Bowl en 1970, 1974 et 1975?

VIKINGS DU MINNESOTA

488) La soviétique Lydia Skoblikova a gagné quatre médailles d'or dans QUELLE discipline aux Jeux Olympiques d'hiver en 1964 à Innsbruck en Autriche?

PATINAGE DE VITESSE (500, 1000, 1500 et 3000 mètres, le programme complet)

489) Lorsque Roger Maris a cogné 61 coups de circuit en 1961, celui qui le suivait dans le rôle des frappeurs, Mickey Mantle, a aussi atteint un sommet personnel de circuits. COMBIEN de circuits a-t-il cognés?

CINQUANTE-QUATRE

490) Entre 1963 et 1975, les Internationaux de tennis des États-Unis ont été gagnés trois fois par des joueurs espagnols: Manuel Santana en 65, Manuel Orantes en 75 et QUEL autre en 1963?

RAFAEL OSUNA (bonne réponse=1 point de plus)

491) Entre 1956 et 1975, seulement cinq équipes de la ligue Nationale ont gagné la coupe Stanley: Montréal 11, Toronto 4, Phildelphie 2, Boston 2 et QUELLE autre?

CHICAGO (Black Hawks. En 1961)

492) QUEL sauteur américain a été privé de la médaille d'or par des officiels de l'Europe de l'Est aux Jeux Olympiques de 1972 à Munich, parce que la perche qu'il utilisait n'était pas conforme aux règlements?

BOB SEAGREN (il a gagné l'Argent. Un athlète de la R.D.A. a gagné l'Or)

493) À sa dernière présence au bâton en 1960, ce joueur de baseball a cogné le 521e coup de circuit de sa carrière. Sa carrière de joueur prenait fin sur une note dramatique. QUI est-il?

TED WILLIAMS

494) COMMENT avait-on surnommé la ligne défensive des Rough Riders d'Ottawa lors de la saison 1973? Elle avait acquis la réputation d'être la plus tenace et la plus difficile à refouler de la ligue Canadienne. Elle était composée de Charlie Brandon, Rudy Sims, Wayne Smith et Billy Joe Booth.

CAPITAL PUNISHMENT (les Riders ont gagné la coupe Grey en 1973)

495) QUELLE a été la principale source d'inspiration de l'équipe de hockey de la Tchécoslovaquie, lorsqu'elle a battu celle de l'U.R.S.S. en finale du Championnat du monde en 1969 à Stockholm?

L'INVASION DE LEUR PAYS PAR LES SOLDATS DU PACTE DE VARSOVIE EN 1968

496) QUELLE plongeuse américaine est devenue la première à gagner l'Or en 1956 à Melbourne, dans les épreuves du 3 mètres et de la tour de dix mètres pour une 2e fois, un exploit unique qui avait échappé, même aux hommes?

PAT MCCORMICK (elle avait gagné les 2 épreuves aux Jeux de 1952 à Oslo). (Bonne réponse=3 points de plus)

497) QUI a été le premier boxeur africain de l'histoire de la boxe à détenir le titre de Championnat du monde entre 1965 et 1968? En fait, il en a détenu deux: ceux des mi-lourds et des poids moyens. Il était natif du Nigeria.

DICK TIGER (bonne réponse=1 point de plus)

498) En 1959, la piste ovale de courses de stock cars de Daytona Beach a été inaugurée. Sa longueur en milles est la même que celle d'Indianapolis. COMBIEN longue est-elle?

DEUX MILLES ET DEMI

499) À la veille du match des étoiles du baseball majeur en 1969, l'Association des chroniqueurs et commentateurs du baseball fait connaître la composition de la meilleure équipe de tous les temps. NOMMEZ les trois voltigeurs choisis?

BABE RUTH, TY COBB ET JOE DIMAGGIO (4 points de plus pour les 3 réponses)

500) NOMMEZ l'athlète qui a participé aux disciplines du décathtlon et du pentathlon aux Jeux de 1912 à Stockholm et qui est devenu président du Comité international olympique en 1952. Il est décédé en 1975.

AVERY BRUNDAGE (Américain)

501) Ce joueur de centre a disputé 1549 matchs dans la ligue Nationale de hockey entre 1950-51 et 1973-74, le 2ᵉ plus fort total après Gordie Howe. QUI est-il?

ALEX DELVECCHIO (avec une seule équipe: Détroit)

502) NOMMEZ le quart des Giants de New York qui a égalé un record de la NFL en 1962 avec sept passes de touché dans un même match.

Y. A. TITTLE

503) Le temple de la renommée du golf américain a été inauguré à Pinehurst en Caroline du Nord en 1974. Treize grands noms de ce sport ont été intronisés en cette première année dont ceux de deux grandes golfeuses: Patty Berg et QUELLE autre dont la notoriété allait bien au-dela du golf?

BABE DIDRICKSON ZAHARIAS (double médaillée d'or olympique en 1932)

504) QUEL skieur québécois, membre de l'équipe nationale de ski alpin, a remporté quatre fois le championnat canadien et deux fois celui des États- Unis entre 1960 et 1971?

PETER DUNCAN

505) Lorsque les Yankees de New York ont été battus en 7 matchs par les Pirates de Pittsburgh en 1960, le gérant Casey Stengel a été congédié. En 1961 et 1962, les Yankees ont gagné la série mondiale. QUI était le nouveau gérant?

RALPH HOUK (un ancien receveur de réserve des Yankees). (Bonne réponse = 1 point plus)

506) QUEL joueur a raté un botté de précision de 20 verges dans la dernière minute de jeu de la finale de la coupe Grey en 1975, laissant les Eskimos d'Edmonton avec une victoire de 10 à 9?

DON SWEET (des Alouettes de Montréal)

507) NOMMEZ le joueur de hockey de la ligue Nationale qui est venu à un cheveu près de perdre la vie, après avoir reçu un coup de bâton sur la tête lors d'un match pré-saison à Ottawa en 1969?

TED GREEN (défenseur des Bruins de Boston. L'assaillant était Wayne Maki)

508) En 1964, le Canada a gagné une médaille d'or à sa première participation à ce sport aux Jeux Olympiques d'hiver d'Innsbruck en Autriche. LEQUEL?

LE BOBSLEIGH

509) Le trophée James Norris, remis au meilleur défenseur de la ligue Nationale de hockey depuis 1954, a été gagné six fois par Doug Harvey des Canadiens de Montréal entre 1955 et 1961. Harvey l'a gagné une 7ᵉ fois en 1962 mais avec une autre équipe. LAQUELLE?

RANGERS DE NEW YORK

510) COMBIEN de victoires l'Australienne Margaret Smith Court a-t-elle remportées en simple, double et double mixte dans les tournois de grand chelem durant les années 60 et 70? 28, 40, 53 OU 62?

SOIXANTE DEUX (dont 24 en simple)

511) De 19,000 dollars par année en 1966, le salaire moyen des joueurs de baseball des ligues majeures est passé à COMBIEN en 1989? 275,000 350,000, 540,000 OU 720,000 dollars?

CINQ CENT QUARANTE MILLE DOLLARS

512) De QUEL sport l'expression «scrum» a-t-elle été empruntée au début des années 70 pour décrire une conférence de presse impromptue, surtout à la sortie des députés et ministres de leurs Assemblées?

*RUGBY (de l'expression **scrummage**)*

513) Avec QUELLE équipe le quart Ron Lancaster a-t-il commencé sa carrière dans la ligue Canadienne de football en 1960?

ROUGH RIDERS D'OTTAWA

514) QUELLE équipe de la ligue Junior majeure du Québec a inscrit en 1973-74 un total de 620 buts durant la saison régulière, un sommet qui n'a jamais été répété? Pierre Larouche, vedette de l'équipe, en avait marqué 94.

ÉPERVIERS DE SOREL

515) QUI a été le premier golfeur à atteindre durant sa carrière, le cap du million de dollars de gains dans les tournois de la P.G.A. en 1968?

ARNOLD PALMER

516) QUEL joueur de deuxième but de li ligue Nationale détient le record de la ligue Nationale de baseball, pour le nombre de doubles retraits réussis par un joueur de 2ᵉ but: 1706 entre 1956 et 1971?

*BILL MAZEROSKI (Pirates de Pittsburgh. Il était si rapide dans ses relais qu'on l'avait surnommé **No Hands**)*

517) NOMMEZ le joueur des Canadiens de Montréal qui a été proclamé recrue de l'année dans la ligue Nationale de hockey en 1959.

RALPH BACKSTROM

518) QUI était le quart des Chiefs de Kansas City, lors de leur victoire de 23 à 7 contre les Vikings du Minnesota dans le Super Bowl de 1970 à la Nouvelle-Orléans? Il a aussi été proclamé le joueur par excellence de la rencontre.

LEN DAWSON

519) QUELLE équipe junior de hockey de l'Ontario a remporté en 1975 pour une septième fois la coupe Memorial, un record de ce championnat qui remonte en 1919?

MARLBOROS DE TORONTO

520) NOMMEZ le premier Noir, un ex-joueur étoile de la NBA, à devenir entraîneur d'une équipe de ce circuit en 1968. Et avec QUELLE équipe?

BILL RUSSELL - CELTICS DE BOSTON (3 points pour les 2 réponses)

521) QUEL joueur francophone jouait le rôle de botteur de précision des Rough Riders d'Ottawa durant les années 60? Il était aussi bloqueur à l'attaque.

MAURICE RACINE (appelée Moe)

522) Avec COMBIEN d'équipes de la ligue Nationale et de l'Association mondiale de hockey le gardien Jacques Plante a-t-il joué entre 1952 et 1975? Par deux fois, il avait quitté le jeu actif pour ensuite céder aux demandes de faire un retour en 1968 et en 1974.

SIX (Montréal, New York, St Louis, Toronto, Boston (L.N.H.) et Edmonton (A.M.H.)

523) NOMMEZ le millionnaire américain qui a fondé en 1959 la ligue Américaine de football professionnel. Huit équipes en faisaient partie.

LAMAR HUNT (magnat du pétrole)

524) Deux grands joueurs des ligues majeures de baseball obtiennent chacun leur trois millième coup sûr en 1970: Hank Aaron et QUEL autre?

WILLIE MAYS

525) Entre 1956 et 1972, l'équipe de hockey de l'U.R.S.S. a gagné la médaille d'or 4 fois en 5 Jeux Olympiques. NOMMEZ la nation qui a gagné l'autre.

LES ÉTATS-UNIS (en 1960 à Squaw Valley)

526) Lorsque le repêchage amateur universel des joueurs de hockey a été institué en 1966-67 par la ligue Nationale, QUEL droit traditionnel les équipes de la ligue Nationale ont-elles perdu en 1966?

LA COMMANDITE DES ÉQUIPES DE CALIBRE JUNIOR

527) Après avoir conduit les Packers de Green Bay à deux Super Bowl en 1967-68, Vince Lombardi a accepté de diriger une autre équipe en 69. LAQUELLE?

WASHINGTON (Redskins)

528) En 1945, le golfeur Byron Nelson a gagné 18 tournois dont 11 consécutivement, deux marques qui ne seront jamais égalées. QUELS ont été ses gains en argent cette année-là? 33,000, 63,000 OU 103,000 dollars?

SOIXANTE TROIS MILLE DOLLARS

529) QUI a été le premier joueur des Red Wings de Détroit à marquer 50 buts ou plus en une saison en 1973?

MICKEY REDMOND (il en a marqué 52)

530) QUI était le botteur de précision des Alouettes de Montréal durant les belles années de Sam Etcheverry? Il a porté l'uniforme des Alouettes de 1954 à 1965.

BILL BEWLEY (bonne réponse=1 point de plus)

531) Le derby du Kentucky a vécu une grande première en 1970. LAQUELLE?

PREMIÈRE FEMME JOCKEY - DIANE CRUMP (Elle a terminé en 10e place). (Prime de 3 points pour la 2e réponse)

532) Lorsque Gary Carter a amorcé sa carrière avec les Expos de Montréal en 1974, il a joué comme receveur et voltigeur de droite pendant trois saisons. QUI était le receveur régulier des Expos cette année-là?

BARRY FOOTE

533) Lors du 5e Super Bowl en 1971 entre Dallas et Baltimore, c'est un joueur de l'équipe perdante qui a été choisi à titre de joueur le plus utile à son équipe. Ce fut la seule fois durant toute l'histoire du Super Bowl au XXe siècle. QUI était ce joueur?

CHUCK HOWLEY (des Cowboys de Dallas, battus 16 à 13 par Baltimore)

534) Seulement quatre joueurs ont réussi à gagner les quatre tournois majeurs du tennis au cours de leur carrière: Fred Perry, Don Budge, Rod Laver, 2 fois et QUEL autre?

ROY EMERSON (Australien. Il a atteint ce sommet en 1964)

535) QUELLE équipe a été la dernière du XXe siècle à remporter les 6e et 7e rencontres de la finale de la coupe Stanley en 1971?

LES CANADIENS DE MONTRÉAL

536) Lorsque le quart Sam Etcheverry a été échangé par les Alouettes de Montréal aux Tiger-Cats de Hamilton en 1960, il a refusé de se rapporter à sa nouvelle équipe. Il a alors choisi de jouer dans la ligue Nationale de football. Avec QUELLES deux équipes a-t-il terminé sa carrière?

CARDS DE SAINT LOUIS - GIANTS DE NEW YORK

537) OÙ ont été présentés les Jeux Olympiques d'hiver en 1956?

CORTINA D'AMPEZZO (Italie)

538) NOMMEZ le seul trophée remis au joueur le plus remarquable de la ligue Nationale de hockey, à la suite d'un scrutin tenu auprès des joueurs. Il a été présenté pour la première fois en 1971.

LESTER PEARSON (l'ex-premier ministre était un grand amateur de sport)

539) NOMMEZ la seule équipe du baseball majeur à avoir perdu son équipe deux fois : en 1961 et en 1971. Et dites OÙ la concession a été déménagée chaque fois.

WASHINGTON (Sénateurs) - MINNESOTA (1962) - ARLINGTON, Texas (1972) - En 1962, une nouvelle concession a été installée à Washington. En 1971, elle a été transférée au Texas. Washington n'a plus d'équipe depuis ce temps) (3 bonnes réponses=5 points)

540) QUEL demi à l'attaque domine la liste des meilleurs porteurs de ballon, pour le nombre de verges gagnées au sol au cours de sa carrière dans la ligue Canadienne de football ? Il a joué de 1963 à 1975.

GEORGE REED (16,116 verges en 13 saisons avec les RRiders de la Sask)

541) QUEL joueur des Expos de Montréal a été le premier des ligues majeures à porter des gants pour frapper en 1969 ?

RUSTY STAUB

542) Lorsque Jackie Burke a gagné le tournoi des Maîtres du golf en 1956, il a comblé le plus grand écart de coups au début du 4ᵉ tour de toute l'histoire des tournois du grand chelem. QUEL était cet écart ?

HUIT COUPS (jeu de 1 coup + ou - alloué!

543) QUEL joueur de renom les Nordiques de Québec ont-ils mis sous contrat pour leur première saison dans l'Association mondiale de hockey en 1972 ?

JEAN-CLAUDE TREMBLAY (des Canadiens de Montréal)

544) QUEL receveur de passes canadien a joué durant deux saisons avec les Vikings du Minnesota de la N.F.L. en 1965 et 1966, puis a brillé avec les Lions de la Colombie-Britannique de la ligue Canadienne de football de 1967 à 1979 ?

JIM YOUNG (bonne réponse=1 point de plus)

545) QUELLE discipline sportive des Jeux Olympiques d'hiver, jusque-là réservée aux hommes, a été ouverte aux femmes en 1960 à Squaw Valley aux États-Unis ?

PATINAGE DE VITESSE

546) QUEL lanceur canadien, a participé à deux séries mondiales de baseball avec les Cards de Saint Louis en 1964 et avec les Mets de New York en 1969 ?

RON TAYLOR (ses équipes ont gagné). (Bonne réponse=1 point de plus)

547) En 1968-69, ce sont deux gardiens des Blues de Saint Louis, une équipe de l'expansion de la même année, qui ont gagné le trophée Vézina avec les Blues de Saint Louis. QUI étaient ces deux gardiens?

GLENN HALL - JACQUES PLANTE (3 points pour les 2 réponses)

548) En 1966, une nouvelle équipe de football professionnel voit le jour à Montréal. QUEL était son nom et dans QUELLE ligue jouait-elle?

CASTORS (Beavers) - CONTINENTALE (Américaine). (3 points pour les 2 réponses)

549) COMBIEN de circuits Roger Maris a-t-il cognés au cours de sa carrière de 12 saisons dans les majeures? 275 - 375 - 475?

275 (sa moyenne à vie dans les majeures a été de ,260)

550) QUI était l'entraîneur chef de l'équipe du Canada lors de la célèbre série du siècle contre l'U.R.S.S. en 1972?

HARRY SINDEN

551) C'est en 1975 que la finale de la coupe Grey a été disputée pour la première fois sur un terrain des provinces des prairies. LEQUEL?

CALGARY (stade McMahon, construit en 103 jours en 1960)

552) Durant les années 60 et jusqu'au début des années 70, un nouveau circuit de courses de voitures connaît une grande popularité au Canada et aux États-Unis. Les bolides qui y participent son gros, puissants, bruyants et rapides. On leur donne le nom « de Group 7 ». NOMMEZ la série d'épreuves à laquelle ils participaient.

CAN-AM

553) C'est en 1960 que les lanceurs des ligues majeures de baseball ont hérité de QUELLE nouvelle colonne de chiffres dans leur fiche officielle de statistiques individuelles?

VICTOIRES SAUVEGARDÉES

554) Ce golfeur de l'Ohio a été le premier à remporter trois victoires à sa première saison sur le circuit de la P.G.A. en 1962. QUI est-il?

JACK NICKLAUS

555) Aux Jeux Olympiques de 1972 à Munich, les athlètes américains ont vu deux disciplines dont ils détenaient le monopole depuis toujours, leur échapper. Une était le saut à la perche en athlétisme. QUELLE était l'autre?

LE BASKETBALL (51-50 pour l'U.R.S.S. dans une fin de finale controversée)

556) QUI a été le premier marqueur de 50 buts ou plus des Sabres de Buffalo? Il a atteint ce plateau en 1974?

RICHARD MARTIN (52. L'année suivante, il a répété son exploit)

557) NOMMEZ l'équipe d'Espagne qui a remporté pour une 5e année d'affilée en 1960, la coupe d'Europe des clubs champions de football (soccer).

REAL MADRID

558) Lorsque les Dodgers ont quitté la ville de Brooklyn en 1957 pour s'installer à Los Angeles l'année suivante, QUEL nom à consonance péjorative, mais qui se voulait affectueux, ont-ils perdu ?

BUMS (parce qu'ils jouaient dans un quartier défavorisé de Brooklyn)

559) COMMENT se nommait l'équipe de soccer de Montréal de la ligue Nord-Américaine de soccer ? Elle jouait ses matchs locaux à l'Autostade. Son existence a été brève toutefois .... de 1971 à 1973.

L'OLYMPIQUE

560) En 1963, une équipe de football du Québec fait ses débuts dans la ligue de football professionnel United. QUEL nom porte-t-elle ?

RIFLES (Du Québec OU de Montréal. L'équipe jouait ses matchs au stade Delorimier en 1963 et au stade de Verdun en 1964). (Bonne réponse = 1 point de plus)

561) Après avoir refusé de faire son service militaire en 1967, Muhammad Ali a perdu son Championnat mondial des poids lourds. Huit ans plus tard, il l'a reconquis en l'emportant par knock-out contre QUEL champion en titre ?

GEORGE FOREMAN

562) NOMMEZ l'entraîneur qui a été le premier à recevoir le trophée Jack Adams remis au meilleur entraîneur de la ligue Nationale de hockey en 1974 ?

FRED SHERO (Flyers de Philadelphie)

563) QUI était le quart qui dirigeait les Eskimos d'Edmonton lors de leur présence aux finales de la coupe Grey en 1973, 1974, 1975 et 1977 ?

TOM WILKINSON (il a été secondé par Bruce Lemmerman. Les Eskimos n'ont gagné qu'une seule de ces 4 finales ... en 75, lorsque les Alouettes ont raté un botté de précision dans les dernières secondes de la rencontre)

564) Ces deux joueurs de baseball ont été les seuls frères de toute l'histoire du baseball majeur, à terminer aux 1er et 2e rang du championnat des frappeurs de la ligue Nationale en 1966. QUI sont-ils ?

MATTY ET FELIPE ALOU (moyennes respectives de ,342 et ,327)

565) OÙ ont été présentés les 10e Jeux du Commonwealth en 1974 ?

CHRISTCHURCH (Nouvelle-Zélande). (Bonne réponse=1 point de plus)

566) COMBIEN de records de saison régulière de la N.B.A., Wilt Chamberlain a-t-il inscrits au cours de sa carrière entre 1960 et 1973 ? 43, 55 OU 67 ?

CINQUANTE-CINQ

567) Les championnats du monde de patinage artistique ont été annulés en 1961 ? **POURQUOI ?**

TOUTE L'ÉQUIPE AMÉRICAINE A ÉTÉ TUÉE DANS UN ACCIDENT D'AVION À BRUXELLES (alors que l'équipe se dirigeait vers la compétition)

568) La mode des boycotts aux Jeux Olympiques a véritablement commencé en 1956 à Melbourne en Australie, où étaient présentés les Jeux d'été. Une de ces nations était la Chine qui ne voulait pas se retrouver sur le même terrain que Taïwan, ancienne possession chinoise. POURQUOI les six autres pays : le Liban, l'Égypte, le Liechtenstein, les Pays-Bas, la Suisse et l'Espagne, ont-ils décidé de boycotter les Jeux ? Il y a deux réponses.

1) POUR PROTESTER CONTRE L'INVASION DE LA RÉGION DU CANAL DE SUEZ (par la GRANDE-BRETAGNE, la FRANCE et ISRAËL).

2) POUR PROTESTER CONTRE LA RÉPRESSION DU PEUPLE HONGROIS PAR LES FORCES DU PACTE DE VARSOVIE. (2 points par bonne réponse)

DIVERS

Chapitre V

«Ce qui m'impressionne de l'Amérique, c'est de voir les parents obéir à leurs enfants».
Duc de Windsor, ext. d'interview, magazine Look, 1957.

«Le bon sens est une collection de préjugés qu'on a acquis une fois rendu à l'âge de dix-huit ans».
Albert Einstein, 1975

«L'espoir est un risque qu'il faut prendre».
George Bernanos, écrivain français.

«Les musiciens ne prennent pas de retraite. Ils s'arrêtent quand ils n'ont plus de musique en eux».
Louis Armstrong, musicien de jazz, 1968.

«Le bonheur, c'est la santé et une mauvaise mémoire».
Ingrid Bergman, actrice, 1971.

SYNOPSIS

Les 50 ans et plus du Canada et des États-Unis vous diront sans même hésiter, que les meilleures années ont été celles allant de 1955 et à 1975. Meilleures années au sens de la prospérité, de la technologie, des arts et de la permissivité. C'est alors que « la poule aux oeufs d'or » a crevé et qu'on a commencé à faire le bilan de nos excès. Ce n'est pas que les symptômes ne les laissaient pas présager, mais comment arriver à se priver de tant de douceurs même si l'inflation et le taux d'endettement atteignaient des sommets inquiétants à partir du début des années 70 ?

Il suffit de consulter les nombreux ouvrages publiés par les historiens à l'occasion de la fin du centenaire pour le constater. Par exemple, le Québec affichait un taux de chômage de 4,3 % en 1964 et la croissance économique nord-américaine jouissait d'une santé robuste. L'homme se promenait dans l'espace et foulait le sol lunaire, l'Afrique et l'Asie du Sud-Est expulsaient les puissances coloniales, les Israéliens et leurs voisins arabes se livraient trois guerres et l'Europe se cherchait une nouvelle identité. Chez nous, l'État-providence de Jean Lesage amorçait alors un virage vers une politique plus socialisante et tous y trouvaient leur compte. Nos voisins américains s'empêtraient pendant ce temps dans leur guerre impopulaire du Vietnam et dans le scandale du Watergate.

Cette période a aussi vu naître la facilité et une certaine insouciance. La nature humaine n'arrivant jamais à se satisfaire, même en période d'abondance, on en voulait plus. Les syndicats montraient leurs muscles et les enchères montaient. Pas étonnant que les années 60 et 70 aient été les championnes des grèves. Qui dit grève, dit manifestation, qui dit manifestation, dit contestation et cela dans tous les secteurs d'activités. Les gouvernements n'étaient pas vraiment un exemple à suivre car la folie des dépenses les avaient atteints eux aussi.

La société de consommation, *The American Way*, un retour aux années folles où tout était permis, voilà ce qu'étaient les années 1956 à 1975. Si vous êtes de ceux et celles qui avez fréquenté ces années uniques de notre siècle, vous vous sentirez bien dans notre petit quiz.

DEGRÉ DE DIFFICULTÉ - Moyennement difficile - Une note de 55 % est forte.
NOMBRE DE QUESTIONS - 700
QUESTIONS RÉSERVÉES AU CANADA - 198 (dont 132 au Québec)
POURCENTAGE SUR 700 - 28,3 %

NOMBRE DE QUESTIONS POUR LA PÉRIODE 1956-1975 - 2844
QUESTIONS RÉSERVÉES AU CANADA - 904 (dont 529 au Québec)
POURCENTAGE DU CANADA SUR 2844 - 31,8 %
POURCENTAGE DU QUÉBEC SUR 2844 - 18,6 %

1) QUEL physiologiste québécois a publié en 1956 *The Stress of Life*?

   HANS SELYE (en 1975, il a publié Stress sans détresse)

2) C'est en 1962 que les caisses populaires Desjardins ont fait l'acquisition de cette compagnie d'assurances québécoise. LAQUELLE?

   LA SAUVEGARDE

3) En 1962, lors du programme spatial Mercury, trois astronautes américains ont réussi tour à tour à orbiter la terre. Les deux premiers, John Glenn et Scott Carpenter, ont réussi chacun trois orbites. Le troisième a orbité la terre six fois. QUI était-il?

   WALTER SCHIRRA (bonne réponse=1 point de plus)

4) QUEL chanteur américain a popularisé la chanson *Morning has Broken* en 1972?

   CAT STEVENS

5) C'est en 1975 que ce chef d'orchestre a été nommé directeur musical du Métropolitan Opera de New York. QUI est-il?

   JAMES LEVINE

6) Cette célèbre peinture, *Le Garçon au gilet rouge*, a été vendue au prix de 616,000 dollars en 1960, le montant le plus élevé jamais déboursé à un encan pour une peinture. QUI en était le créateur?

   PAUL CÉZANNE

7) Avant le lancement de la navette spatiale Columbia en 1981, la N.A.S.A avait institué quatre programmes destinés à explorer l'espace avec des vaisseaux spatiaux commandés par des astronautes. En 1958, le premier programme s'appelait Mercury. NOMMEZ les trois autres qui ont suivi entre 1965 et 1979.

   GEMINI - APOLLO - SKYLAB (4 points pour 3 réponses. Sinon, 1 point par bonne réponse)

8) Outre la *Austin* et la *Morris*, QUELLE autre petite voiture britannique à prix populaire a été assez bien accueillie par les consommateurs canadiens durant la deuxième moitié des années 50?

   HILLMAN (les ventes des voitures britanniques ne représentaient pas un pourcentage important des ventes de voitures au Canada. Leur qualité laissait à désirer). (Bonne réponse=2 points de plus)

9) QUEL quotidien montréalais a cessé d'être publié en 1957?

   LE MONTREAL HERALD (avait été fondé en 1811)

10) QUI a publié en 1966 *Nègres blancs d'Amérique*?

   PIERRE VALLIÈRES

11) La première chanson de Gilles Vigneault a été enregistrée par un autre artiste. QUEL était le nom de cette chanson et QUI l'a endisquée en 1959?

   JOS MONTFERRAND - JACQUES LABRECQUE (3 points pour 2 bonnes réponses)

12) Le *Washington Post* reçoit un prix Pulitzer en 1973 pour son journalisme d'enquête dans l'affaire du Watergate, grâce aux journalistes Bob Woodward et QUEL autre?

   CARL BERNSTEIN (bonne réponse=1 point de plus)

13) COMMENT se nommait le premier club disco qui a ouvert ses portes à New York en 1961?

   LE CLUB

14) En 1967, la mode pour homme nous fait voir un vêtement de coton ou de tissus synthétiques aux teintes unies pour ceux qui n'aiment pas les chemises et cravates. Qui plus est, on le porte pour toutes les occasions même à l'opéra et dans les réceptions mondaines. QUEL était ce substitut à la chemise?

   LE CHANDAIL À COL ROULÉ

15) En 1958, dans sa hâte à mettre une fusée en orbite, la marine américaine subit un 6e échec d'affilée avec QUELLE fusée?

   VANGUARD (bonne réponse=1 point de plus)

16) En QUELLE année les tramways ont-ils disparu des rues de Montréal et d'Ottawa?

   1959 (jeu d'un an + ou - alloué)

17) Quelques mois après avoir quitté son groupe vocal en 1970, cette chanteuse a gagné un disque d'or avec la chanson *Ain't No Mountain High Enough*. QUI est-elle?

   DIANA ROSS

18) En 1962, la compagnie Coca-Cola met sur le marché une boisson gazeuse à saveur de cola mais sans sucre. QUEL était le nom de cette boisson?

   TAB

19) QUELLE danse a été popularisée en Amérique du Nord en 1956 grâce à la chanson *Jamaïca Farewell* de Harry Belafonte?

   LE CALYPSO

20) NOMMEZ le joueur d'échecs qui a été le premier américain à devenir champion mondial des échecs en 1972 après avoir battu le Soviétique Boris Spassky.

   BOBBY FISHER (bonne réponse=1 point de plus)

21) La carrière du jeune Paul Anka, chanteur-compositeur d'Ottawa, a pris son envol en 1958 grâce à QUELLE chanson?

   DIANA

22) À bord de QUELLE capsule spatiale l'astronaute américain John Glenn a-t-il réussi trois orbites de la terre en 1962 pour devenir le premier américain à orbiter notre planète?

FRIENDSHIP 7 (il a passé 4 heures et 55 minutes dans l'espace)

23) Se prononçant contre toute forme de contraception artificielle, le pape Paul VI publie en 1968 une encyclique qui porte QUEL nom?

HUMANAE VITAE (bonne réponse=1 point de plus)

24) En QUELLE année le pont Champlain reliant l'île des Sœurs à la rive sud du Saint Laurent a-t-il été inauguré?

1962 (Jeu de 2 ans + ou - alloué)

25) Le ténor Luciano Pavarotti a fait ses débuts à l'opéra du Métropolitain en 1968. Dans QUEL opéra de Puccini, celui qui l'a le plus marqué à ses débuts, a-t-il alors chanté à New York?

*LA BOHÊME (de Puccini - dans le rôle de **Rodolpho**)*

26) QUELLE importante centrale électrique de l'Est du Canada, a été inaugurée en 1972 et dont l'énorme réservoir portait le nom d'un ancien premier ministre provincial? NOMMEZ la centrale ET le réservoir.

CHURCHILL FALLS (Labrador) - RÉSERVOIR SMALLWOOD (1 point par réponse)

27) La chanson *Love Will Keep Us Together*, a été vendue à plus d'un million d'exemplaires en 1975. NOMMEZ le couple qui l'a enregistrée.

CAPTAIN AND TENNILE (Daryl Dragon et Toni Tennile)

28) Outre le *707* de Boeing et le *DC-8* de McDonnell-Douglas, QUEL autre avion commercial à quatre réacteurs à été mis en service au début des années 60 par un fabricant américain?

CONVAIR 880 (Golden Arrow) (plus rapide que les 707 et DC-8. Il a été un échec commercial à cause de sa petite capacité: à peine 100 sièges)
(Bonne réponse=2 points de plus)

29) Mis en circulation en 1937, ce populaire magazine américain grand format cesse d'être publié en 1971 à cause d'ennuis financiers. NOMMEZ-le.

*LOOK (il devait être le rival de **Life** lancé en 1936)*

30) QUI a écrit *Option Québec* publié en 1968?

RENÉ LÉVESQUE (peu de temps après, il fondait le Parti québécois)

31) COMMENT se nommait le premier satellite canadien mis en orbite en 1962 depuis la base américaine Vandenberg en Californie?

ALOUETTE 1

32) COMMENT se nommait le roman d'Yves Thériault publié en 1958 et dont l'action se passe chez les Inuit?

AGAGUK (bonne réponse=1 point de plus)

33) Cette chanson, composée en 1940, a été une de quatre vendues à plus d'un million d'exemplaires chacune en 1956 et de loin la plus connue de Fats Domino. LAQUELLE?

BLUEBERRY HILL

34) En 1959, la compagnie Chrysler a imité GM et Ford et a lancé sa première voiture compacte. LAQUELLE?

VALIANT

35) QUEL grand baryton américain est mort sur scène alors qu'il chantait dans l'opéra *La Force du destin* de Verdi au Metropolitan Opera de New York en 1960?

LEONARD WARREN (il a été victime d'une crise cardiaque)

36) Cette pièce de Neil Simon avec Walter Matthau et Art Carney est présentée en première sur Broadway en 1965. Elle sera ensuite mise sur film et deviendra plus tard une populaire télésérie. QUEL était son titre?

THE ODD COUPLE

37) En juillet 1969, Neil Armstrong devient le premier homme à fouler le sol lunaire. Un 2e membre, Buzz Aldrin marche lui aussi sur la lune. QUI était le 3e membre d'équipage d'Apollo XI qui n'a pas quitté le module de commande Columbia durant les 21 heures passées par Armstrong et Aldrin sur la lune?

MICHAEL COLLINS (bonne réponse=2 points de plus)

38) Après avoir lancé un premier microsillon en 1961, le chanteur compositeur Claude Léveillée enregistre deux chansons sur son premier disque 45 tours l'année suivante. D'un côté, la chanson *Par-delà les âges*. QUELLE est l'autre?

FRÉDÉRIC

39) NOMMEZ le chef de la mafia qui a été abattu durant une réception dans le restaurant Umberto de New York en 1972.

JOEY GALLO (bonne réponse=2 points de plus)

40) Cette comédie musicale de 1968 sert de tremplin à une série de productions du style «love-rock» qui glorifient la nudité, la sexualité et les valeurs non-conformistes. QUEL est son nom?

HAIR

41) QUEL couturier de la maison Dior lance en 1958 la «robe trapèze»? Elle n'aura qu'un succès éphémère.

YVES SAINT LAURENT

42) Après le *Comet* britannique, QUEL a été le deuxième avion à réaction pour le transport des passagers à être mis en service en 1956?

LE TUPOLEV 104 (bimoteur soviétique). (Bonne réponse=3 pts de plus)

43) En 1972, Jacques Dion, Amédée Daigle et QUEL autre syndicaliste quittent la C.S.N. pour fonder un autre syndicat, la C.S.D.?
   PAUL-ÉMILE DALPÉ (bonne réponse=1 point de plus)

44) En 1960, les universités québécoises anglophones accueillent 11 % de tous les étudiants anglophones âgés de 20 à 24 ans. QUEL pourcentage les universités francophones ont-elles attiré chez les francophones du même âge en 1960?
   TROIS POUR CENT (Jeu de 1 % + ou - alloué)

45) QUEL roman l'écrivain montréalais Mordecai Richler a-t-il publié en 1959?
   THE APPRENTICESHIP OF DUDDY KRAVITZ (son plus connu)

46) Cette chanson portait le même titre que le film de 1973 dont elle est extraite. Barbra Streisand a obtenu un disque d'or avec son enregistrement. QUELLE est cette chanson?
   THE WAY WE WERE

47) Un *DC-8* d'Air Canada faisant la liaison Montréal-Los Angeles s'écrase à l'aéroport de QUELLE ville en 1970 faisant 109 morts?
   TORONTO (après avoir violemment heurté la piste à sa tentative d'atterrissage, le pilote a voulu recommencer. Alors qu'il faisait demi-tour, l'avion s'est désintégré dans les airs)

48) En 1957, le collège du Sacré-Cœur de cette ville hors Québec, devient une université bilingue et porte le nom de la ville. En 1960, elle se donne QUEL nouveau nom?
   LAURENTIENNE (de 1957 à 1960, l'Université de Sudbury)

49) QUI était le rédacteur en chef et directeur du nouveau quotidien québécois *Le Jour* en 1973?
   YVES MICHAUD

50) Lorsque la société Air Canada a décidé en 1963 de faire l'achat d'avions biréactés court-courrier *DC-9*, deux autres modèles avaient été considérés: la *Caravelle* française et QUEL autre biréacté britannique?
   LE BAC-111 (on avait dans un premier temps éliminé de la course les triréactés 727 de Boeing et Trident britannique parce qu'ils étaient trop gros). (Bonne réponse=2 points de plus)

51) Cette chanson a valu à Elvis Presley son premier disque d'or en 1956. En fait, deux, puisque le disque s'est vendu à plus de 2 millions d'exemplaires. QUEL était le titre de cette chanson?
   HEARTBREAK HOTEL

52) QUEL écrivain québécois a publié en 1967 *Salut Galarneau*?
   JACQUES GODBOUT (bonne réponse=1 point de plus)

53) À l'âge de 18 ans, Françoise Hardy enregistre QUELLE chanson sur 45 tours qui connaît un succès immédat auprès de ceux qui ne veulent pas s'identifier aux interprètes bruyants de rock ? C'était en 1962.

TOUS LES GARÇONS ET LES FILLES

54) Dans QUELLE ville nord-américaine, une exposition universelle a-t-elle été présentée en 1962 ? Elle a attiré seulement 10 millions de visiteurs.

SEATTLE (État de Washington)

55) La bande dessinée *Astérix* voit le jour en France en 1959. Alberto Uderzo en était l'artiste dessinateur. QUI était l'auteur des textes ?

RENÉ GOSCINNY

56) Cet avocat du diable des automobilistes dénonce dans son livre *Unsafe at any Speed* en 1965, la mauvaise qualité des voitures américaines. QUI était-il ?

RALPH NADER (il s'en est pris notamment à la Corvair de GM)

57) C'est en 1971 que cette importante centrale hydroélectrique a été mise en service au Québec. NOMMEZ-la.

MANIC 5

58) NOMMEZ l'écrivain américain qui a publié en 1957 *On The Road* et qui a popularisé le mot « beatnik ».

JACK KEROUAC

59) QUEL quatuor vocal rock a obtenu son premier disque d'or en 1973 avec la chanson *Dark Side of the Moon* ?

PINK FLOYD

60) Combien de visiteurs l'Exposition universelle de Montréal a-t-elle attiré en 1967 ?

50 MILLIONS (Jeu de 2 millions + ou - alloué)

61) C'est en 1959 que la reine Élisabeth, le président Eisenhower et le premier ministre Diefenbaker, ont présidé à l'inauguration officielle de QUELLE réalisation dont on parlait depuis 25 ans et qui a nécessité 7 ans de travaux ?

LA VOIE MARITIME DU SAINT LAURENT

62) Cette mélodie, *The Lonely Bull*, a été en 1962, le premier disque d'or de cet ensemble instrumental américain. NOMMEZ-le.

HERB ALPERT AND THE TIJUANA BRASS

63) Ce best-seller, *Papillon*, l'histoire d'un ancien bagnard, est publié en 1969. QUI en était l'auteur ?

HENRI CHARRIÈRE

64) Deux avions commerciaux long-courriers avaient cette même particularité durant les années 60 : 4 moteurs à réaction situés dans la queue. Un était russe, *l'Ilyushin-62*. COMMENT se nommait l'autre ?

VC-10 (britannique, fabriqué par Vickers Corporation). (Bonne réponse = I point de plus)

65) NOMMEZ la chanteuse québécoise, sœur de Colette Bonheur, qui nous a donné la chanson *À Rosemont Sous La Pluie* en 1956.

GUYLAINE GUY (bonne réponse=I point de plus)

66) NOMMEZ celui qui a assassiné Lee Harvey Oswald, présumé assassin de John Kennedy, dans une station de police de Dallas en 1963.

JACK RUBY

67) En 1975, la compagnie Sony mettait la vidéocassette format Beta sur le marché. Peu de temps après, la même année, le format V.H.S. était offert au public. QUELLE compagnie l'a créé ?

J.V.C.

68) QUELLE a été la première chanson des Beatles à se vendre à plus d'un million d'exemplaires en 1963 ?

SHE LOVES YOU

69) L'Exposition universelle de 1958 a été tenue dans QUELLE ville européenne ?

BRUXELLES (41 millions de personnes l'ont visitée)

70) C'est en 1964 que cette centrale hydroélectrique de 654 MW sur l'Outaouais à 40 kilomètres de Montréal, a été mise en service. QUEL nom porte-t-elle ?

CARILLON (située non loin de Rigaud)

71) Ces deux villes de l'Ouest de l'Ontario ont fusionné en 1970 pour créer la ville de Thunder Bay. Une s'appelait Fort William. COMMENT se nommait l'autre ?

PORT ARTHUR (bonne réponse=I point de plus)

72) Le premier satellite américain a été mis en orbite en janvier 1958. Il pesait 30 livres. COMMENT se nommait-il ?

EXPLORER I

73) C'est en 1965 que la chanson *L'Hiver* a été composée. NOMMEZ celui qui a collaboré avec Gilles Vigneault à la composition de cette chanson ?

CLAUDE LÉVEILLÉE

74) Au début des années 60, les grands de l'automobile américaine ont lancé sur le marché les voitures économiques dites compactes. Celle de la compagnie Ford en 1963 s'est le mieux vendue. QUEL était son nom ?

FALCON

75) La chanteuse Anne Murray est devenue en 1970 la première canadienne à atteindre le cap du million de disques vendus grâce à QUELLE chanson?

SNOWBIRD

76) QUEL grand et luxueux paquebot s'est arrêté au port de Québec peu de temps avant l'arrivée du président Charles de Gaulle en 1967?

LE FRANCE

77) QUEL magazine américain a cessé d'être publié en 1969 après 148 ans d'existence?

SATURDAY EVENING POST

78) Le satellite Surveyor 5 a été lancé du cap Kennedy en Floride en septembre 1967 en direction de la surface lunaire. COMBIEN de temps a-t-il fallu à ce satellite pour atteindre la lune? 2 jours et 17 heures, 4 jours et 4 heures OU 6 jours et 10 heures?

DEUX JOURS ET 17 HEURES

79) Cette chanson italienne, traduite en anglais, a été la première à mériter un Grammy Award en 1959 à titre de meilleure chanson de l'année. QUEL était son titre?

NEL BLU DIPINTO DI BLU ou VOLARE

80) L'indice boursier Dow Jones a atteint QUEL sommet pour la première fois en 1972?

LES MILLE POINTS

81) COMBIEN valait le dollar canadien en devises américaines en 1971? 95 cents, un dollar et 6 cents OU un dollar et 12 cents?

UN DOLLAR ET SIX CENTS

82) C'est en 1956 que cette chaîne de restaurants de hamburgers a vu le jour aux États-Unis peu de temps après la chaîne McDonald's. NOMMEZ-la.

BURGER KING

83) NOMMEZ le cosmonaute soviétique qui a été le premier à passer toute une journée dans l'espace en 1961. À bord du vaisseau Vostok 2, il a fait 17 fois le tour de la terre et a parcouru 435,000 milles.

GHERMAN TITOV (il a passé 25 heures dans l'espace)

84) En 1960, la reine Élisabeth devient la première depuis la reine Victoria en 1857, à donner naissance à un enfant alors qu'elle est reine d'Angleterre. QUEL nom a été donné à son enfant?

ANDREW (Charles et Anne sont nés alors qu'elle était une princesse)

85) La maison de haute couture Givenchy bouleverse la mode féminine en 1957 avec sa dernière création d'une robe qui élimine pour la plupart le besoin de porter un corset. QUEL était le nom donné à cette robe?

LA ROBE-SAC

86) QUELLE compagnie aérienne internationale nord-américaine, a été la première à se donner une flotte entièrement composée d'avions réactés ou turbopropulseurs en 1963?

AIR CANADA

87) NOMMEZ le premier groupe vocal noir à obtenir une première place au palmarès américain des grands succès en 1956. Et avec QUELLE chanson?

PLATTERS - THE GREAT PRETENDER (1 point par réponse)

88) L'ouverture officielle de ce premier édifice du genre à Ottawa, devait avoir lieu dans le cadre des Fêtes de la Confédération. Mais ce n'est qu'en 1969 qu'il est inauguré et à un coût de 46 millions de dollars, bien au-delà des prévisions. NOMMEZ ce centre ultramoderne.

LE CENTRE NATIONAL DES ARTS

89) Ouvert en 1967, ce théâtre fait revivre en partie le théâtre populaire, disparu depuis le début des années 50 à Montréal. QUEL nom portait-il?

LE THÉÂTRE DES VARIÉTÉS

90) Afin de respecter les normes du gouvernement sur l'environnement, les compagnies pétrolières offrent un nouveau produit aux automobilistes en 1974. LEQUEL?

L'ESSENCE SANS PLOMB

91) Le gouvernement fédéral ayant décidé de convertir le système de mesure impériale au système métrique, la première étape est amorcée en 1975 avec la conversion de QUELLE unité de mesure?

LA TEMPÉRATURE (de Fahrenheit à Celsius)

92) Ce chanteur compositeur américain style country a vu sa chanson *A White Sport Coat* se vendre à plus d'un million d'exemplaires en 1957. QUI était-il?

MARTY ROBBINS

93) Cette poète a publié en 1967, *Terre des Hommes* et en 1975, *Speak White*. QUI était-elle?

MICHÈLE LALONDE

94) Ce mot suédois voit le jour en 1962 au Canada. Il est donné à celui qui à la tâche indépendante de tout pouvoir politique, d'examiner les plaintes des citoyens et de soumettre ses recommandations aux autorités. QUEL est ce mot?

OMBUDSMAN

95) En 1959, la compagnie General Motors met sur le marché la première voiture américaine avec le moteur installé à l'arrière. QUEL était son nom?

CORVAIR

96) QUI a écrit et interprété la chanson *Le Zizi* en 1975?

PIERRE PERRET

97) En QUELLE année l'université du Québec à Montréal a-t-elle accueilli ses premiers étudiants?

1969

98) En 1962, l'Orchestre philharmonique de New York présente son premier concert dans sa nouvelle demeure: le Lincoln Center. QUEL était le nom de la salle où l'orchestre avait présenté ses concerts depuis 1893?

CARNEGIE HALL (elle existe toujours)

99) QUELLE compagnie aérienne a été la première à mettre en service commercial l'avion long-courrier *Boeing 747* en 1970?

PAN AMERICAN

100) Mesurant 5 pieds 7 pouces et pesant 92 livres, ce super mannequin britannique gagne mille dollars de l'heure et est au sommet de la profession en 1967. Trois ans plus tard, à l'âge de 19 ans, désabusée, elle abandonne son métier. QUI était-elle?

TWIGGY (de son vrai nom Leslie Hornby)

101) Avant de devenir un quatuor, les Beatles n'étaient que trois: Lennon, McCartney et Harrison. C'était en 1959 et ils ne s'appelaient pas encore les Beatles. Leur nom était celui de l'école qu'avait fréquentée John Lennon à Liverpool. QUEL était ce nom?

THE QUARRYMEN (bonne réponse=2 points de plus)

102) QUI est l'auteur de la pièce *Les Beaux dimanches*, créée en 1965?

MARCEL DUBÉ

103) QUEL nouveau pont, le plus long au Canada, a été inauguré en 1970?

PIERRE LAPORTE (Québec)

104) C'est en 1960 que cette drogue a été mise sur le marché. Elle avait pour but de combattre l'anxiété. QUEL était le nom de cet anxiolytique?

LIBRIUM

105) En 1960, le parachutiste américain Joseph Kittinger atteint à bord d'un ballon l'altitude de 103 mille pieds. Puis il saute et reste en chute libre sur une distance de 86 mille pieds avant d'ouvrir son parachute. QUELLE vitesse maximum a-t-il atteint durant sa chute libre? 200, 325 OU 450 milles à l'heure?

QUATRE CENT CINQUANTE MILLES À L'HEURE

106) C'est en 1968 que le vocabulaire musical du rock and roll hérite de ce nouveau style de rock. QUEL était ce nom qui s'inspirait des habitudes d'une partie de la jeune génération d'alors?

LE ROCK ACIDE

107) QUEL chef d'orchestre français a atteint le sommet du palmarès américain de la chanson, avec la mélodie *Love is Blue* en 1968? Le disque s'est vendu à plus d'un million d'exemplaires, son premier.

PAUL MAURIAT

108) NOMMEZ l'astronaute américain qui a frappé une balle de golf en orbite à partir du sol lunaire en 1971.

ALAN SHEPARD (décédé en 1999)

109) En 1958, cette soprano canadienne fait ses débuts à l'Opéra de Toronto dans le rôle de *Mimi* de *La Bohême*. L'année suivante, elle fait ses débuts à l'opéra du Métropolitain de New York. QUI est-elle?

THERESA STRATAS (née en Crète, a grandi et étudié à Toronto)

110) QUEL grand couturier a provoqué la risée chez ses pairs en 1960 lorsqu'il a présenté la première collection importante de vêtements pour hommes?

PIERRE CARDIN

111) QUEL jeune interprète Edith Piaf a-t-elle épousé peu de temps avant sa mort en 1963?

THÉO SARAPO

112) En 1975, le magazine *Redbook* fait un important sondage auprès de 100,000 femmes mariées et âgées de 20 à 34 ans. À la question: «Avez-vous eu des relations sexuelles avant votre mariage?», QUEL pourcentage des répondantes ont répondu OUI? 57 %, 69 % OU 80 %?

QUATRE-VINGTS POUR CENT (le sondage révélait aussi que la moitié des répondantes avaient eu leur première relation sexuelle avant l'âge de 17 ans)

113) Deux nouveaux quotidiens voient le jour en 1964 à Montréal. Le premier, *le Journal de Montréal*, tient le coup et devient même au fil des ans, le quotidien au plus fort tirage au Canada. L'autre meurt moins de trois années après sa naissance. COMMENT se nommait-il?

LE NOUVEAU JOURNAL

114) NOMMEZ le membre du F.L.Q. qui a plaidé coupable en 1969 à 129 chefs d'accusations relativement à une série d'attentats à la bombe durant les années 60 dans la région de Montréal.

PIERRE-PAUL GEOFFROY

115) Le plus haut édifice au Canada a été inauguré en 1968 à Toronto. QUEL est le nom de cet édifice haut de 56 étages?

PLACE TORONTO-DOMINION (bonne réponse=1 point de plus)

116) Après avoir tenu une exposition universelle en 1939, cette ville en a présenté une autre en 1964. NOMMEZ-la.

NEW YORK

117) QUELLE a été la première chanson de Guy Béart à être mise sur disque en 1957? C'est Patachou qui en est l'interprète.

BAL CHEZ TEMPOREL

118) Plus de trente ans après sa publication, les autorités américaines autorisent finalement en 1959 la vente de ce roman britannique. QUEL est son titre?

LADY CHATTERLEY'S LOVER

119) Entre 1925 et 1945, le nombre de voitures au Canada n'a augmenté que de 12 % à cause de la récession des années 30 et de la Deuxième Guerre mondiale. Mais entre 1945 et 1960, les consommateurs canadiens ont développé un amour fou pour l'automobile. Durant cette période de 15 ans, les ventes de voitures ONT-ELLES doublé, triplé ou quadruplé au Canada?

QUADRUPLÉ (en 1960, 522,000 véhicules neufs ont été vendus au Canada)

120) En 1974, l'indice des prix à la consommation aux États-Unis et au Canada augmente considérablement, la plus forte augmentation depuis 1946. De QUEL pourcentage a-t-il été?

12,2 % - (jeu de 2 % alloué)

121) Une nouvelle danse accompagnée d'une nouvelle musique voit le jour en 1962. Elle aura une existence plutôt éphémère. COMMENT se nommait-elle?

BOSSA NOVA

122) En 1961, la ville de Stalingrad a été baptisée d'un autre nom. LEQUEL?

VOLGOGRAD

123) QUEL étaient le prix d'une maison unifamiliale neuve de trois chambres à coucher en 1973 dans la périphérie de Montréal (Ouest de l'île, Rive-Sud, Laval)?

28 000 MILLE DOLLARS (jeu de 3 000 dollars + ou - alloué)

124) NOMMEZ le journaliste qui, au milieu des années 60 a donné le titre des *Trois colombes* à Jean Marchand, Pierre Trudeau et Gérard Pelletier, lorsque ces trois Québécois ont accepté de se porter candidats aux élections fédérales de 1965.

JEAN V. DUFRESNE

125) COMMENT se nommait le vaisseau spatial dans lequel Yuri Gagarin prenait place lors de la première mission de l'histoire dans l'espace en 1961 ?

VOSTOK 1

126) C'est en 1958 que ce jeu exigeant un bon roulement des hanches a gagné la faveur du public, des adolescents surtout. DONNEZ le nom de cet exercice qui se faisait avec l'aide d'un accessoire.

HULA-HOOP

127) Deux ans après avoir été mis sur disque, l'enregistrement de cette chanson de Simon and Garfunkel est modifiée par la compagnie Columbia qui ajoute des accords de contrebasse, de batterie et de guitare électrique. La chanson devient un grand succès et gagne le premier rang du palmarès, à la grande surprise des deux chanteurs compositeurs qui avaient abandonné le métier. QUEL était le titre de cette chanson de 1966 ?

SOUNDS OF SILENCE

128) En 29 ans d'existence, la célèbre prison d'Alcatraz située sur un îlot dans la baie de San Francisco, a été la scène de 21 tentatives d'évasion. Dites COMBIEN ont été réussies ?

UNE (en 1962, trois détenus ont réussi à gagner la rive à bord d'un radeau et n'ont jamais été revus)

129) Après 34 ans d'existence, cette voiture construite par la compagnie Chrysler est retirée du marché en 1961. COMMENT se nommait-elle ?

DE SOTO (elle avait été lancée en 1928 mais avait perdu la faveur du public à la fin des années 50)

130) Un incendie criminel dans un bar du centre-ville de Montréal a fait 37 morts en 1972. QUEL était le nom de l'établissement ?

BLUE BIRD BAR (bonne réponse=2 points de plus)

131) Ce leader du mouvement étudiant allemand était un contestataire de ce qu'il appelait la répression de l'establishment. En 1968, il a été choisi comme porte-parole du mouvement de mars 1968 et deux mois plus tard, menait la sanglante révolution étudiante contre le gouvernement français. QUI était-il ?

DANIEL COHN-BENDIT (bonne réponse=1 point de plus)

132) QUEL avion à quatre moteurs turbopropulseur a été mis en service en 1961 par la compagnie Trans-Canada Airlines ? Il avait été construit par la compagnie Vickers et devait remplacer les *North Stars* et les *Super Constellations* sur les vols de longue distance.

VANGUARD (Les pressions du gouvernement ont forcé T.C.A. à en acheter une vingtaine. B.E.A. a été la seule autre compagnie à en acheter).
(Bonne réponse = 2 points plus)

133) NOMMEZ le guitariste des Rolling Stones qui est mort en 1969 à l'âge de 20 ans. C'est Mick Taylor qui lui a succédé.

BRIAN JONES

134) QUEL pays a mis en service le premier navire de surface à énergie nucléaire, un brise-glace, en 1957? Et COMMENT se nommait-il?

L'U.R.S.S. - LÉNINE (2 points de + pour la 2ᵉ réponse)

135) En 1958, cette petite ville minière de la Nouvelle-Écosse est la scène d'une autre catastrophe, la 2ᵉ en 2 ans. Un passage souterrain s'effondre et 75 mineurs perdent la vie. QUEL est le nom de cette ville?

SPRINGHILL (en 1891, 125 mineurs avaient perdu la vie dans la même mine et en 1956, 39 autres). (Bonne réponse=2 points de plus)

136) Le 30 octobre 1971, le quotidien torontois *The Telegram* cessait d'exister. Deux jours plus tard, un nouveau quotidien voyait le jour à Toronto. LEQUEL?

TORONTO SUN

137) QUELLE romancière américaine a publié en 1966 *Valley of the Dolls*?

JACQUELINE SUSANN

138) COMBIEN de fois les missions Apollo ont-elles permis aux astronautes américains de fouler le sol lunaire entre 1969 et 1972?

SIX FOIS

139) C'est en 1964 que cet usage officiel a été abandonné par l'Église catholique romaine. LEQUEL?

CELUI DU LATIN DANS LA CÉLÉBRATION DES OFFICES RELIGIEUX

140) Ce livre de Richard Bach devient en 1972, le best-seller le plus vendu depuis *Gone With The Wind*. Jamais un livre consacré à un animal ne s'est aussi bien vendu. QUEL était le titre de ce livre traduit en plusieurs langues?

JONATHAN LIVINGSTON, LE GOÉLAND (....,the Seagull)

141) Après les petites voitures britanniques du début des années 50, les Canadiens adoptent de plus en plus d'autres marques européennes. Les plus populaires au Québec en 1958 sont la *Coccinelle* de Volkswagen et QUEL modèle de la Renault française?

LA DAUPHINE

142) QUELLE ville du Maroc a été détruite à 90 % par un tremblement de terre en 1960?

AGADIR (12,000 personnes ont été tuées dans la première minute du séisme)

143) Longueuil devient la 4ᵉ ville en importance de population au Québec en 1969 lorsqu'elle fusionne avec QUELLE autre ville de la rive sud ?

JACQUES-CARTIER

144) Après avoir essuyé un premier échec auprès de la compagnie Decca, les Beatles décident en 1962 de produire eux-mêmes leur premier disque. QUI était le gérant des Beatles à cette époque ?

BRIAN EPSTEIN

145) QUEL nom avait été donné au module lunaire dans lequel prenaient place les astronautes américains qui ont atteint la lune en 1969 ?

EAGLE

146) En 1964, la Californie devient l'État le plus populeux des États-Unis avec dix-huit millions et demi d'habitants. QUEL autre État est tombé au 2ᵉ rang ?

NEW YORK

147) 1966 : date importante pour le développement scientifique et culturel de la ville de Montréal. Grâce à un don d'une brasserie, le centre-ville hérite d'un lieu de rendez-vous pour les fervents de la science. LEQUEL ?

LE PLANÉTARIUM DOW

148) C'est en 1969 que cette comédie musicale américaine met en présence pour la première fois des figurants nus. NOMMEZ cette comédie musicale.

OH CALCUTTA

149) NOMMEZ le centre des arts et concerts qui a ouvert ses portes en 1960 à Toronto.

O'KEEFE CENTER

150) QUELLE interdiction l'Église catholique a-t-elle décidé de lever en 1966 ?

CELLE DE NE PAS MANGER DE VIANDE LE VENDREDI

151) En 1969, alors qu'il venait de quitter une réception, le sénateur Edward Kennedy perd la maîtrise de sa voiture qui plonge dans un étang sur l'île de Chappaquiddick au Massachusetts. NOMMEZ la femme qui l'accompagnait et qui a été retrouvée morte dans la voiture au fond de la baie 10 heures plus tard.

MARY JO KOPECHNE (bonne réponse=2 points de plus)

152) À QUELLE coiffure la comédie musicale *Hair* donne-t-elle naissance en 1969 ?

AFRO

153) C'est en 1971 que la compagnie McDonnell-Douglas a mis en service cet avion long-courrier. LEQUEL ?

DC-10 (triréacteur)

154) NOMMEZ le quotidien français qui a été créé à Paris par Jean-Paul Sartre en 1973.
LIBÉRATION

155) Le premier concours de la chanson canadienne a eu lieu en 1957. C'est une composition de Jacques Blanchet qui a remporté le premier prix. QUEL était son titre?
LE CIEL SE MARIE AVEC LA MER (chantée par Lucille Dumont).
(Bonne réponse = 1 point de plus)

156) QUELLE année Internationale a été proclamée pour la première fois par le premier ministre Trudeau à la Chambre des communes en 1975?
ANNÉE INTERNATIONALE DE LA FEMME (proclamée plus tôt par l'O.N.U.)

157) Le programme américain de l'espace avec un astronaute à bord a commencé avec la mission Mercury en 1961. COMMENT se nommait la 2e série de missions lancée en 1965?
GEMINI

158) En 1967, Robert Charlebois révolutionnait le style de la chanson et du spectacle sur scène avec QUELLE présentation?
OSSTIDCHO

159) QUI a composé la musique de la comédie musicale *Jésus Christ Superstar*, présentée en première à New York en 1971?
ANDREW LLOYD WEBBER (Britannique)

160) En 1969, pour la première fois au Canada, une femme a été nommée juge à la Cour supérieure, celle du Québec. QUI était-elle?
RÉJANE LABERGE-COLAS (bonne réponse=2 points de plus)

161) Johnny Halliday, Sylvie Vartan, Claude François, Françoise Hardy et Richard Anthony s'associaient à QUEL style de musique en 1962?
YÉ-YÉ

162) QUEL organisme regroupant 19 pays a été constitué en 1961 à Paris pour favoriser l'expansion économique des États membres et des États en voie de développement?
L'O.C.D.E. (Organisation de coopération et de développement économique.
Le Japon a été admis au sein de l'organisme en 1964)

163) À la suite de la grève des pompiers de Montréal en 1974, COMMENT a-t-on qualifié les trois jours d'une fin de semaine de novembre, au cours desquels les incendies ont causé des millions de dollars de dégâts?
LE WEEKEND ROUGE

164) QUELLE voiture compacte la compagnie Ford a-t-elle mise sur le marché en 1969, pour concurrencer la popularité de la *Coccinelle* de Volkswagen ?

LA MAVERICK

165) C'est en 1966 que la ville de Montréal (ville seulement) atteint sa population la plus élevée de son histoire du XXᵉ siècle. QUELLE était cette population ?

UN MILLION 222 MILLE HABITANTS (jeu de 150 mille + ou - alloué)

166) NOMMEZ la première compagnie de boissons gazeuses à mettre du cola diète sur le marché national américain en 1962.

*ROYAL CROWN COLA (**Coca Cola** a suivi avec **Tab** peu de temps après)*

167) Aux commandes d'un *SR-71 Blackbird*, deux pilotes de l'aviation américaine réussissent le vol New York Londres à une vitesse moyenne record de 1,871 milles à l'heure en 1974. COMBIEN de temps ont-ils pris ?

UNE HEURE 55 MINUTES (jeu de 20 minutes + ou - alloué)

168) QUELLE chanteuse au style contestataire a aidé Bob Dylan au début de sa carrière, en partageant des concerts avec lui et en acceptant d'enregistrer ses chansons durant les années 60 ?

JOAN BAEZ

169) QUI est l'auteur du livre *La Grève de l'Amiante*, publié en 1956 et dans lequel il critique les valeurs sociales, économiques et politiques du Québec ?

PIERRE-ELLIOTT TRUDEAU

170) Cette version améliorée du transport ferroviaire des passagers, est inaugurée au Japon en 1964 avec l'introduction d'un train qui roule à une vitesse moyenne de 200 kilomètres à l'heure. QUEL nom lui a-t-on donné ?

LE SHINKANSEN ou BULLET TRAIN

171) Ce nouveau vocable fait son apparition en 1974 dans le vocabulaire syndical et patronal. Il désigne une des déductions à la source des chèques de paie. QUELLE est cette désignation ?

AVANTAGES SOCIAUX

172) C'est en 1956 que la compagnie d'aviation québécoise Boréal Airways a adopté un nouveau nom et a déménagé son siège social de Roberval à Montréal. QUEL nom a adopté cette compagnie d'aviation ?

NORDAIR

173) Ce ténor catalan fait ses débuts à Parme en 1971, puis chante à Londres avec Montserrat Caballé qui le prend sous son aile. Réclamé de partout, il fait ses débuts à La Scala en 1974 dans *Tosca*. QUI est ce ténor réputé ?

JOSE CARRERAS

174) En 1969, le barrage hydroélectrique de Manic 5 a été rebaptisé. QUEL nom lui a-t-on donné?

DANIEL JOHNSON (à la mémoire du premier ministre mort en 1968)

175) Elle n'avait que 15 ans lorsqu'elle a enregistré la chanson *I'm Sorry* en 1960. Le disque a été un succès instantané. QUI était cette chanteuse?

BRENDA LEE

176) C'est en 1975 que les États-Unis ont propulsé la première sonde spatiale Viking en direction de QUELLE planète sur laquelle elle se posera?

MARS (elle transmettra des données vers la terre jusqu'en 1983)

177) Après le bikini en 1947, ce maillot fait son apparition sur les plages de la Floride et de la Californie en 1972. Il ne cache à peu près rien et les policiers n'interviennent pas. QUEL nom lui a-t-on donné?

LE MONOKINI

178) Pour faire concurrence à la *Mustang* qui connaît un succès retentissant, General Motors et Chrysler mettent sur le marché trois voitures de modèle sport en 1967. LAQUELLE a été la mieux reçue même si elle n'a atteint que 50 % des ventes de la *Mustang*?

*LA CAMARO (de G.M. - Les deux autres étaient la **Barracuda** et la **Firebird**)*

179) QUI a gagné le concours de la chanson thème de l'Expo 67 de Montréal? Et QUEL était le titre de la chanson?

STÉPHANE VENNE - UN JOUR, UN JOUR - (1 point par bonne réponse))

180) Avec QUELLE pièce Michel Tremblay a-t-il ouvert la voie à un nouveau théâtre marqué par l'usage du joual et un recours à la culture populaire en 1968?

LES BELLES-SOEURS

181) QUEL chanteur populaire américain a vu quatre de ses disques se vendre à plus d'un million d'exemplaires en 1957? Une de ces chansons était *Love Letters In The Sand*, une chanson composée en 1931.

PAT BOONE

182) NOMMEZ la comédie musicale française composée par Marguerite Monnot qui a été présentée en première à Londres en 1958. La version filmée de 1963 mettait en vedette Shirley McLaine.

IRMA LA DOUCE

183) Une liaison aérienne Montréal-Ottawa a été inaugurée en 1974 avec des bimoteurs 16-passagers *DeHavilland Twin-Otter*. À Ottawa, l'aéroport de Rockliffe était le point de départ et d'arrivée. De QUEL endroit à Montréal les avions faisaient-ils leurs décollages et atterrissages?

PARC VICTORIA (près du centre-ville. Le service a duré 2 ans comme prévu)

184) QUI a sollicité le chef de la mafia de Chicago, Sam Giancana, pour venir en aide financièrement à la campagne d'investiture présidentielle de John Kennedy en 1959 et en 1960?

JOSEPH KENNEDY (père de John)

185) Ce roman est une histoire de l'appât du gain, de viol, d'inceste et d'adultère dans une petite ville de la Nouvelle-Angleterre. L'auteur est une jeune femme de 21 ans. 60 mille exemplaires sont vendus en 10 jours lors de sa parution en 1956. Il deviendra par la suite un succès de la télévision. QUEL est le titre de ce roman décrié par les puristes et les mouvements religieux?

PEYTON PLACE

186) En 1965, la minijupe voit le jour. Mais la mode n'oublie pas les hommes qui héritent de QUEL genre de pantalon?

ÉLÉPHANT

187) Vieux de 830 ans, ce populaire marché de Paris est déménagé en 1969 à neuf milles au sud de la ville, près de l'aéroport d'Orly. QUEL est son nom?

LES HALLES

188) QUEL pont enjambant le Saint Laurent à la hauteur de Trois-Rivières et dont la construction a coûté la vie à 11 travailleurs, a été inauguré en 1967? Et QUI était celui qui a donné son nom au pont?

LAVIOLETTE - FONDATEUR (comme Champlain) de TROIS-RIVIÈRES (1634). (2e réponse=1 point de plus)

189) La pièce *Le Roi se meurt* a été présentée en première à Paris en 1962. QUI en était l'auteur?

EUGÈNE IONESCO (bonne réponse=1 point de plus)

190) QUEL meurtrier a été froidement exécuté de 30 balles tirées par des policiers de la Sûreté du Québec dans un chalet de Val David en 1975?

RICHARD BLASS

191) QUEL pays de l'Europe du Nord adopte la conduite à la droite de la route en 1967, laissant à la Grande-Bretagne l'exclusivité européenne de la conduite à gauche?

LA SUÈDE

192) NOMMEZ le chanteur rock américain qui a été tué dans un accident d'avion en 1959? Son plus grand succès était *Peggy Sue* et avait été enregistré en 1957 avec le groupe *The Crickets*.

BUDDY HOLLY

193) QUEL était en 1971 le pourcentage des Québécois de 15 ans et plus, possédant un diplôme universitaire?

CINQ POUR CENT (jeu de 2% + ou - alloué)

194) QUELLE célèbre maison d'opéra a fermé ses portes en 1966 après 84 ans d'existence ?

METROPOLITAN OPERA DE NEW YORK (a déménagé au Lincoln Center)

195) Après la mode mini lancée en 1965, les designers se tournent vers la mode maxi en 1969. Puis en 70-71, les femmes ont un nouveau choix. LEQUEL ?

LA MIDI (a connu peu de succès)

196) C'est en 1966 que la compagnie Air Canada a mis en service ce nouveau réacté de 72 sièges. QUEL est son nom ?

DC-9 (biréacteur de Douglas Corporation)

197) QUEL chanteur québécois au physique jeune premier, gagne la faveur populaire en 1962 avec la chanson *Eso Beso* suivie de *Danke Schön* ?

ROBERT DEMONTIGNY

198) Cette encyclique du Pape Jean XXIII publiée en 1963, est un appel à l'unité de tous les chrétiens du monde mais elle est rejetée par l'église orthodoxe grecque qui refuse de reconnaître l'infaillibilité du Pape. QUEL est son nom ?

PACEM IN TERRIS

199) La dépression économique de 1973 a été causée par la crise du pétrole déclenchée par les pays de l'O.P.E.P. qui réagissaient à QUEL événement ?

LA GUERRE DU YOM KIPPOUR (plus particulièrement l'aide militaire des États-Unis et la sympathie des pays occidentaux envers Israël)

200) Le plus haut édifice au monde est inauguré en 1973. LEQUEL et OÙ ?

SEARS TOWER - CHICAGO (110 étages, 1454 pieds). (2e réponse = 1 point de plus)

201) NOMMEZ l'auteur québécois de *L'Homme rapaillé*, une œuvre de poésie et de prose publiée en 1970.

GASTON MIRON

202) Berry Gordy lance une compagnie d'enregistrement de disques à Détroit avec un investissement initial de 700 dollars en 1957. Elle deviendra une des plus importantes aux États-Unis en moins de 10 ans. QUEL est son nom ?

MOTOWN

203) La comédie musicale *The Sound of Music* est présentée en première à New York en 1959. QUI en a écrit la musique ?

RICHARD RODGERS (les paroles sont de Oscar Hammerstein)

204) Une poupée pour garçons voit le jour en 1964. Elle est en uniforme de guerre et connaît un succès retentissant. COMMENT s'appelait-elle ?

G.I. JOE (le nom donné aux soldats de l'infanterie américaine)

205) En 1965, la capitale de la République du Congo change de nom. Le président Mobutu la baptise Kinshasa. QUEL était son ancien nom?

LÉOPOLDVILLE

206) C'est en 1969 que cette ville québécoise inaugure son festival de la chanson qui existe toujours. NOMMEZ la ville.

GRANBY

207) En juillet 1975, 140 milles au-dessus de la terre, moment historique pour les États-Unis et l'U.R.S.S. QUE s'est-il passé?

ARRIMAGE DES VAISSEAUX SOYUZ ET APOLLO (les 5 membres des deux équipages se visiteront durant les 44 heures de l'arrimage)

208) Ce best-seller d'Arthur Schlesinger, publié en 1965, raconte les années de John Kennedy à la présidence des États-Unis. COMMENT se nomme-t-il?

A THOUSAND DAYS

209) Avec l'arrivée des quadrimoteurs à réaction *DC-8* en 1960, Trans-Canada Airlines fait le trajet Montréal-Vancouver sans escale en 5 heures. COMBIEN en fallait-il avec les *Super Constellations* pour couvrir la même distance?

NEUF HEURES

210) QUI a été choisi par le maire Jean Drapeau pour piloter le dossier d'une demande de concession pour la ville de Montréal auprès des dirigeants du baseball majeur en 1967-68?

GERRY SNYDER (vice-président du Comité exécutif de Montréal)

211) Grâce à Harry Belafonte, le *calypso* devient une danse populaire aux États-Unis en 1956. Belafonte avait enregistré une chanson aux rythmes de cette danse. On la connaît sous le nom de *Day-O* et elle s'est vendue à plus d'un million d'exemplaires. Mais QUEL était son véritable nom?

BANANA BOAT SONG

212) En 1961, le taux de chômage au Canada a atteint son niveau le plus élevé depuis 1942. QUEL était ce taux?

SEPT ET DEMI POUR CENT (Jeu de 1 1/2 % + ou - alloué)

213) QUELLE entreprise de distribution alimentaire regroupant trois grossistes de Montréal, de Sherbrooke et du Saguenay- Lac-St-Jean, a été fondée en 1969 au Québec?

PROVIGO

214) La chanson *Petite Fleur* a été composée en 1952, mais ce n'est qu'en 1959 qu'elle a gagné la valeur populaire grâce à l'ensemble de jazz britannique de Chris Barber et à la chanteuse française Annie Cordy. QUI l'a composée?

SIDNEY BÉCHET

215) Le plus haut édifice de la ville de Montréal est inauguré en 1962 au sein d'un grand complexe du centre-ville. Il a 42 étages. NOMMEZ-le.

BANQUE ROYALE DU CANADA (de la Place Ville-Marie)

216) En 1969, Charles Manson et ses complices sont accusés du meurtre de cinq personnes dans une résidence de Beverley Hills. Une de ces personnes est la conjointe du réalisateur de cinéma Roman Polanski. NOMMEZ-la.

SHARON TATE (elle était enceinte de 7 mois)

217) En 1974, les prix à la consommation atteignent un niveau sans précédent depuis 1946 en Amérique du Nord. ÉTAIT-il de 7,8 %, 9,5 % OU 12,2 % ?

12,2 POUR CENT (jeu de 1,2 % + ou - alloué)

218) QUEL type d'avion militaire américain a réussi le tour du monde sans escale en 45 heures et 19 minutes en 1957, un record absolu ?

B-52 (trois avions ravitaillés en vol. Vitesse moyenne : 550 milles à l'heure)

219) En 1965, c'était la minijupe. Six ans plus tard, on revient au même style mais avec une autre appellation. LAQUELLE ?

LES HOT PANTS

220) QUELLE importante centrale hydroélectrique a été mise en service en 1956 dans la région de la côte Nord du Québec ?

BERSIMIS 1

221) NOMMEZ l'archevêque canadien qui a été élevé au cardinalat en 1965.

MONSEIGNEUR MAURICE ROY (de Québec)

222) C'est en 1960 que l'Organisation des pays exportateurs de pétrole est fondée. Cinq pays dont l'économie dépend en grande partie du pétrole en font partie. LAQUELLE de ces cinq nations n'est pas située au Moyen-Orient ?

LE VENEZUELA (les autres sont l'Iran, l'Irak, le Koweït et l'Arabie Saoudite)

223) Ethel Merman est la vedette de la comédie musicale *Gypsy* présentée en première à New York en 1959. C'est l'histoire de la strip-teaseuse la plus connue des années 20 aux États-Unis. COMMENT se nommait-elle ?

GYPSY ROSE LEE

224) QUELLE invention des français Louis Hartmann et Marc Grégoire a été adoptée par la compagnie américaine Dupont en 1962 ? Elle a rapidement gagné la faveur des amateurs de cuisson.

TEFLON

225) Une charte royale est accordée à cette célèbre troupe de ballet britannique en 1956. Dorénavant, elle porte le nom de Ballet Royal. QUEL était son nom avant l'attribution de cette charte, un nom qui lui avait été donné en 1931 ?

SADLER'S WELLS (bonne réponse= 1 point de plus)

226) Au Québec, on l'a baptisée la « princesse du yé-yé ». Élue découverte féminine de l'année 1965 au Gala des artistes, cette jeune chanteuse de 19 ans a connu le succès avec la chanson *Douliou, Douliou, St Tropez*. QUI est-elle ?

JENNY ROCK

227) DITES ce que veut dire le mot russe « Spoutnik », nom donné au satellite lancé dans l'espace en 1957.

COMPAGNON (bonne réponse=1 point de plus)

228) C'est en 1958 que la désormais célèbre « boîte noire » est éprouvée pour la première fois à bord des avions par les techniciens de QUELLE compagnie nord-américaine d'aviation ?

TRANS-CANADA AIRLINE (qui deviendra Air Canada en 1965)

229) Révolution dans le monde de la mode en 1968. Une affiche dans la vitrine d'un grand magasin de la rue Carnaby à Londres se lit comme suit : « Please excuse us if we call you Madam, Sir. » QUEL nouveau mot international vient d'envahir la mode ?

UNISEX

230) Entre avril et décembre 1956, Elvis Presley domine tous les palmarès. Dites COMBIEN de ses chansons ont atteint le chiffre magique d'un million de disques vendus durant cette période de 9 mois ?

SEPT (dont : Heartbreak Hotel, Don't be Cruel, Hound Dog et Love Me Tender) (Jeu de 1 chanson +/- alloué)

231) QUEL nouveau prix Nobel a été attribué pour la première fois en 1969 ?

SCIENCES ÉCONOMIQUES

232) L'U.N.E.S.C.O., (l'organisation des Nations-Unies pour l'éducation, la science et la culture), inaugure son nouveau siège social en 1958. Dans QUELLE ville ?

PARIS

233) Ce néologisme voit le jour en 1956. C'est un scientifique canadien de la Saskatchewan qui l'invente après cinq ans de recherches sur l'effet des hallucinogènes sur le comportement humain. QUEL est ce mot qui se dit d'un état psychique provoqué par un hallucinogène comme le L.S.D. ?

PSYCHÉDÉLIQUE

234) En 1948, elle lance le parfum *Air du Temps*. En 1970, elle meurt à l'âge de 87 ans après avoir été reçue chevalier de la Légion d'honneur à cause de son élégance française. QUI était cette couturière ?

NINA RICCI

235) Après être passé à l'Olympia en 1962, cet interprète compositeur français amorce une carrière internationale et obtient un grand succès avec la chanson *Elle était si jolie*. QUI est cet artiste ?

ALAIN BARRIÈRE

236) COMMENT se nommait le laboratoire de l'espace long de 36 mètres qui a été lancé dans l'espace par les Américains en mai 1973 ?

SKYLAB I

237) QUELLE compagnie, fondée en 1924 et propriétaire du nouveau Forum de Montréal, a été vendue en 1971 par Peter, David et William Molson à un consortium de trois entreprises présidé par Jacques Courtois ?

LA CANADIAN ARENA COMPANY

238) Après avoir publié *Prochain Épisode* en 1965, alors qu'il est interné à l'Institut Albert Prévost, ce romancier écrit en 1968 son premier roman qui a pour titre *Trou de Mémoire*. QUI est-il ?

HUBERT AQUIN

239) Pour faire concurrence au gros-porteur *DC-10* de Douglas Corporation, la compagnie Lockeed a mis sur le marché un triréacteur qui est entré en service en 1972. COMMENT se nomme-t-il ?

L-1011 ou TRISTAR

240) Carol Channing est la vedette de cette comédie musicale présentée en première à New York en 1964. Sa chanson la plus populaire porte le titre de la production. LEQUEL ?

HELLO DOLLY

241) NOMMEZ le musée d'art moderne conçu par l'architecte Frank Lloyd Wright, qui a été inauguré en octobre 1959 à New York. Il se distingue par l'absence d'escaliers. Les six étages sont reliés par une rampe en pente douce.

GUGGENHEIM (Salomon, collectionneur)

242) En 1967, la *Volkswagen* perd son titre de voiture la plus vendue en Europe. QUELLE autre voiture européenne l'a délogée ?

LA FIAT (tous modèles confondus)

243) QUELLE compagnie industrielle se spécialisant dans l'acier ouvre ses portes en Beauce en 1960 ?

LES ACIERS CANAM (qui deviendra Canam-Manac)

244) Ce nouveau pont, long de 4260 pieds, est officiellement ouvert à la circulation en 1964. Il relie Staten Island et Brooklyn et devient le pont à suspension à travée simple le plus long au monde. COMMENT se nomme-t-il ?

VERRAZANO (en l'honneur de l'explorateur espagnol du XVIe siècle)

245) Cette chanteuse québécoise a fait ses classes dans les cabarets de la Rive gauche à Paris. Elle interprète Ferré, Brecht, Nougaro et Vian. Puis en 1960, elle revient au Québec. Elle y découvre Gilles Vigneault dans une petite boîte de la porte Saint Jean à Québec. QUELLE vedette vient de naître ?

PAULINE JULIEN

246) QUELLE compagnie a été la première à mettre le briquet jetable sur le marché en 1975 ?

BIC (elle avait aussi lancé le stylo jetable et le rasoir jetable)

247) En 1972, pour la première fois dans l'histoire des États-Unis, cette boisson alcoolisée dépasse le whisky dans les ventes d'alcool. NOMMEZ-la.

LA VODKA

248) NOMMEZ la mélodie de Scott Joplin qui a été enregistrée par le pianiste Marvin Hamlisch et qui s'est vendue à plus d'un million d'exemplaires en 1974. Elle était aussi l'indicatif musical du film *The Sting* (*L'Arnaque*).

THE ENTERTAINER (toute la musique du film était signée Scott Joplin)

249) En décembre 1960, la Belgique hérite d'une reine lorsque le roi Beaudoin épouse une belle Espagnole. NOMMEZ-la.

FABIOLA (de Mora y Aragon)

250) En 1970, le pape Paul VI décide que les cardinaux âgés de plus de 80 ans perdront QUELS droit et privilège ?

DE VOTER AUX ÉLECTIONS PONTIFICALES

251) C'est en 1974 que ce bimoteur moyen-courrier a fait son vol commercial inaugural entre Paris et Londres. NOMMEZ cet appareil.

AIRBUS A-300 (un point de plus pour le A-300)

252) Dans QUELLE ville d'Asie a été tenue l'Exposition universelle de 1970 ?

OSAKA (Japon)

253) En 1963, des terroristes du F.L.Q. font sauter deux monuments : celui du général Wolfe à Québec et QUEL autre à Montréal ?

REINE VICTORIA

254) La construction de ce gigantesque barrage en Égypte a débuté en 1947 et a été terminée en 1970 avec l'aide financière et technique de l'U.R.S.S. QUEL est le nom de ce barrage haut de cent onze mètres et long de 3,600 mètres ?

ASSOUAN (situé en Haute Égypte)

255) En 1956, après de nombreuses années de prospection, le pétrole jaillit dans cette colonie française d'Afrique du Nord. LAQUELLE ?

L'ALGÉRIE

256) QUEL membre de la famille de Martin Luther King a été assassiné par un tireur fou en 1974, six ans après la mort du leader noir ?

MADAME MARTIN LUTHER KING (mère du Révérend King)

257) En 1967, mode éphémère pour hommes : une imitation des vestons portés par cet homme d'État asiatique. LEQUEL ?

NEHRU (ancien premier ministre de l'Inde)

258) Après Émilie en 1954, une 2e jumelle Dionne meurt en 1970. NOMMEZ-la.

MARIE

259) QUELLE compagnie a été la première à produire les jeux vidéo en quantité commerciale en 1975 ?

ATARI

260) Grâce à cette auteure britannique, le mouvement féministe se manifeste avec force en Grande-Bretagne. QUI est cette femme, auteure du best-seller de 1970, *The Female Eunuch* ?

GERMAINE GREER

261) Après le bossa nova, une nouvelle danse dont le nom et la musique sont d'origine africaine, voit le jour en Amérique en 1962. NOMMEZ-la.

LE WATUSI (bonne réponse=1 point de plus)

262) Ce qu'on a appelé *Le Petit livre rouge* est devenu en 1967 le livre le plus vendu au monde selon le New York Times. De QUEL livre s'agissait-il ?

LES CITATIONS DE MAO ZEDONG

263) QUEL interprète compositeur québécois à remporté le Grand prix du festival de Spa en Belgique en 1970 avec sa chanson *Amène-toi chez nous* ?

JACQUES MICHEL

264) En 1950, il y avait huit quotidiens à New York. Seize ans plus tard, après des grèves et des fusions, il en restait COMBIEN ?

TROIS (New York Post, New York Times, Wall Street Journal)

265) Peu de temps avant de choisir le nom Beatles pour leur quatuor, QUEL était le nom du groupe au début de 1960 ?

MOONDOGS (bonne réponse=1 point de plus)

266) En 1965, une explosion dans un édifice à logement dans une ville du sud-ouest de l'île de Montréal fait 23 morts. NOMMEZ cette ville.

VILLE LA SALLE (bonne réponse=1 point de plus)

267) La chanson *Sunrise, Sunset* est extraite de QUELLE comédie musicale qui, en 1972, a été le plus longtemps à l'affiche de l'histoire de Broadway après 3,225 représentations ?

FIDDLER ON THE ROOF

268) QUEL appareil ménager compact a été mis sur le marché en 1967 par la compagnie Amana? Il venait agrémenter la préparation des repas.

FOUR MICRO-ONDES

269) En 1962, on annonce que l'espérance de vie des Nord-Américains a atteint l'âge moyen de COMBIEN?

SOIXANTE-DIX ANS (Jeu de 2 ans + ou - alloué)

270) Après la *compacte* des années 60, c'est au tour de la *sous-compacte* de faire sa présence au début des années 70. American Motors lance la *Gremlin*, General Motors, la *Vega* et Ford, LAQUELLE?

LA PINTO

271) Elle a composé et interprété avec succès la chanson *Mes Cousins* en 1958 et *Deux Enfants du même âge* en 1959. QUI est cette artiste québécoise?

GERMAINE DUGAS

272) NOMMEZ celui qui a été nommé au poste de premier commissaire aux Langues officielles par le gouvernement fédéral en 1970.

KEITH SPICER

273) Elle se trouve à 8 millions d'années lumière de la terre et on l'a découverte en 1975. On lui donne le code 3C123. De QUOI s'agit-il?

D'UNE NOUVELLE GALAXIE

274) Une photo de cet acteur populaire américain nu paraît dans la page centrale du magazine Cosmopolitan en 1972. QUI était cet acteur connu?

BURT REYNOLDS

275) QUELLE chanson extraite de la comédie musicale *Hair* est devenue un grand succès en 1969?

AQUARIUS, LET THE SUNSHINE IN (popularisée par The 5th Dimension)

276) QUELLE autoroute a été inaugurée à la circulation en 1965 au Québec?

DES CANTONS DE L'EST

277) À la surprise de plusieurs, QUEL pays européen a légalisé le divorce en 1970?

L'ITALIE

278) Le magazine *Penthouse* voit le jour en 1969. Dorénavant, *Playboy* subira une vive concurrence. QUI a lancé Penthouse?

BOB GUCCIONE

279) Pour une 7e année de suite, cette «espèce» de chien est la plus populaire aux États-Unis, tout juste devant les «bergers allemands.» NOMMEZ cette espèce.

POODLE

280) QUEL groupe de pression canadien a été fondé en 1971 pour veiller à la protection de l'environnement sous toutes ses formes?
GREENPEACE

281) Cet État américain était un des rares à utiliser la chambre à gaz pour exécuter ses condamnés. En 1972, la peine capitale a été abolie et le meurtrier Charles Manson a ainsi échappé à la mort. De QUEL État s'agit-il?
LA CALIFORNIE

282) QUEL État du nord-est des États-Unis a été le premier à instituer une loterie en 1964?
NEW HAMPSHIRE

283) La division Oldsmobile de General Motors lance en 1965 la première voiture américaine à traction-avant depuis 1937. COMMENT se nommait-elle?
LA TORONADO

284) Après le lancement de la minijupe en 1965 par la maison Courrèges de Paris, cette jeune dessinatrice de mode britannique a suivi avec une jupe encore plus mini et des bottes, surtout blanches, comme accessoires. QUI était cette jeune femme?
MARY QUANT (certains prétendent qu'elle a lancé la minijupe avant la maison Courrèges). (Bonne réponse=1 point de plus)

285) QUI était le batteur des Beatles avant l'arrivée de Ringo Starr en 1962?
PETE BEST

286) En 1956, les billets de banque américains ont hérité sur l'ordre du président Eisenhower, d'une nouvelle maxime, imprimée à l'endos du billet. LAQUELLE?
IN GOD WE TRUST

287) QUEL style de musique rythmée accompagnée d'une danse originale a été exportée par la Jamaïque au continent nord-américain en 1972?
LE REGGAE

288) L'ère des magasins à grande surface et aux articles à la consommation de tout genre, a vécu ses premiers balbutiements en 1962 avec l'arrivée de ces deux géants éventuels: K-Mart et QUEL autre?
WAL-MART

289) Fin 1958, un groupe de jeunes chansonniers se forme pour propager la chanson québécoise. Ce groupe s'appelle les Bozos. Une seule femme en fait partie. De QUI s'agit-il?
CLÉMENCE DESROCHERS

290) Exposée dans la basilique Saint-Pierre de Rome, cette œuvre de Michel-Ange est la cible en 1972 d'un émigrant hongrois manifestement dérangé et qui l'attaque à coups de marteau. QUELLE est cette œuvre?

LA PIETA (une sculpture)

291) NOMMEZ le premier sous-marin nucléaire de la France lancé en 1969.

LE REDOUTABLE (bonne réponse=2 poins de plus)

292) QUEL livre de l'économiste de naissance canadienne et professeur à Harvard, John Kenneth Galbraith, a été un best-seller en 1958?

THE AFFLUENT SOCIETY

293) En 1963, la compagnie Kodak rend la vie des amateurs de photo plus facile lorsqu'elle met sur le marché un appareil muni de sa propre cartouche de film. QUEL nom lui a-t-on donné?

INSTAMATIC

294) Le premier véhicule spatial à atteindre la surface lunaire a été lancé par les Soviétiques en 1959. COMMENT s'appelait-il?

LUNA 1

295) En 1971, ce biréacteur des industries Dassault vole pour la première fois aux couleurs de la compagnie Air Inter. COMMENT se nommait-il?

LE MERCURE (seulement 12 seront construits). (Bonne réponse=2 points de plus)

296) Dans QUEL pourcentage le salaire hebdomadaire moyen des Québécois a-t-il augmenté entre 1960 et 1975? De 167 %, 214 % OU 272 %?

272 POUR CENT (de 73 dollars par semaine à 199 dollars)

297) QUEL romancier québécois a publié en 1968, *La Guerre, Yes Sir?*

ROCH CARRIER

298) C'est en 1962 que les prêtres sont autorisés à abandonner la soutane. Dans QUEL pays européen cette pratique a-t-elle été permise pour la première fois?

EN FRANCE

299) En 1971, cet édifice de 110 étages à New York devient le plus haut édifice au monde. COMMENT se nomme-t-il?

WORLD TRADE CENTER

300) QUELLE compagnie américaine a lancé en 1956 la premier magnétoscope pour la télévision commerciale?

AMPEX (bonne réponse=1 point de plus)

301) Un cyclone a détruit 80 % de la plus importante ville du nord de l'Australie en 1974. NOMMEZ cette ville.

DARWIN

302) L'indice Dow Jones atteint un sommet record en 1956. LEQUEL?

500 POINTS

303) En 1948, on a célébré l'arrivé des disques 33 tours. En 1958, on améliore la qualité du son en y ajoutant un élément nouveau. LEQUEL?

LE SON STÉRÉOPHONIQUE

304) Le nombre des mariages augmente de 5 % entre 1964 et 1965 aux États-Unis. Le nombre des divorces est à la hausse aussi. De COMBIEN?

SEPT POUR CENT (jeu de 1 % + ou - alloué)

305) QUELLE bourse canadienne a été la première à admettre des membres du sexe féminin en 1967?

LA BOURSE DE MONTRÉAL

306) En 1958, deux médecins suédois unissent leurs efforts pour produire un appareil qui allait permettre à un patient d'ajouter 40 ans à sa vie. De QUEL appareil s'agit-il?

UN STIMULATEUR CARDIAQUE

307) John Lennon en a scandalisé plusieurs en 1966 en déclarant que les Beatles étaient plus populaires que QUI?

JÉSUS-CHRIST

308) En 1961, le ministère du Revenu canadien annonce que les médecins ga-gnent les plus forts salaires chez les professionnels. On nous fait aussi connaître la profession qui rapporte le moins. La CONNAISSEZ-vous?

INFIRMIÈRE

309) La compagnie British Petroleum fait la découverte d'un important gisement de pétrole en 1965. OÙ? Ce n'est pas au Moyen-Orient.

DANS LA MER DU NORD

310) QUEL nouveau mot voit le jour dans le monde du disque et de la radio en 1960? Il est associé aux pots-de-vin payés aux disc-jockeys pour jouer cer-tains disques.

PAYOLA

311) En 1960, le scientifique Américain Gordon Gould a inventé un acronyme pour définir ce qu'on appelle scientifiquement: «Light amplification by the stimulated emission of radiation». QUEL est ce mot?

L.A.S.E.R.

312) Les Américains sont allés six fois sur la surface de la lune entre 1969 et 1972. COMBIEN de fois les Soviétiques y sont-ils allés?

AUCUNE

313) Michel Delisle est le cerveau d'une bande de voleurs de banques qui, durant les années 1956 à 1960, confondent les policiers de Montréal par leurs tactiques savantes. COMMENT a-t-on appelé cette bande toujours déguisée de la même manière et qui volé des centaines de milliers de dollars?

LES CAGOULES ROUGES

314) NOMMEZ la voiture sport conçue par un millionnaire américain en 1973 avec l'aide financière du gouvernement du Nouveau-Brunswick. Elle portait le nom de son créateur et était construite au Nouveau-Brunswick.

BRICKLIN (en 1975, sa fabrication a cessé). (Bonne réponse = 2 points de plus)

315) Michel Legrand a écrit la musique de la chanson qui a remporté l'Oscar de la meilleure chanson extraite du film *The Thomas Crown Affair* avec Steve McQueen et Faye Dunaway en 1968. QUEL est le titre de cette chanson?

THE WINDMILLS OF YOUR MIND (les Moulins de ton Cœur)

316) QUEL pays d'Afrique du Nord a commencé l'exploitation de ses ressources pétrolières en 1961?

LA LIBYE

317) En 1960, la compagnie DuPont lance une fibre synthétique élastique pour concurrencer le polyester. QUEL nom lui a-t-elle donné?

LYCRA (bonne réponse=1 point de plus)

318) QUEL édifice à bureaux et à logements haut de 100 étages a été construit en 1969 à Chicago et est devenu à ce moment-là le 2e plus élevé au monde après l'Empire State Building de New York?

HANCOCK (compagnie d'assurances)

319) COMBIEN de disques d'or les Beatles ont-ils obtenus durant l'année 1964?

HUIT (jeu de 1 disque d'or + ou - alloué)

320) Une première est inscrite dans la célébration des mariages au Québec en 1969. LAQUELLE?

PREMIER MARIAGE CIVIL (à Montréal)

321) QU'EST-CE que les restaurants McDonald's ont ajouté à leur menu en 1968?

LE BIG MAC

322) QUEL Britannique de 65 ans a été anobli par la reine Élisabeth à son retour d'un périple en solo autour de la terre à bord d'un voilier de 53 pieds en 1967 ? Il a passé 226 jours en mer.

FRANCIS CHICHESTER (bonne réponse=3 points de plus)

323) QUEL terme générique a-t-on donné à la révolution vestimentaire déclenchée par la minijupe, ainsi que les nouvelles coiffures des jeunes en mal de distinction à partir de 1964 ? Importées d'Europe, ces modes ne faisaient que promouvoir l'ambiguïté sexuelle. L'expression en deux mots est anglaise.

MOD LOOK

324) Ce chanteur bordelais possède une formation classique de chanteur. Mais c'est avec des chansons comme *Escamillo* en 1956 et *Bleu, Blanc, Blond* en 1960, qu'il devient une vedette. QUI est cet artiste ?

MARCEL AMONT

325) En 1958, l'Orchestre symphonique de Montréal se donne un premier chef permanent. QUEL était son nom ?

IGOR MARKEVITCH (bonne réponse=2 points de plus)

326) QUELLE compagnie s'est taillée une bonne réputation en 1959 après avoir mis le premier téléviseur transistorisé sur le marché ?

SONY

327) QUEL astronaute américain a fait la déclaration suivante en quittant la surface lunaire en 1972 : « Nous partons comme nous sommes arrivés et avec la grâce de Dieu, nous reviendrons armés de paix et d'espoir pour toute l'humanité » ? Il faisait partie de la dernière mission Apollo sur la lune.

EUGENE CERNAN

328) La sœur de la reine Élisabeth, Margaret, s'est mariée en 1960. QUI était son mari qui peu de temps après est devenu Earl of Snowdon ?

ANTHONY ARMSTRONG-JONES

329) Le nom de Louis Washkansky, un Sud-Africain, est devenu célèbre à travers le monde le 3 décembre 1967. À QUEL événement sans précédent devait-il sa notoriété ?

LE PREMIER HUMAIN À SUBIR UNE GREFFE CARDIAQUE (il a vécu durant 19 jours après l'opération pratiquée par le docteur Christian Barnard)

330) À QUEL divertissement associez-vous ces expressions du milieu des années 60 ? *Swim, monkey, pony, shag, mashed potato* et *jerk* ?

DANSE POPULAIRE (elles se ressemblaient toutes)

331) En QUELLE année l'Hôtel de la monnaie a-t-il cessé d'utiliser l'argent dans la fabrication des pièces de 10, 25 et 50 cents et d'un dollar?

1968 (sauf pour les pièces destinées aux collectionneurs). (Jeu de 1 an alloué)

332) Proclamé meilleur guitariste de jazz en France en 1953, il devient une vedette de la chanson en 1958 avec son premier succès, *Scoubidou*. QUI est-il?

SACHA DISTEL

333) Vingt-huit millions de baby-boomers se sont ajoutés à la population des États-Unis entre 1950 et 1960, la plus forte augmentation de l'histoire du pays. QUEL a été le pourcentage d'augmentation de la population du pays?

18,0 POUR CENT (population 180,000,000). (Jeu de 2% + ou - alloué)

334) Même si les policiers ordinaires ne portent pas d'arme, le gouvernement de ce pays de l'Europe de l'Ouest décide d'abolir la peine capitale en 1969. NOMMEZ ce pays.

LA GRANDE-BRETAGNE

335) En 1969, ce jeune designer new-yorkais donne le nom d'un sport à sa ligne de cravates. En peu de temps, il offre à sa clientèle toute une gamme de vêtements et devient rapidement millionnaire. QUI était cet entrepreneur?

RALPH LAUREN (marque Polo)

336) La pire tragédie aérienne de l'histoire du Canada est survenue en 1957 lorsqu'un DC-4 de la Maritime Central Airways, faisant la liaison Londres-Toronto, s'est écrasé près de QUELLE petite municipalité située un peu à l'Ouest de Québec? Soixante dix-neuf personnes ont perdu la vie.

ISSOUDUN (Laurier est aussi accepté). (Bonne réponse=3 points de plus)

337) Le Canadien Lawrence Peter, professeur à l'université de la Californie du Sud, démasque les prétentions des bureaucrates ivres de pouvoir dans un ouvrage qui devient un best-seller en 1969. QUEL est le titre de ce livre?

PETER'S PRINCIPLE (Dans une hiérarchie, chaque employé atteint son niveau d'incompétence)

338) QUEL était en 1966 le pourcentage des hommes fumeurs nord-américains?

CINQUANTE-DEUX POUR CENT (jeu de 3% + ou - alloué)

339) En 1956, les compagnies Chrysler et Packard innovent en dotant leurs voitures d'un nouveau dispositif pour changer de vitesse. LEQUEL?

LA TRANSMISSION AUTOMATIQUE À BOUTONS POUSSOIR

340) En 1967, le magazine *Billboard* a coiffé cette chanteuse noire du titre de Queen of Soul. Cinq de ses chansons dont *Respect* se sont classées parmi les 10 premières du palmarès durant l'année 67. QUI est-elle?

ARETHA FRANKLIN

341) QUELLE drogue utilisée par les femmes enceintes a provoqué la naissance de bébés difformes au début des années 60 au Canada et en Europe ?

LA THALIDOMIDE (fabriquée en Allemagne et utilisée pour traiter l'asthme, la tension nerveuse et l'insomnie. Elle avait été interdite aux États-Unis)

342) QUEL soprano québécois a chanté le rôle de la *Reine de la nuit* dans l'opéra *La Flûte Enchantée* de Mozart au Metropolitan Opera de New York en 1967 ?

COLETTE BOKY

343) La population de la terre atteint les trois milliards en 1960. QUEL a été son pourcentage d'augmentation depuis 1930 ?

CINQUANTE POUR CENT (en 1930, elle était de 2 milliards)

344) Cet avion à réaction pour les gens du milieu des affaires est mis en service en 1962 aux États-Unis. Cinq ans plus tard, il est le plus vendu au monde. Il porte le nom de son constructeur concepteur. LEQUEL ?

LEAR JET (William Lear)

345) Avant l'arrivée du nouveau drapeau canadien en 1965, le Canada était identifié par deux drapeaux, l'Union Jack britannique et QUEL autre ?

RED ENSIGN (utilisé le plus fréquemment)

346) C'est en 1959 que la première boîte à chansons située à l'extérieur de Montréal et de sa périphérie est inaugurée. Elle porte le nom de son fondateur. LEQUEL ?

LA BUTTE À MATHIEU (à Val David dans les Laurentides)

347) QUEL chanteur britannique a reçu son premier disque d'or en 1972 grâce à sa chanson *Alone Again, (Naturally)*

GILBERT O'SULLIVAN

348) QUEL paquebot de croisière l'U.R.S.S. a-t-elle mis en service sur l'Atlantique-Nord entre Leningrad et Montréal en 1966 ?

ALEXANDRE POUCHKINE

349) Alors qu'ils revenaient d'un séjour de 24 jours dans l'espace en 1971, trois cosmonautes soviétiques ont perdu la vie. QUELLE en a été la cause ?

LA DÉPRESSURISATION DE LA CABINE DES COSMONAUTES

350) D'une hauteur de 1,748 pieds, cette structure a été inaugurée en 1975. Elle est la plus haute au monde. NOMMEZ-la.

LA TOUR DU CN À TORONTO

351) Les années 60 ont été pour la ville de Montréal, les plus mémorables au chapitre de la réalisation de grand projets de construction ; la Place Ville-Marie, le pont-tunnel Hippolyte-Lafontaine, la voie rapide Décarie, le métro, la Place Bonaventure et QUELLE autre ?

EXPO 67

352) Outre René Angélil et Jean Baulne, QUI était l'autre membre du trio vocal Les Baronets qui a connu ses heures de succès durant les années 60?
PIERRE LABELLE

353) QUEL bandit québécois a été arrêté en Floride en 1965 après avoir échappé à la police canadienne qui le recherchait pour un audacieux vol de quatre millions de dollars à Montréal en 1961? C'est un gardien d'une marina de Floride qui a alerté la police lorsque la photo du bandit, transmise depuis Montréal, a été vue à la télévision américaine.
GEORGES LEMAY

354) Après la *Mustang Mach 1*, la compagnie Ford lance la même année un nouveau modèle de Mustang, plus puissant et plus rapide. LEQUEL?
BOSS 302 et 429

355) Ce chanteur compositeur de naissance algérienne a vu sa carrière prendre son envol en 1973 avec la chanson *J'ai quitté mon pays*. QUI est-il?
ENRICO MACIAS

356) Après Telstar en 1962, un nouveau satellite de communications commerciales est lancé dans l'espace en 1965. Peu de temps après, les réseaux de télévision l'utilisent pour transmettre et recevoir des émissions. NOMMEZ-le.
EARLY BIRD

357) En 1957, deux romanciers américains écrivent un livre qui soulève la colère du secrétariat d'État américain. Les auteurs Burdick et Lederer parlent de l'arrogance, de la stupidité et de l'insensibilité des diplomates américains dans les pays en voie de développement. QUEL est le titre de ce best-seller?
THE UGLY AMERICAN

358) C'est en 1962 que le célèbre service de train Orient Express cesse de rouler. L'avènement de l'avion a considérablement réduit son nombre de passagers. QUELLES deux villes étaient reliées par la plus longue des deux lignes?
PARIS ET ISTAMBOUL (1 point par bonne réponse)

359) QUELLE comédienne jouait le rôle de *Marie-Anne*, la tendre amie de Gratien Gélinas dans la pièce *Ti-Coq* au début des années 50?
HUGUETTE OLIGNY

360) NOMMEZ la chanteuse country qui a fait un grand succès de la chanson *Ode to Billy Joe* en 1967?
BOBBIE GENTRY

361) En 1960, le charbon alimentait 45 % de toute l'énergie produite au Canada et aux États-Unis. Cette moyenne a chuté considérablement par la suite, si bien qu'elle n'était plus en 1975 que de 18 %, 24 % OU 30 %?

DIX-HUIT POUR CENT

362) Dans QUELLE comédie musicale Richard Burton a-t-il été la vedette lors de la première présentée à New York en 1960?

CAMELOT

363) QUEL était le nom du pétrolier brise-glace américain qui a été le premier navire de commerce à franchir le célèbre passage du Nord-Ouest dans l'Arctique en 1969?

MANHATTAN (le gouvernement Canadien, qui n'avait pas été informé de cette initiative, avait mal réagi). (Bonne réponse=2 points de plus)

364) Le pape Paul VI nomme sept nouveaux cardinaux en 1960. De ce groupe se trouve le premier Noir et le premier de QUELLE autre race?

JAPONAIS (jaune et asiatique aussi acceptés)

365) C'est en 1961 que le sommet de la plus haute montagne en Amérique du Nord a été atteint par un groupe de six alpinistes italiens. NOMMEZ-le.

McKINLEY (altitude de 20,230 pieds)

366) En 1971, des fêtes grandioses présidées par le Shah d'Iran, ont lieu dans cette ancienne ville pour commémorer le 2500e anniversaire de l'empire perse. QUELLE est cette ville?

PERSEPOLIS (bonne réponse=1 point de plus)

367) En 1964, le président américain Lyndon Johnson annonce que la compagnie Lockeed a mis au point un avion capable de voler à plus de 2000 milles à l'heure. QUEL est cet avion?

SR-71 BLACKBIRD (un avion espion et de reconnaissance)

368) QUELLE chanson interprétée par Ginette Reno et l'animateur Jacques Boulanger a connu un fort succès en 1969?

LE SABLE ET LA MER

369) QUELLE forme d'anesthésie a été utilisée pour la première fois en Amérique du Nord en 1958?

L'ACUPUNCTURE

370) En 1963, la division Buick de General Motors met sur le marché une voiture qui dans son style se veut un moyen terme entre la Rolls-Royce et la Ferrari au sens du style et du confort. Le nombre de voitures construites est limité à 40,000 par année. QUELLE nouveau modèle Buick vient de naître?

LA RIVIERA

371) Trente-et-un détenus et neuf gardes perdent la vie lors d'une sanglante émeute dans cette prison de l'État de New York en 1971. LAQUELLE?

ATTICA (bonne réponse=3 points de plus)

372) QUEL groupe rock fondé en 1964 a fait sa réputation en fracassant sur scène ses instruments? Une tournée des États-Unis en 1967 leur a fait gagner des milliers d'adeptes. QUI était ce groupe dont le 1ᵉʳ disque d'or date de 1969?

THE WHO (groupe britannique)

373) QUELLE romancière née à Québec a reçu le prix France-Québec en 1965 pour son son œuvre littéraire *Dans un gant de fer* et le prix du gouverneur général en 1967 pour son roman *La Joue Droite*?

CLAIRE MARTIN (bonne réponse=1 point de plus)

374) QUEL était le salaire moyen au Canada en 1967 alors que le taux de chômage était de 4 % et le taux d'inflation de 2,9 %?

SIX MILLE CINQ CENTS DOLLARS (jeu de 1500 $ + ou - alloué)

375) Un néologisme naît en 1974. Il est un dérivé chloré et fluoré du méthane et sert d'agent frigorifique. Les scientifiques affirment qu'il est un ennemi de la fragile couche d'ozone. QUEL est ce nouveau produit?

FRÉON

376) QUI a été le premier astronaute américain à se rendre dans l'espace trois fois? D'abord en 1962, puis en 1965 et une 3ᵉ fois en 1968.

WALTER SCHIRRA

377) Après l'ouverture de la voie rapide Décarie, on inaugure le pont Hippolyte-Lafontaine entre Montréal et la rive-sud du Saint Laurent. En QUELLES années ces ouvertures ont-elles eu lieu?

1966 (Décarie) 1967 (Hippolyte-Lafontaine). (1 point par bonne réponse)

378) Cette basse, un grand nom de l'opéra, doit surtout sa notoriété auprès du grand public, à son rôle dans la comédie musicale *South Pacific*. Il est mort en 1957. QUI était-il?

EZIO PINZA

379) NOMMEZ la chanteuse populaire québécoise qui a été invitée à l'émission *The Ed Sullivan Show* en 1969.

MONIQUE LEYRAC

380) En 1968, en pleine période de l'émancipation de la femme, des milliers de féministes américaines profitent de QUEL événement annuel télévisé, pour protester contre l'exploitation de la femme et pour brûler ou jeter à la poubelle leurs soutiens-gorge?

MISS AMERICA

381) En 1975, le taux d'inflation atteint 15 % au Canada. Le taux de chômage est le plus élevé depuis 35 ans. De COMBIEN était-il?

DIX ET DEMI POUR CENT (jeu de 1 % + ou - alloué)

382) En 1966, Frank Sinatra a enregistré une chanson qui s'est vendue à plus d'un million d'exemplaires: son premier disque d'or depuis 1957. NOMMEZ-la.

STRANGERS IN THE NIGHT

383) QUEL journaliste et auteur canadien a publié en 1968 *The Distemper of Our Times*, une chronique des événements politiques canadiens entre 1963 et 68?

PETER C. NEWMAN (bonne réponse=1 point de plus)

384) Le pire tremblement de terre de l'histoire de l'hémisphère occidental se produit en 1970 dans QUEL pays? 70,000 habitants perdent la vie et près de 200,000 édifices et habitations sont détruits.

PÉROU

385) En 1961, le Québec hérite d'un autre jeune chansonnier qui avec ses compositions ne tarde pas à gagner un appui du public. Sa plus connue, *Le Grand six pieds*, le consacre auprès des nationalistes. QUI est-il?

CLAUDE GAUTHIER

386) QUEL fabricant étranger vend 120 000 voitures aux États-Unis en 1959, quatre fois plus qu'en 1955?

VOLKSWAGEN

387) Après l'assassinat d'Albert Anastasia à New York en 1957, une réunion des grands noms du monde interlope, tenue peu de temps après, confirme le titre de grand patron de la mafia à QUEL célèbre gangster?

VITO GENOVESE

388) Pour être bien dans le vent du changement social, la compagnie Coca Cola décide en 1970 de ramener un slogan qui date de 1942. LEQUEL?

IT'S THE REAL THING

389) En 1964, une importante découverte de gisements de zinc, de cuivre et de minerai d'argent, est faite près de QUELLE ville du nord de l'Ontario?

TIMMINS (on estime qu'il s'y trouve 25 millions de tonnes de ces métaux)

390) Le Québec a connu sa plus forte croissance de population entre 1946 et 1964, la période dite des baby boomers. QUEL a été le pourcentage d'augmentation durant cette période de 28 ans? DE 26 %, 37 % OU 49 %?

49 POUR CENT (la population est passée de 4,300,000 à 6,400,000 - Aux États-Unis, la population a augmenté de 76,000,000 durant la même période)

391) Lorsque cet Australien de 38 ans achète l'hebdo londonien *News of the World* en 1969, il fonde sans le savoir un empire d'édition. QUI est cet entrepreneur ?

RUPERT MURDOCH (bonne réponse=1 point de plus)

392) Le Trésor américain décide en 1966 de ne plus imprimer les billets de deux dollars. POURQUOI ?

PARCE QU'ILS SONT ASSOCIÉS À LA MALCHANCE

393) Voulant suivre l'exemple de son père qui avait fondé la compagnie de transport par autobus Greyhound, Frederick Smith inaugure en 1973 une compagnie aérienne qui transporte tout sauf des passagers. LAQUELLE ?

FEDERAL EXPRESS (il dispose alors de 17 petits biréactés français Falcon)

394) QUEL a été le dernier album de chansons originales enregistré par les Beatles en 1969 avant leur séparation l'année suivante ?

ABBEY ROAD (plus de 5 millions d'albums ont été vendus en un an)

395) James Earl Ray, présumé assassin de Martin Luther King en 1968, est arrêté un mois après le crime dans QUEL aéroport international ?

LONDRES (arrêté par Scotland Yard)

396) Le film *Love Story* a été un succès cinématographique. Il est inspiré d'un roman publié en 1970 par QUEL professeur de l'université Yale ?

ERICH SEGAL

397) En 1963, Gilbert Bécaud fait un succès de la chanson *Je t'attends*. Elle est une composition de Bécaud et de QUEL autre collaborateur qui nous avait donné avec Bécaud *Viens* et *Méqué Méqué* au début des années 50 ?

CHARLES AZNAVOUR

398) En 1971, la population de la planète est de trois milliards 660 millions d'habitants. De ce total, QUEL est le pourcentage du continent asiatique ?

57 POUR CENT (jeu de 3 % + ou - alloué)

399) Après les *compactes* du début des années 60, apparaît peu de temps après une autre catégorie de voitures, les *Muscle cars* dont la *Pontiac GTO*. En 1965, Ford lance la *Mustang*, un compromis entre la puissance et un certain confort. Suivront les *Barracudas* et les *Camaros*. QUEL terme générique a-t-on donné à cette catégorie d'automobiles ?

LES PONY CARS

400) En 1970, le groupe rock américain Crosby, Stills and Nash hérite d'un nouveau membre, un Canadien, dont le nom s'ajoute aux autres. QUI est-il ?

NEIL YOUNG (Crosby, Stills, Nash and Young)

401) Afin de retrouver une partie des abonnés du magazine *Life* dont la publication a cessé en 1972, la compagnie *Time* lance un magazine en 1974 pour le prix de 35 cents. NOMMEZ cet hebdo fort en potins et nouvelles flash.

PEOPLE

402) QUEL document historique des États-Unis remontant en 1776 a été vendu en 1969 pour la somme de 404,000 dollars? Il s'agissait d'un de 16 exemplaires originaux encore en circulation.

LA DÉCLARATION DE L'INDÉPENDANCE

403) QUEL accessoire vestimentaire féminin mis sur le marché au début des années 60 sans trop de succès, est rapidement devenu indispensable avec l'arrivée de la minijupe quelques années plus tard?

LE BAS-CULOTTE (624 millions ont été vendus entre 1966 et 1970)

404) Après onze années de recherches et d'expériences avec le concours de 600 hommes et femmes de 18 ans à 89 ans, un livre appelé *Human Sexual Response* est publié en 1966. Les auteurs sont un gynécologue et une psychologue. NOMMEZ-les.

MASTERS and JOHNSON

405) Dans son autobiographie publiée en 1964, ce grand acteur comique dit: «*Pour faire une comédie, il suffit d'un parc, d'un policer et d'une jeune fille.*» QUI en est l'auteur?

CHARLIE CHAPLIN

406) C'est la compagnie General Mills qui a commercialisé pour la première fois en Amérique en 1975, cette barre nutritive forte en fibre et présentée en trois saveurs différentes. QUEL nom lui a été donné?

GRANOLA

407) Avant de choisir en 1959 les sept astronautes qui se rendraient dans l'espace au début des années 60, la N.A.S.A. a lancé une fusée Jupiter dans l'espace avec à bord deux animaux de QUELLE espèce? POUVEZ-vous les nommer?

CHIMPANZÉ - ABLE et BAKER (ils ont survécu au vol). (2 points de plus par nom)

408) En 1963, General Motors met sur le marché QUEL nouveau modèle de Corvette?

STING RAY

409) La chanson *La Ballade de Tom Dooley* a été la première chanson à succès de ce trio vocal en 1958. QUEL était son nom?

THE KINGSTON TRIO

410) Une nouvelle expression voit le jour en 1960 aux États-Unis lorsque les Noirs utilisent une nouvelle méthode pour combattre la discrimination dans les restaurants, librairies, églises et autres endroits publics. Ils choisissent tout simplement de rester là où ils sont, sans manifester la moindre agressivité. COMMENT a-t-on alors appelé cette résistance passive?

SIT-IN

411) Co-initiateur du groupe Les Bozos en 1959, ce chansonnier-interprète québécois nous a donné les chansons *Au bassin Louise* et *Mon patin*. QUI est cet artiste?

HERVÉ BROUSSEAU

412) En 1963, le service postal américain inaugure le code postal appelé Z.I.P.. QUE signifie cette abréviation?

ZONE IMPROVEMENT PLAN (bonne réponse=2 points de plus)

413) NOMMEZ la chanteuse britannique qui a fait de la chanson *Goldfinger* en 1964 un disque millionnaire.

SHIRLEY BASSEY

414) Ce n'est qu'en 1961 que le gouvernement de l'Ontario a finalement permis à ses citoyens QUELLE forme de divertissement le dimanche?

LE CINÉMA

415) Un tunnel long de sept milles et demi est inauguré en 1962 sous le Mont-Blanc. Il relie la France à QUEL autre pays?

L'ITALIE

416) Le plus célèbre vol d'un train postal a lieu en 1963 en Grande-Bretagne. Plus de sept millions de dollars sont volés avec une précision militaire par un groupe de bandits alors que le train se dirigeait vers Londres. D'OÙ était-il parti?

GLASGOW (en Écosse)

417) QUELLE agence de censure le Vatican a-t-il abolie en 1966?

DES LIVRES (elle existait depuis des siècles)

418) QUELLE chanteuse québécoise a fait un succès de la chanson *C'est la faute au Bossa Nova* en 1963?

MARGOT LEFEBVRE

419) Joy Adamson a écrit le livre en 1960 et Hollywood en a fait un film cinq ans plus tard. C'est l'histoire d'un couple qui élève trois lionceaux au Kenya. QUEL était le titre de ce best-seller?

BORN FREE

420) QUELLE compagnie américaine fabricante de montres, a mis sur le marché en 1957 la première montre-bracelet à pile?

HAMILTON (elle garantissait une longévité d'un an de la pile qui remplaçait le traditionnel ressort). (Bonne réponse=2 points de plus)

421) Edith Piaf est morte en octobre 1963. QUEL était son véritable nom?

EDITH GIOVANNA GASSION (bonne réponse=3 points de plus)

422) Un navire britannique de recherches, découvre une fosse profonde de 37,782 pieds au large de cette grande île des Philippines en 1962. On lui donne alors le nom de cette île. QUEL est ce nom?

LA FOSSE DE MINDANAO (l'endroit le plus profond sur la terre)

423) En 1969, la minijupe est encore populaire. Mais pour se protéger du froid, les femmes portent un manteau d'une longueur qu'on n'a pas vue depuis 1914. COMMENT l'appelait-on?

MAXI

424) Lors de leur lune de miel autour du monde pour promouvoir la paix, John Lennon et Yoko Ono donnent une conférence de presse allongés dans leur lit, dans un hôtel de Montréal en 1969. QUEL nom a-t-on donné à cet événement?

BED-IN

425) QUEL journaliste de sport très connu aux États-Unis a écrit en 1972 le best-seller *Semi-Tough*?

DAN JENKINS (bonne réponse=2 points de plus)

426) C'est à Fort McMurray en Alberta que la première usine pour l'extraction de QUELLE forme de pétrole a été utilisée en 1967?

PÉTROLE DE SABLE BITUMINEUX (goudron aussi accepté)

427) Connue sous le nom de *sœur Sourire*, cette religieuse belge a connu la notoriété en 1963 grâce à la chanson *Dominique* dont elle était l'auteure. 750 000 exemplaires du disque ont été vendus en trois semaines. QUEL était le nom véritable de religieuse?

SOEUR LUC-GABRIELLE (bonne réponse=2 points de plus)

428) QUEL nouvel indice boursier américain a vu le jour à New York en 1971?

NASDAQ

429) L'Acetaminophen, ce comprimé disponible sans ordonnance et mis sur le marché en 1960, a la qualité de ne pas irriter le système gastrique. QUEL est son nom commercial?

TYLENOL

430) QUI est l'auteur du roman *Le Temps des lilas*, publié en 1958?

MARCEL DUBÉ

431) QUEL musicien compositeur américain nous a donné durant les années 60 plusieurs grands succès dont *Alfie, Raindrops Keep Falling on my Head* et *What the World Needs now is Love*?

  BURT BACHARACH

432) C'est en 1975 que ce modèle haut de gamme de la voiture *Chrysler* a cessé d'être produit. LEQUEL?

  IMPÉRIAL

433) QUELLE chanteuse a fait de la chanson *Gypsies, Tramps and Thieves* un disque millionnaire en 1971?

  CHER

434) À l'aide d'une assistance financière du gouvernement fédéral américain, cette corporation a accepté de diriger le service ferroviaire de passagers, alors déficitaire, à travers les États-Unis en 1971. NOMMEZ cette corporation.

  AMTRAK

435) QUELLE compagnie européenne a été la première au monde à fabriquer un appareil à cassette audio compact en 1963?

  PHILIPS (firme néerlandaise)

436) QUI jouait le rôle de *Maurice Duplessis* dans la pièce *Charbonneau et le Chef* en 1975?

  JEAN DUCEPPE (la pièce était présentée par sa compagnie théâtrale)

437) De 45 % qu'elle était en 1871, la population montréalaise d'origine britanique était rendue à QUEL pourcentage en 1971, 100 ans plus tard? 8 %, 13 % OU 19 %?

  HUIT POUR CENT (les autres ethnies; 27 % et d'origine française; 65 %)

438) Après avoir enregistré sa première chanson, *Les Ballons Rouges* en 1964, ce compositeur interprète bordelais est victime d'un grave accident de voiture en 1965 et demeure immobilisé durant 2 ans. QUI est-il?

  SERGE LAMA (il aura une belle carrière à partir de 1968)

439) QUI a été durant les années 60 le premier ministre des Finances à porter de nouvelles chaussures le soir de sa présentation du budget fédéral?

  MITCHELL SHARP (ministre des finances dans le gouvernement Pearson en 1966-67, il avait suivi le conseil d'un proche qui lui avait dit qu'il s'agissait d'une tradition. En fait, rien de tel n'avait été fait auparavant)

440) QUELLE compagnie spécialisée en électronique a mis sur le marché en 1972 la première calculatrice électronique format de poche?

  TEXAS INSTRUMENTS

441) En 1962, la compagnie General Motors met sur le marché deux voitures compactes pour concurrencer la *Falcon* de Ford. Une s'appelle *Chevy II*. COMMENT s'appelle l'autre, plus haut de gamme que la *Chevy II*?

NOVA

442) QUEL pays a été en 1970 le quatrième après l'U.R.S.S., les États-Unis et la France à lancer un satellite dans l'espace à partir de sa propre base de lancement?

LE JAPON (deux mois plus tard, c'était au tour de la Chine)

443) Le duo Simon and Garfunkel remporte trois trophées Grammy en 1970: album de l'année, disque de l'année et chanson de l'année. NOMMEZ la chanson qui leur a procuré tous ces honneurs.

BRIDGE OVER TROUBLED WATER

444) En 1964, les eaux de cologne pour hommes deviennent très populaires. Des quelques 40 nouvelles marques, deux s'emparent de la plus grande part du marché en Amérique: *Aramis* d'Esthée Lauder et QUELLE autre de Fabergé?

BRUT

445) QUEL journaliste a écrit en 1960 *Le vrai visage de Duplessis*?

PIERRE LAPORTE (il allait devenir député libéral en 1961)

446) Premier prix du Concours international des jeunes chefs d'orchestre en 1961, ce Montréalais a été peu de temps après chef adjoint de l'Orchestre symphonique de Montréal sous Zubin Mehta. Après des séjours aux États-Unis, il a été nommé directeur artistique de l'Orchestre symphonique d'Edmonton. QUI est-il?

PIERRE HÉTU

447) En 1964, un bar de San Francisco fait la manchette grâce à une danseuse du nom de Carole Doda. QUEL précédent a-t-elle créé?

PREMIÈRE DANSEUSE TOPLESS (5 ans plus tard, la culotte suivra)

448) Commencée en 1923, la sculpture des bustes de trois grands noms des forces sudistes de la guerre de sécession, a été terminée en 1970 dans le flanc de la montagne de granite Stone en Georgie. Ces trois héros sudistes sont Jefferson Davis, Stonewall Jackson et QUI?

ROBERT E. LEE (général qui a combattu jusqu'à la fin. Jackson, un autre général, est mort durant le conflit et Davis était le président des Confédérés)

449) Après le *DC-8* en 1960, le *DC-9* en 1966 et le 747 en 1971, la compagnie Air Canada se dote en 1974 d'un nouveau type de réacté commercial. LEQUEL?

LE 727 DE BOEING (un triréacté moyen-courrier)

450) Après avoir écrit *Coffin était innocent*, de QUELLE accusation l'écrivain Jacques Hébert a-t-il été reconnu coupable en 1965?

D'OUTRAGE AU TRIBUNAL (il a été condamné à une peine de 30 jours de prison et à une amende de 3 mille dollars)

451) QUEL hôtel canadien de 1,216 chambres est devenu le plus grand hôtel du Commonwealth lors de son inauguration au printemps de 1958?

LE QUEEN ELIZABETH (Montréal. Peu de temps après, le titre lui sera ravi par l'hôtel Royal York de Toronto qui porte son nombre de chambres à 1600)

452) Selon les experts, la génération des baby-boomers s'est échelonnée sur 20 ans, entre 1946 et 1966. Durant cette période, le Canada s'est donné 9 millions d'habitants de plus. QUEL nom de génération a-t-on donné à ceux qui sont nés entre 1962 et 1972 et qui sont arrivés sur le marché du travail durant les années de récession à partir de 1981?

LA GÉNÉRATION X (générations Sans Nom et Perdue aussi acceptées)

453) QUELLE fibre synthétique a surpassé le coton dans le marché du textile en 1970? En 10 ans, l'industrie du coton a chuté de 25 pour cent.

LE POLYESTER

454) QUEL album s'est vendu à plus de treize millions d'exemplaires après avoir été lancé en 1971 par QUELLE artiste pleine de talent pour la composition et l'interprétation? Au nombre des chansons de l'album se trouvent *You've Got a Friend* et *It's Too Late*.

TAPESTRY - CAROLE KING (2 bonnes réponses=3 points)

455) En 1965, le véhicule spatial Soviétique *Venera 3* est le premier à atteindre la surface d'une planète autre que la lune. LAQUELLE?

VÉNUS (le contact-radio a été perdu avant l'arrivée du véhicule sur Vénus)

456) En 1957, 282,000 immigrants entrent au Canada. De QUEL pays européen le plus fort pourcentage de ces nouveaux arrivés est-il originaire?

LA HONGRIE (ils avaient fui leur pays durant et après la révolution de 1956)

457) QUEL chanteur de rock américain est mort dans un accident d'avion en 1971, après avoir connu son premier grand succès *Bad, Bad Leroy Brown*?

JIM CROCE

458) QUI est l'auteur québécois de la pièce de théâtre de 1957 *Les Grands départs*?

JACQUES LANGUIRAND

459) C'est en 1969 que l'aviation américaine met en service le plus gros avion de transport au monde. LEQUEL?

C-5 GALAXY (il peut transporter 2 hélicoptères ou 16 camions légers)

460) NOMMEZ le manufacturier américain d'éléments électroniques de haute-fidélité, qui a donné pour une valeur de huit millions de dollars de ses produits à la salle philharmonique de Lincoln Center en 1973. En reconnaissance de ce don, les dirigeants donnent son nom à la salle de concert.

AVERY FISHER (bonne réponse=1 point de plus)

461) QUEL chanteur français atteint le premier rang du palmarès en 1961 avec la chanson *J'entends siffler le train*?

RICHARD ANTHONY

462) QUEL fabricant américain de voitures a mis sur le marché en 1957, une voiture avec un toit rigide complètement rétractable? En appuyant sur un bouton, le toit glisse dans le coffre.

FORD (Skyliner)

463) En 1970, pour la première fois, les gants, bottes et sacs à main faits de cuir se vendent moins bien que ceux fabriqués de QUELLE peau dont le côté chair velouté est à l'extérieur?

LE SUÈDE

464) QUEL groupe rock britannique s'est vu interdire l'entrée en France pour usage de stupéfiants en 1973? Pour ne pas décevoir leurs admirateurs fzançais au nombre de 10,000, ils donnent un concert en Belgique.

LES ROLLING STONES

465) Cet épais volume de renseignements historiques assaisonnés de nombreuses statistiques style almanach grand format, paraît pour la première fois en 1963 en France. DONNEZ le nom de ce livre conçu par Dominique Frémy et qui est publié depuis, à tous les ans.

QUID

466) En 1970, cette chanteuse originaire de Rouyn-Noranda et du nom de Nicole Lapointe enregistre la chanson *Les enfants de l'avenir* de Stéphane Venne. Elle obtient un grand succès et enregistre rapidement plusieurs autres compositions de Venne dont *Le Temps est bon*. QUEL est son nom d'artiste?

ISABELLE PIERRE

467) QUEL avion commercial de la compagnie Boeing, a été le premier de toute l'histoire de l'industrie aéronautique américaine à être livré à un transporteur européen avant d'être acheté par une compagnie américaine? C'était en 1968.

LE 737 (21 exemplaires du biréacté ont été achetés par Lufthansa)

468) Il y avait déjà 175 capsules et satellites qui tournaient autour de la terre en novembre 1965, lorsque la France est devenue la troisième nation au monde à se lancer dans l'aventure de l'espace. Le satellite A1 a été placé en orbite à l'aide de QUELLE fusée lancée à partir du Sahara algérien?

DIAMANT (bonne réponse=2 points de plus)

469) QUELLE chanson interprétée par l'acteur britannique Richard Harris en 1968, s'est vendue à plus d'un million d'exemplaires et est devenue une des plus longues de l'histoire de la chanson populaire: plus de sept minutes?

MACARTHUR PARK

470) Le célèbre journaliste canadien Peter Newman a écrit un livre en 1963 qui raconte les années de pouvoir du premier ministre John Diefenbaker entre 1957 et 1963. Il est devenu le livre canadien le mieux vendu de l'histoire du pays dépassant les 100 mille exemplaires. QUEL était son titre?

RENEGADE IN POWER (bonne réponse=1 point de plus)

471) Le mot «féminisme» fait une entrée fracassante durant les années 60, mais ce n'est qu'au début les années 70 que cet autre mot s'ajoute au vocabulaire du quotidien, pour décrire le comportement des hommes réfractaires aux revendications des femmes. QUEL était ce mot?

SEXISME (misogyne aussi accepté)

472) La ville de Sydney en Australie se donne un nouveau symbole d'identité peu de temps après l'ouverture de QUEL nouveau complexe artistique en 1973?

L'OPÉRA DE SYDNEY (d'une architecture avant-gardiste)

473) La carrière de France Gall a été lancée en 1963 lorsqu'elle a enregistré QUELLE chanson écrite par son père?

SACRÉ CHARLEMAGNE

474) En 1967, année du centenaire de la Confédération, le gouvernement crée une récompense qui est remise à 35 Canadiens pour leur apport exceptionnel à leur pays. Parmi eux se trouvent Louis Saint Laurent, Vincent Massey et Jean Drapeau. COMMENT a-t-on nommé cette récompense?

L'ORDRE DU CANADA

475) On apprend en 1975 que cet ex-conseiller du président Richard Nixon, un des premiers à témoigner durant l'enquête sénatoriale de l'affaire du Watergate, a vendu sa version de cette histoire pour la somme de 300,000 dollars à la maison d'édition Shuster et Shuster. QUI est-il?

JOHN DEAN

476) En 1970, la montre-bracelet quartz est mise sur le marché pour la première fois. Elle coûte 1,250 dollars. QUI en est le fabricant?

SEIKO

477) Loyd Price fait un succès de cette chanson en 1959 aux États-Unis. La version française de Sacha Distel en fait autant. Le titre est le même pour les deux versions. LEQUEL ?

PERSONNALITÉ

478) À la suite de travaux de restauration d'un montant de près de trois millions de dollars, la réouverture de ce théâtre de Washington marque l'inauguration d'un lieu historique à la mémoire d'Abraham Lincoln. NOMMEZ ce théâtre qui a présenté en 1968 sa première pièce depuis l'assassinat de Lincoln au même endroit en 1865.

FORD (bonne réponse=1 point de plus)

479) En 1974, 346 passagers et membres d'équipage sont tués lorsqu'un *DC-10* des lignes aériennes turques se désintègre en plein vol peu de temps après avoir décollé de l'aéroport de QUELLE capitale de l'ouest européen ?

PARIS (une porte de la soute à bagages mal fermée à provoqué la dépressurisation de l'appareil qui s'est alors désintégré)

480) En 1963, le gouvernement de Jean Lesage décide d'augmenter le salaire des députés de 50 %. QUEL est le nouveau traitement des députés ; 9,000 dollars, 12,000 dollars OU 15,000 dollars ?

QUINZE MILLE DOLLARS

481) *Mater et Magistrat*, un document traitant du matérialisme et de la régulation des naissances est publié en 1961. De QUOI s'agit-il et QUI l'a publié ?

UNE ENCYCLIQUE - JEAN XXIII (1 point par bonne réponse)

482) QUEL criminel américain a choisi de témoigner sur les agissements de la Cosa Nostra devant un comité sénatorial en 1966, témoignage qui a conduit à l'arrestation de plusieurs membres du monde interlope ?

JOSEPH VALACHI (bonne réponse=2 points de plus)

483) En 1962, le scientifique américain John F. Enders découvre un nouveau vaccin qui à partir de 1966 sera administré à la grandeur du pays aux enfants souffrant de QUELLE maladie ?

ROUGEOLE

484) Après avoir emprunté 100 mille dollars pour acheter 12 vieux avions-cargos, cet entrepreneur britannique lance durant les années 50 une compagnie aérienne indépendante qui se nomme British United. Après une querelle avec un associé en 1966, il fonde une autre compagnie de vols nolisés qui porte son nom. QUI est cet homme qui a révolutionné le transport aérien ?

FRED LAKER (Laker Airways). (Bonne réponse=1 point de plus)

485) Ce chanteur inconnu enregistre son premier 45 tours en 1962. Le titre de la chanson qui lancera sa carrière est *Belles, Belles, Belles*. QUI est-il?

CLAUDE FRANÇOIS

486) QUEL complexe regroupant hôtel, rame de métro, boutiques, bureaux et stationnement est inauguré à Montréal en 1967?

PLACE BONAVENTURE

487) En 1956, trois Canadiens audacieux ont réussi à traverser l'Atlantique à bord d'un radeau en 88 jours. COMMENT se nommait le radeau qui, il faut le dire, n'a pas porté son nom?

L'ÉGARÉ II (Henri Beaudout, Gaston Vanackère, Marc Modena).
(Bonne réponse = 3 points de plus)

488) La répétition générale menant à la conquête de la lune, a eu lieu au mois de mai 1969 lorsque les astronautes de la mission Apollo X se sont approchés à neuf milles de la surface lunaire, afin de trouver un endroit où le module lunaire d'Apollo 11 pourrait se poser. Le module de commande s'appelait Charlie Brown et restait en orbite pendant que le module lunaire volait à 50,000 pieds du sol lunaire. COMMENT se nommait ce module?

SNOOPY (les 3 astronautes:Thomas Stafford, John Young et Eugene Cernan).
(Bonne réponse = 2 points de plus)

489) QUEL jeune ténor québécois a enregistré avec le grand soprano Joan Sutherland l'opéra *I Puritani* de Bellini pour la compagnie London en 1963?

PIERRE DUVAL (bonne réponse=1 point de plus)

490) QUELLE nouvelle expression américaine de 1975 se prêtant difficilement à la traduction, est aussi utilisée en français pour décrire une personne importante d'un tempérament plutôt effacé et démontrant peu d'émotion?

LOW PROFILE

491) En 1970, la marine britannique, la Royal Navy, abolit une tradition quotidienne vieille de 283 ans auprès de ses membres d'équipage, la jugeant dépassée. QUELLE était cette pratique plutôt agréable et qui manquera à ses adeptes?

LA RATION DE RHUM (la marine canadienne l'abolira en 1972)

492) Le pape Paul VI a été le premier souverain pontife à voyager en avion. Lors de son premier vol en 1964, OU a-t-il choisi de se rendre?

EN TERRE SAINTE

493) *Aquarius, Let the Sunshine In*, mélodie popularisée par le groupe The 5th Dimension en 1969, était un extrait de QUELLE comédie musicale?

HAIR

494) En 1963, la compagnie aérienne Pan Am, fait l'achat d'un nouvel appareil corporatif à réaction pouvant transporter 14 passagers. Peu de temps après, Pan Am lui donnera le nom de Falcon. QUI en était le fabricant?

DASSAULT (qui l'avait d'abord appelé Mystère 20)

495) En 1975 meurt la célèbre Agatha Christie, créatrice du détective *Hercule Poirot*. Durant les années 40, elle a écrit son derniez roman policier et dans lequel meurt *Poirot*. Mais elle a exigé de la maison d'édition Pocket Books, en retour d'une somme de 925,000 dollars, que le roman ne soit publié qu'au jour de sa mort. QUEL est le titre de son dernier roman policier?

CURTAIN (rideau)

496) 1967 est une année qui marque cette interprète québécoise de la chanson. Elle connaît un premier succès populaire avec la chanson *Shippagan* de Michel Conte puis effectue une tournée du Québec avec Jacques Brel. Elle est aussi invitée à l'émission de Johnny Carson et reçoit peu de temps après le trophée de meilleure interprète au Gala des Artistes. QUI est-elle?

RENÉE CLAUDE

497) En 1975, la fille d'un important magnat des médias américains est arrêtée par le F.B.I. et accusée de vols de banque. Le F.B.I. appréhende en même temps les derniers membres d'une secte secrète qui l'avaient enlevée en 1974. QUEL est le nom de cette fille?

PATRICIA HEARST (fille du richissime Randolph Hearst)

498) QUEL édifice de Toronto est devenu en 1975 le plus élevé au Canada avec ses 72 étages?

FIRST CANADIAN PLACE (bonne réponse=1 point de plus)

499) QUEL homme politique québécois a publié en 1965 *Égalité ou Indépendance*?

DANIEL JOHNSON (père)

500) QUELLE chanson des Beatles est demeurée au premier rang du palmarès durant neuf semaines en 1968, une première pour eux?

HEY JUDE

501) Après l'exploit du néo-zélandais Edmund Hillary en 1953, celui d'être le premier à atteindre le sommet du mont Everest, il a fallu attendre 4 ans avant que l'exploit soit répété. Ainsi, en 1957, une équipe de quatre alpinistes de QUELLE nation européenne a atteint le sommet haut de 8846 mètres?

SUISSE

502) De toutes les très grandes villes du monde, LAQUELLE a connu la plus forte augmentation de sa population métropolitaine entre 1950 et 1970? Et QUEL a été son pourcentage d'augmentation?

SAO PAULO (Brésil) - DE 340% - (de 2,4 millions à 8,1) (jeu de 60% +/- alloué). (Bonne réponse pour la 2ᵉ réponse=2 points de plus)

503) QUEL État américain a été violemment secoué par un tremblement de terre en 1964? 66 personnes ont été tuées et la principale ville de l'État a été presque totalement détruite. En plus de l'État, NOMMEZ aussi la ville.

ALASKA – ANCHORAGE (1 point par bonne réponse)

504) Lorsque le premier microsillon du jeune pianiste canadien Glenn Gould paraît sur étiquette Columbia en 1956, il est acclamé par la revue *Time* qui dit que l'œuvre choisie, *Les Variations Goldberg*, «est sans doute comme le vieux maître l'aurait interprétée». De QUEL compositeur s'agit-il?

BACH

505) QUEL pays d'Asie est victime en 1974 d'inondations, qui, suivies d'épidémies de choléra et de petite vérole, font plus de 100,000 morts?

LE BENGLADESH

506) Un tunnel sous le Mont-Blanc est ouvert à la circulation routière en 1964. QUEL nom porte ce tunnel qui relie l'Italie à la Suisse?

GRAND SAINT BERNARD (un 2ᵉ tunnel, celui du Mont-Blanc sera ouvert en 1965)

507) Le monde du transport a perdu en 1961 un important membre de sa famille au Canada, une victime du progrès. LEQUEL?

LA LOCOMOTIVE À VAPEUR (son retrait des rails avait commencé en 1955)

508) Après avoir refusé d'accepter ses compositions pendant dix ans, Edith Piaf a le coup de foudre en 1960 pour la chanson *Non, je ne regrette rien*. À QUEL compositeur interprète venait-elle de céder finalement?

CHARLES DUMONT

509) En 1957, le grand chapiteau est remplacé par le grand théâtre construit au coût de deux millions de dollars au festival de Stratford en Ontario. QUEL acteur canadien a été choisi pour le rôle-titre de la pièce *Hamlet* de Shakespeare lors de l'inauguration de ce nouveau théâtre?

CHRISTOPHER PLUMMER

510) QUEL grand musicien espagnol, mort en 1973, avait déclaré durant les années 40 après avoir quitté son pays parce qu'il refusait d'appuyer le régime de Francisco Franco, qu'il était «avant tout un homme puis un artiste»?

PABLO CASALS (violoncelliste)

511) Les missions Apollo 11 et 12 ont permis aux astronautes américains de fouler le sol lunaire en 1969. Le module lunaire d'Apollo 11 s'est posé dans la mer de la tranquillité. COMMENT a-t-on appelé l'endroit où s'est posé le module d'Apollo 12?

L'OCÉAN DES TEMPÊTES (bonne réponse = 1 point de plus)

512) NOMMEZ le célèbre trafiquant canadien de narcotiques qui s'est évadé de la prison de Bordeaux en 1965 en utilisant un boyau d'arrosage pour escalader un mur avec un complice et ainsi s'échapper en faisant de l'auto-stop.

LUCIEN RIVARD (il avait reçu la permission du gardien d'arroser la patinoire extérieure par une température de +5. degrés. Il a été capturé au Texas 3 mois après)

513) QUELLE chanson extraite du film *Butch Cassidy and the Sundance Kid*, a été proclamée en 1969 la meilleure lors de la remise des Oscars. Burt Bacharach en était le compositeur. QUEL est son titre?

RAINDROPS KEEP FALLING ON MY HEAD

514) QUELLE voiture lancée en 1964 par Chrysler, est devenue en 1970 le dernier des rejetons de l'orgie des performances vécue par l'Amérique? Elle offrait un moteur 8-cylindres de 7,2 litres d'une puissance maximale de 425 c.v. Elle pouvait atteindre une vitesse de 235 kilomètres heure.

LA BARRACUDA (de Plymouth)

515) En 1965, la compagnie DeHavilland Canada a construit le premier bimoteur commercial à décollage et atterrissage court. Il pouvait servir au transport des passagers ou des marchandises. COMMENT s'appelait-il?

TWIN OTTER (il est éventuellement devenu l'avion canadien le plus vendu)

516) La population du Canada après le 2e conflit mondial en 1945 était de douze millions d'habitants. La période du baby-boom a alors débuté. COMBIEN d'enfants cette période a-t-elle donné au Canada entre 1946 et 1966?

NEUF MILLIONS (ajoutés au nombre d'immigrants, le total passe à 11 million 600,000)

517) QUELLE brasserie nord-américaine a été la première à offrir la bière légère en 1975?

MILLER (aux États-Unis)

518) Fondateur de la revue *L'Express* en 1953, ce journaliste et écrivain a publié en 1966 *Le Défi américain*, un grand succès de librairie. QUI est-il?

JEAN-JACQUES SERVAN-SCHREIBER

519) QUELLE partie du monde produisait le plus de pétrole en 1960: l'U.R.S.S., le Moyen-Orient, l'Amérique du Nord, l'Afrique ou l'Amérique latine?

L'AMÉRIQUE DU NORD (35,5 % de la production, le Moyen-Orient, 25,2 %)

520) QUEL grand paquebot, ex-gagnant du ruban bleu pour la traversée la plus rapide de l'Atlantique en 1952, est retiré du service transatlantique en 1969 parce qu'il ne peut plus concurrencer la rapidité et le confort des avions?

LE UNITED STATES

521) QUELLE capitale d'un pays de l'Amérique centrale a été en grande partie détruite par un tremblement de terre qui a fait 8 mille morts en 1972?

MANAGUA (Nicaragua)

522) QUELLE a été la première chanson à succès des Rolling Stones à être vendue à plus d'un million d'exemplaires en 1965?

SATISFACTION (I Can't Get No ....) (en 1966, 4,5 millions avaient été vendus)

523) Deux comiques français font des débuts remarqués et prometteurs à Paris en 1960. Un se nomme Raymond Devos. QUI est l'autre?

FERNAND REYNAUD (bonne réponse=1 point de plus)

524) QUEL grand chef d'orchestre européen, a invité en 1957 le pianiste canadien Glenn Gould à venir donner un concert après avoir entendu son premier enregistrement, *Variations de Goldberg de Bach*?

HERBERT VON KARAJAN (Berlin)

525) QUEL bimoteur turbopropulsé européen mis en service en 1958, a été vendu à plus de 600 exemplaires, un sommet pour un avion turbopropulsé dans le monde libre? Il a aussi été construit sous licence aux États-Unis.

LE F-27 (de Fokker, Pays-Bas. L'Ilyushin-18 soviétique a été produit en plus grand nombre mais a été moins vendu à l'étranger que le F-27)

526) Cette chanson, *Amenez-en d'la pitoune*, interprétée par Jacques Labrecque en 1959, a connu un beau succès auprès des adeptes de la chanson style folklorique. QUI l'a composée?

GILLES VIGNEAULT

527) En 1971, Stéphanie Kwolek et une équipe de chercheurs de la compagnie Dupont découvrent une fibre synthétique robuste et très résistante au feu et à la corrosion. COMMENT a-t-on appelé cette fibre depuis lors utilisée dans les cuisines et les industries, en particulier l'aéronautique?

KEVLAR (cinq fois plus résistante que l'acier)

528) QUELLE auteure française publie entre 1958 et 1972 son autobiographie en quatre volumes dont le dernier a pour titre *Tout compte fait*? Elle avait reçu le prix Goncourt en 1954 pour son roman *Les Mandarins*.

SIMONE DE BEAUVOIR

529) Cet exploit n'avait pas été réussi depuis 1909. Il faudra 44 jours à deux Canadiens et deux Américains pour atteindre leur objectif en 1968. LEQUEL?

ATTEINDRE LE PÔLE NORD (à l'aide de motoneiges)

530) QUEL fabricant américain de voitures a innové en 1958 en dotant ses modèles luxueux d'un dispositif de régulation de vitesse communément appelé « cruise control » ?

CHRYSLER

531) Début des années 60 en France, c'est le temps des jeunes chanteuses : Sylvie Vartan, Françoise Hardy, France Gall et QUELLE autre qui en 1963 nous donne la chanson *L'école est finie* ? 350,000 45 tours de ce disque se vendent en peu de temps. QUI était cette gamine de 16 ans ?

SHEILA (bonne réponse=2 points de plus)

532) Avec la croissance phénoménale du trafic aérien, cette capitale européenne inaugure QUEL nouvel aéroport en 1961 afin de désengorger celui qui servait de point d'entrée pour tous les transporteurs depuis les années vingt ?

ORLY (Paris. Il remplace Le Bourget qui demeure un aéroport civil)

533) En 1970, un nouveau stimulateur cardiaque d'une durée de 10 ans est mis au point par des scientifiques français. QUELLE était sa particularité ?

SA PILE ÉTAIT NUCLÉAIRE (alimentée par du plutonium)

534) Les théâtres d'été au Québec remontent aux années 50 avec des précurseurs comme Pierre Dagenais et Jacques Normand. Mais la véritable passion pour les producteurs et qui devint contagieuse pour les amateurs de théâtre fut véritablement lancée en 1960. NOMMEZ le premier théâtre d'été à servir de tremplin pour tous ceux qui ont suivi. Et dites QUI l'a fondé en 1960 ?

LE THÉÂTRE DE LA MARJOLAINE (à Eastman) - MARJOLAINE HÉBERT
(2ᵉ réponse = 1 point de plus)

535) C'est la princesse Grace de Monaco qui a mis à la mode en 1959 ce sac aux couleurs distinctives et aux dimensions variées pour femmes. Il portait le nom du fabricant et avait un prix d'achat élevé. LEQUEL ?

HERMÈS

536) Malgré l'usage répandu de la pénicilline pour combattre les maladies vénériennes, le taux de victimes de ces maladies atteint en 1970 le niveau le plus élevé depuis le début des années 50 en Amérique du Nord. Plus de trois millions de personnes sont atteintes. LAQUELLE de ces maladies vénériennes est la plus répandue ?

LA GONORRHÉE

537) Un mot anglais devient associé aux usagers de la drogue en 1968 et passe rapidement au vocabulaire international. C'est un terme générique pour désigner les drogues synthétiques. QUEL est ce mot ?

SPEED

538) Interprétée par Dominique Michel, cette chanson a terminé au deuxième rang du Concours de la chanson canadienne en 1957. QUEL en est le titre ?

SUR L'PERRON

539) D'une hauteur équivalente à celle d'un édifice de 36 étages et d'une puissance de cent quatre-vingt millions chevaux-vapeur, une nouvelle version de cette fusée développée sous la direction de Herbert Von Braun, est utilisée pour la mission Apollo 4 en 1967. QUEL est son nom ?

SATURNE 5 (elle servira à toutes les autres missions Apollo)

540) QUEL grand prix littéraire français a été fondé en 1958 ? Il est décerné le même jour de novembre que le prix Fémina.

LE PRIX MÉDICIS (il a été gagné par la québécoise Marie-Claire Blais en 66)

541) C'est la Banque Impériale de Commerce qui a été la première au Canada en 1969 à offrir QUEL service personnalisé à ses clients ?

GUICHET AUTOMATIQUE (il faudra 10 ans avant qu'il devienne populaire)

542) C'est à la fin des années 60 que naît cette expression qui exprime la fierté des Noirs et éveille chez les Blancs un intérêt pour la culture du peuple noir. QUELLE est cette expression ?

BLACK IS BEAUTIFUL

543) QUELLE nouveauté la compagnie de téléphone Bell a-t-elle offerte à ses clients canadiens en 1956 ?

DES APPAREILS DE COULEUR (ils avaient toujours été noirs)

544) QUE représente le nom *Abbey Road* donné à l'album de 1969 des Beatles et qui s'est vendu à plus de cinq millions d'exemplaires en un an ?

NOM DES STUDIOS D'ENREGISTREMENT DES BEATLES À LONDRES

545) Une nouvelle expression lancée par la presse voit le jour en 1968, lorsqu'un important groupe de femmes perturbe le concours Miss America à Atlantic City en jetant leurs sous-vêtements dans les «poubelles de la liberté». QUEL nom a-t-on donné à ce mouvement qui voulait manifester contre cette cérémonie jugée dégradante pour l'image des femmes ?

WOMEN'S LIB (Women's Liberation Movement)

546) QUEL musicien canadien a composé la chanson *Canada*, mélodie officielle des fêtes du centenaire du pays en 1967 ?

BOBBY GIMBY (bonne réponse=1 point de plus)

547) La compagnie American Motors met sur le marché en 1972, un véhicule tout-terrain de loisir qui deviendra le plus coté de sa catégorie en Amérique du Nord. QUEL nom lui a été donné ?

CHEROKEE

548) Déclarant que la pratique était vide de signification, le pape Paul VI déclare en 1972 qu'elle est dorénavant laissée à la discrétion des séminaristes qui aspirent au sacerdoce. De QUELLE tradition, remontant au Ve siècle pour les futurs prêtres et moines, s'agit-il?

LA TONSURE SUR LE DESSUS DE LA TÊTE

549) QUEL romancier québécois a écrit en 1961 *La Corde au cou* et l'année suivante *Délivre-nous du mal*?

CLAUDE JASMIN

550) QUI est l'homme d'affaires américain qui a donné le nom d'une de ses filles à sa chaîne de restaurants de hamburgers en 1969?

DAVE THOMAS (restaurants Wendy's)

551) QUELLE chanson douce de 1965 est devenue au fil des ans la mélodie populaire la plus enregistrée de toute l'histoire de la chanson pop?

YESTERDAY (de Paul McCartney)

552) QUEL était le nom de la première pilule anticonceptionnelle fabriquée par la compagnie Searle aux États-Unis et mise sur le marché en 1960?

ENOVID (inventée par l'Américain Gregory Pincus). (Bonne réponse = 2 points de plus)

553) En 1971, les Américains se posent pour une troisième fois sur la lune. QUEL astronaute de grande notoriété accompagne Edgar Mitchell sur la surface lunaire?

ALAN SHEPARD (il avait été le premier américain dans l'espace en 1961)

554) En 1969, plusieurs campus universitaires canadiens sont la scène de manifestations d'étudiants antillais qui accusent les autorités de racisme. Au Québec, ils commettent des actes de vandalisme dans une université qui mènent à l'arrestation de 97 des leurs. Les dégâts se chiffrent à un million 400 dollars. NOMMEZ cette université.

SIR GEORGE WILLIAMS (Montréal)

555) NOMMEZ le président de la Cour européenne des droits de l'homme qui a reçu en 1968 le prix Nobel de la paix.

RENÉ CASSIN (bonne réponse=3 points de plus)

556) QUEL genre de complet très classique pour hommes revient à la mode en 1961 en Amérique du Nord?

LE COMPLET TROIS-PIÈCES AVEC VESTON BOUTONNÉ EN CROISÉ

557) Un an après le début de la crise mondiale du pétrole de 1973, l'expression vieillotte «L'or noir» revient à la mode. Et une nouvelle reliée au coût sans cesse croissant du baril de pétrole voit le jour. LAQUELLE?

PÉTRODOLLAR

558) QUI a été en 1960 la première chanteuse européenne à faire carrière sans cacher ses lunettes? Sa première chanson à succès à été *Roses de Corfou*.
NANA MOUSKOURI

559) QUELLE méthode révolutionnaire pour rétablir les battements du cœur est utilisée avec succès pour la première fois en 1962?
L'USAGE D'UN DÉFIBRILLATEUR (pour administrer des chocs électriques)

560) Haut de 43 étages, le plus haut édifice de la ville de Montréal est inauguré en juin 1962. De QUEL édifice s'agit-il?
BANQUE IMPÉRIALE DE COMMERCE (angle Peel et Dorchester)

561) Deux marginaux de la chanson se retrouvent en tête du palmarès de la chanson en France en 1969: Léo Ferré avec *C'est extra* et Georges Moustaki avec QUELLE chanson?
LE MÉTÈQUE

562) QUEL homme d'affaires de Rimouski a été président de Québec-Téléphone de 1952 à 1970 après avoir succédé à son père?
JACQUES BRILLANT (la compagnie avait 1,587 employés en 1970)

563) QUELLE voiture de General Motors de 1959 possédait les ailerons arrières les plus effilées et les plus prononcées de cette époque?
LA CHEVROLET

564) Le plus gros radiotélescope au monde est inauguré à Jodrell Bank en Angleterre en 1957. Il sert peu de temps après à repérer dans l'espace le satellite soviétique Spoutnik. QUI en a été le concepteur et constructeur?
BERNARD LOVELL (astronome et scientifique britannique)

565) NOMMEZ la chanson composée par Henry Mancini pour le film *Breakfast at Tiffany's* qui a été popularisée par le chanteur Andy Williams en 1961?
MOON RIVER

566) NOMMEZ le premier laboratoire spatial que les Soviétiques ont placé en orbite en 1971, environ 2 ans avant les Américains.
SALYOUT (trois astronautes ont passé 23 jours dans la station en juin 1971). (Bonne réponse=1 point de plus)

567) Lorsqu'en 1969 les gros canons du secteur privé trouvent que l'État prend trop de place, ils se regroupent au sein de QUEL mouvement afin d'être solidaires dans leurs négociations avec le gouvernement québécois?
LE CONSEIL DU PATRONAT

568) L'aménagement du centre des arts Lincoln à New York, prend fin après 10 ans de travaux en 1969 avec l'inauguration de QUELLE célèbre école de musique?
JULLIARD (la plus réputée en Amérique du Nord)

569) Phil Davis, le créateur du plus célèbre magicien de l'histoire des bandes dessinées, meurt en 1964 à l'âge de 58 ans. QUI était ce magicien qui était vu dans 253 journaux nord-américains au moment de la mort de son auteur qui l'avait créé en 1934?

MANDRAKE LE MAGICIEN

570) Le monde de la publicité vit en 1975 un moment sans précédent lorsque deux grands concurrents s'entendent pour soumettre aux consommateurs un test de dégustation comparatif de leurs produits sans les identifier. QUI étaient ces concurrents dont l'idée sera rapidement imitée?

PEPSI-COLA - COCA-COLA

571) Un incendie dans un édifice neuf de 25 étages fait 189 morts dans cette ville de six millions d'habitants en Amérique du Sud en 1974. NOMMEZ-la.

SAO PAULO

572) QUELLE célèbre ballerine européenne a déclaré en 1962 que «Rudolf Nureyev lui avait procuré une seconde carrière...comme un été des Indiens...», après avoir dansé avec le célèbre danseur russe lors de la première du ballet Gisèle à Londres?

MARGOT FONTEYN (elle avait fait ses débuts en 1934)

573) Serge Gainsbourg et Jane Birkin ont obtenu un succès de scandale en 1969 avec QUELLE chanson?

JE T'AIME MOI NON PLUS (bonne réponse=1 point de plus)

574) Si les années 50 ont été dans le monde de la mode l'âge du nylon, les années 60 ont été celui de l'acrylique et du polyester. Entre les deux, dès 1959, apparaît au Canada un autre tissu polyamide symbolisant la modernité, la vie facile et pratique. QUEL nom commercial lui a-t-on donné?

LE TERGAL (bonne réponse=1 point de plus)

575) En 1975, le gouvernement américain ordonne aux 50 États d'imposer aux automobilistes le virage à droite sur un feu rouge après un bref arrêt dans toutes les villes. Il fixe aussi la vitesse maximum sur les autoroutes à 55 milles à l'heure. QUELLE raison a-t-il invoquée pour imposer ces deux lois?

L'ÉCONOMIE D'ESSENCE (le choc pétrolier de 1973 faisait encore mal)

576) QUEL pays européen important est le premier d'Europe occidentale à enregistrer plus de décès que de naissances en 1972?

LA RÉPUBLIQUE FÉDÉRALE ALLEMANDE

577) Les Beatles ont donné leur dernier spectacle public en 1966 aux États-Unis. Dans QUELLE ville?

SAN FRANCISCO (au parc Candlestick. Ils se sont séparés en 1970)

578) LEQUEL des 23 albums de Hergé, publié en 1963, est le seul dont l'héroïne est une femme? Dans le monde de *Tintin* où les femmes n'ont pas de place, le dessinateur belge nous présente une grosse dame blonde aux mille défauts qu'on dit féminins.

LES BIJOUX DE LA CASTAFIORE (L'héroïne: Bianca Castafiore!)

579) QUELLE grande maison internationale de haute couture a inauguré une division de vêtements pour hommes en 1974 et s'est empressée de les identifier en faisant broder ses initiales sur chacun de ses vêtements vendus en magasin?

YVES SAINT LAURENT

580) Le premier module lunaire qui s'est posé sur la lune en juillet 1969 s'appelait *Eagle*. COMMENT se nommait celui de la mission Apollo 12 qui s'est posé sur la lune quelques mois plus tard?

INTREPID

581) QUELLE chanteuse québécoise a fait un succès de la chanson *Et c'est pas fini* en 1973, une composition de Stéphane Venne?

EMMANUELLE

582) QUEL titre royal britannique accordé pour la dernière fois en 1911 au prince Edouard, est donné au prince Charles en 1969?

PRINCE DE GALLES (désignant ainsi l'héritier à la couronne royale)

583) Le sous-marin atomique américain Triton revient à la surface au large du Delaware en 1960, après avoir parcouru sous l'eau 67,000 kilomètres sans jamais faire surface, soit une fois et demi le tour de la terre. COMBIEN de jours est-il resté sous l'eau: 33 jours, 58 jours, 83 jours OU 105 jours?

QUATRE-VINGT TROIS JOURS

584) C'est en 1963 que la première université francophone des Maritimes est inaugurée. COMMENT se nomme-t-elle?

UNIVERSITÉ DE MONCTON

585) Après l'entassement d'adolescents dans les cabines téléphoniques, le vol de sous-vêtements d'étudiantes sur les campus universitaires et les longues journées assis au sommet d'un poteau devenu lieu de séjour pour les mordus des records Guinness, une nouvelle folie d'adolescents envahit notre monde en 1974. L'exercice dure rarement plus de 30 secondes. QUELLE est cette folie qui n'a duré que deux ans?

*COURIR NU ET VITE EN PUBLIC (on a qualifié les adeptes de **nuvites**)*

586) En plus d'être accusé d'avoir assassiné le président John Kennedy, Harvey Lee Oswald a été accusé d'un autre meurtre. LEQUEL?

J.D. TIPPIT (un policier de Dallas, meurtre commis après celui du président)

587) QUI a écrit la série d'essais *La crise de la conscription de 1942* publiée en 1962? Cet ouvrage devient un manifeste pour les nationalistes québécois durant les années qui suivent.

ANDRÉ LAURENDEAU (journaliste, animateur, auteur, homme politique)

588) Une expérience concluante des autorités policières américaines en 1957, devient en quelques années une pratique courante en Amérique du Nord pour arriver à condamner les automobilistes coupables de QUEL délit?

CONDUITE EN ÉTAT D'ÉBRIÉTÉ (invention de l'alcootest)

589) COMBIEN d'enfants la femme québécoise mettait-elle au monde en moyenne en 1956?

3,82 (Jeu de .50 + ou - alloué)

590) En 1960, Michel Caron, les frères Jean-Clément, Serge Drouin et Pierre Therrien forment un groupe vocal et se donnent le nom de *Special Tones*. Avec l'arrivée en 1961 d'un 5e membre, Gilles Girard et d'un nouveau gérant en 1964, ils changent de nom et dès lors, les succès se multiplient. Parmi eux, la chanson *Ton amour a changé ma vie*. NOMMEZ ce groupe.

LES CLASSELS

591) En 1975 meurt cette grande artiste du music-hall français des années 20, 30 et 40, reconnue pour son exubérance, ses yeux qui louchent et ses costumes plutôt osés quand elle en portait un. Elle avait qualifié Maurice Chevalier de «grand artiste mais aussi de petit être humain». QUI était-elle?

JOSÉPHINE BAKER (Américaine née à Saint Louis)

592) La micro-informatique a été révolutionnée par l'invention de la compagnie I.B.M. en 1970 de cet accessoire quasi indispensable. NOMMEZ-le.

LA DISQUETTE

593) La ville de New York surtout, mais aussi d'autres villes du Nord-Est des États-Unis et du Canada, ont enregistré un taux de natalité plus élevé que la moyenne au mois d'août 1966. QUELLE explication a été donnée?

UNE PANNE DE COURANT DE 14 HEURES EN NOVEMBRE 1965

594) QUEL groupe rock britannique a battu tous les records de vente en Grande-Bretagne en 1974 avec l'enregistrement de *Bohemian Rhapsody*, une œuvre de six minutes qui associe balade, hard-rock et heavy métal?

QUEEN (bonne réponse=1 point de plus)

595) Fortement concurrencée par les *Mercedes* et *BMW*, General Motors décide de diminuer la taille de sa *Cadillac* et de la rendre plus économique alors que la crise du pétrole fait rage en 1975. QUEL modèle est alors offert?

LA SÉVILLE

596) Les Beatles détiennent la marque de tous les temps chez les chanteurs, individuels ou en groupes, pour le plus grand nombre de chansons à succès ayant tenu le premier rang du palmarès. QUEL est ce chiffre inscrit entre 1964 et 1969.

VINGT (jeu de 3 + ou - alloué)

597) Grâce au film, le roman *Jaws*, qui a inspiré Steven Spielberg à en faire une version cinématographique, se vend à un rythme effréné. Près de 10 millions d'exemplaires sont vendus avant la fin de 1975. QUI en est l'auteur?

PETER BENCHLEY (bonne réponse=2 points de plus)

598) QUELLE Canadienne, première mairesse de l'histoire du pays au début des années 50, a déclaré après sa retraite de la politique en 1972: «Quoi que fasse la femme, elle doit le faire deux fois aussi bien que l'homme pour être considérée à demi-efficace. Heureusement, ce n'est pas difficile»?

CHARLOTTE WHITTON (mairesse d'Ottaawa. Elle est décédée en 1975 à l'âge de 79 ans)

599) QUELLE île du golfe du Saint Laurent a été rétrocédée à la province de Québec en 1974 après avoir été la propriété de la Consolidated Bathhurst depuis 1926?

ANTICOSTI

600) La popularité de ces pianistes-duettistes américains a commencé en 1960 avec des enregistrements de la musique des films *The Apartment* et *Exodus* qui se sont vendus à des millions d'exemplaires. Cette popularité a duré durant toutes les années 60. QUI étaient-ils?

FERRANTE ET TEICHER (Arthur et Louis, diplômés de l'école Julliard)

601) Ce roman québécois de 1958 évoque la réclusion d'une jeune femme. Il a pour titre *Les Chambres de bois*. QUI l'a écrit?

ANNE HÉBERT

602) Durant les années 60 et 70, la France possédait trois compagnies aériennes internationales aux vols réguliers: Air France, Air Inter et QUELLE autre?

U.T.A. (Union des Transports Aériens). (Bonne réponse = 2 points de plus)

603) QUELLE chanson d'André Gagnon et de Luc Plamondon, enregistrée par Steve Fiset, a été un grand succès en 1970? Elle était mieux connue par une courte phrase du refrain qui parle d'une voiture, que par son titre véritable?

LES CHEMINS D'ÉTÉ - DANS MA CAMARO (1 point par bonne réponse)

604) En 1973 aux États-Unis, COMBIEN gagnait en comparaison une femme au travail, pour chaque dollar gagné par un homme?

CINQUANTE-SEPT CENTS (En 1963, le chiffre était de 63 cents). (Jeu de huit cents + ou - alloué)

605) L'hôtel le plus haut au Canada ouvre ses portes à Montréal en 1967. QUEL est le nom de cet hôtel de 38 étages?

LE CHATEAU CHAMPLAIN

606) Six missions Apollo menant des astronautes américains à la lune ont été réussies entre 1969 et 1975. DITES ce qui différenciait les trois dernières missions des trois premières?

OUTRE LES ASTRONAUTES, CHACUNE DES TROIS DERNIÈRES MISSIONS A ÉTÉ ACCOMPAGNÉE DE VÉHICULES D'EXPLORATION LUNAIRE

607) À QUEL appareil révolutionnaire, les spécialistes ont-ils fait appel pour la première fois en 1963 pour pratiquer une chirurgie des yeux?

L.A.S.E.R.

608) QUEL pianiste de concert québécois a remporté en 1973 le concours international de piano de Paris?

ANDRÉ LAPLANTE

609) QUI a été nommé archevêque de Montréal en 1968 après la démission de Monseigneur Paul-Émile Léger?

MONSEIGNEUR PAUL GRÉGOIRE

610) QUELLE comédie musicale américaine de 1972 a lancé la nostalgie des années 50 durant les années 70, mode qui a tenu le coup durant 8 ans? Une version cinématographique de cette comédie musicale a été réalisée en 1978.

GREASE

611) QUELLE ville a été choisie en 1960 pour tenir l'Exposition universelle de 1967 et s'est ensuite désistée en 1962 ouvrant ainsi la voie à la ville de Montréal?

MOSCOU

612) Une réplique de ce célèbre voilier anglais qui avait transporté les premiers colons de Plymouth en Angleterre à Plymouth au Massachusetts en 1620, réédite l'exploit en 1957. QUEL était le nom de ce bateau?

MAYFLOWER II (la traversée a duré 53 jours, 14 de moins qu'en 1620)

613) Si le président Donald Gordon du Canadien National avait cédé aux demandes des milieux nationalistes appuyés par le maire Jean Drapeau en 1954-55, le nouvel hôtel Queen Elizabeth, inauguré en 1958, aurait eu un nom français. LEQUEL?

CHATEAU MAISONNEUVE

614) La fusion de deux géants américains du rail en 1966, est la plus importante de l'histoire des États-Unis. Elle implique la Pennsylvania Railroad et QUELLE autre célèbre compagnie de chemin de fer?

NEW YORK CENTRAL

615) QUELLE importante industrie de la Rive-Sud, filiale d'une multinationale américaine, est victime d'une grève de ses 2 mille 600 employés en 1973?

   UNITED AIRCRAFT (filiale de Pratt & Whitney. Elle durera près de 2 ans)

616) QUEL chanteur américain a gagné sept trophées Grammy entre 1959 et 1966, une marque qui tenait toujours à la fin du siècle? Il s'agit des trophées remis dans les cinq principales catégories réservées aux interprètes de la chanson populaire, hommes et femmes.

   FRANK SINATRA

617) NOMMEZ l'ex-patron de la mafia de Chicago qui a été abattu en 1975. On l'avait soupçonné d'avoir participé aux tentatives d'assassinat du leader cubain Fidel Castro. Sa mort donne lieu à nombre d'hypothèses.

   SAM GIANCANA

618) QUEL lieu de divertissement en plein air, le premier ministre du Québec Maurice Duplessis a-t-il interdit à la population durant la 2e moitié des années 50, sous prétexte qu'il était une menace à la moralité?

   LE CINÉ-PARC (toutes les autres provinces l'avaient adopté. Le Québec a finalement cédé en 1967)

619) Dans QUEL opéra de Bellini, Maria Callas a-t-elle fait ses débuts au Metropolitan Opera de New York en 1956?

   NORMA

620) QUEL est le nom donné aux trophées remis annuellement depuis 1972 aux meilleurs interprètes canadiens de la chanson?

   JUNO

621) En 1963, la page couverture du magazine *Saturday Evening Post* est la dernière d'une série de 317 de ce peintre américain. QUI est-il?

   NORMAN ROCKWELL

622) Après avoir lancé le satellite Spoutnik dans l'espace en 1957, les Soviétiques ont répété l'exploit quelques mois plus tard. COMMENT se nommait ce deuxième satellite?

   SPOUTNIK II

623) QUEL artiste québécois voit sa composition *Pour les amants*, atteindre le palmarès de Billboard en 1969?

   ANDRÉ GAGNON

624) L'écrivain canadien Pierre Berton a écrit deux livres sur la construction du chemin de fer du Canadien Pacifique. Le premier s'appelait *The National Dream*. QUEL était le titre du second, publié en 1971?

   THE LAST SPIKE (bonne réponse=1 point de plus)

625) En 1965, trois scientifiques français, François Jacob, André Lwoff et Jacques Monod sont nommés récipiendaires du prix Nobel de physiologie et de médecine pour leurs découvertes relatives au contrôle génétique de l'enzyme. NOMMEZ le centre de recherches où ils travaillaient.
L'INSTITUT PASTEUR

626) C'est en 1969 que les gouvernements fédéral et du Québec s'entendent pour aménager le premier parc national au Québec. QUEL nom donnera-t-on à ce parc qui est situé en Gaspésie ?
FORILLON

627) De tous les pays producteurs de pétrole, LEQUEL en produisait le plus en 1970, avec un pourcentage de 14 % de toute la production mondiale ?
LES ÉTATS-UNIS (l'U.R.S.S. était au 2ᵉ rang avec une production de 10 %)

628) QUEL a été le premier disque millionnaire du groupe vocal Dawn en 1970 et dont le soliste était Tony Orlando ?
CANDIDA

629) C'est en 1959 que cet ex-golfeur a choisi de devenir agent d'athlètes, une profession qui jusque-là n'existait pas. QUI est-il ? ET qui a été son premier client ?
MARK MCCORMACK - ARNOLD PALMER (3 points pour 2 bonnes réponses)

630) NOMMEZ l'écrivain et critique d'art québécois qui s'est suicidé en 1974.
CLAUDE GAUVREAU

631) En 1958, la population juive atteignait douze millions de personnes à travers le monde. De ce total, seulement un million et demi vivaient en Israël. NOMMEZ les trois nations qui en revendiquaient le plus.
ÉTATS-UNIS - U.R.S.S. - GRANDE-BRETAGNE (3 bonnes réponses = 5 points - 2 bonnes réponses = 3 points - 1 bonne réponse = 1 point)

632) COMMENT se nomme la nouvelle devise monétaire que le gouvernement de l'Afrique du Sud a mise en circulation en 1961 ?
RAND (après avoir été expulsée du Commonwealth)

633) Parce qu'elle viole le premier amendement de la constitution américaine, la cour Suprême des États-Unis juge en 1963 que les écoles publiques ne peuvent plus imposer QUELLE pratique traditionnelle auprès des élèves ?
LA PRIÈRE

634) QUELLE chanson extraite de la comédie musicale *Funny Girl* de 1964, a été un des plus grands succès de Barbra Streisand ?
PEOPLE (bonne réponse = 1 point de plus)

635) QUELLE armée pas comme les autres a célébré son 100e anniversaire d'existence en 1966?

L'ARMÉE DU SALUT

636) QUELLE romancière française a publié en 1969 *Entre la vie et la mort?*

NATHALIE SARRAUTE (bonne réponse=2 points de plus)

637) Malgré une grève de plusieurs mois qui devient parfois violente et une marche sur Ottawa en 1970, quelque 450 conducteurs de QUELLE compagnie de transport n'ont pas gain de cause?

LAPALME (les gars de Lapalme)

638) Il portait le titre de colonel. Il était aussi le gérant du chanteur Elvis Presley depuis 1956. Il est rapporté que ses revenus représentaient 25 pour cent de tous les cachets du célèbre chanteur. QUI était-il?

TOM PARKER

639) QUEL nom Abbie Hoffman a-t-il donné à son mouvement de contestation en 1968? Il avait acquis sa notoriété lors des sanglantes manifestations étudiantes de 1968 lors de la convention du Parti démocrate à Chicago.

YIPPIE

640) QUEL important prix du disque français, Félix Leclerc a-t-il remporté pour une troisième fois en 1973?

GRAND PRIX DU DISQUE DE L'ACADÉMIE CHARLES CROS (il l'avait reçu une première fois en 1951)

641) QUELLE femme de grande notoriété a inspiré les femmes à favoriser la coiffure au style bouffant, les chapeaux cloches et les costumes deux-pièces signés Oleg Cassini en 1961-62?

JACQUELINE KENNEDY

642) Lors d'une visite officielle aux États-Unis en 1959, Nikita Khrouchtchev s'est vu interdire l'accès à QUEL lieu de divertissement parce qu'on ne pouvait pas garantir sa sécurité?

DISNEYLAND (en Californie)

643) QUEL sous-marin américain a réussi en 1958 à traverser la calotte polaire sous l'eau?

LE NAUTILUS (sous-marin nucléaire)

644) En 1970, le comédien Claude Blanchard a enregistré une chanson qui s'est vendue à 300,000 exemplaires, une marque sans précédent au Québec pour un 45 tours. QUEL en était le titre?

CHU D'BONNE HUMEUR (chantée par Nestor, rôle joué par Blanchard)

645) En 1968, la grande chaîne d'hôtels Sheraton est achetée par QUELLE importante multinationale de communications?

I.T.T. (International Telephone and Telegraph). (Bonne réponse=1 point de +)

646) QUEL groupe vocal a popularisé la chanson *Blowing in the Wind* en 1963?

PETER, PAUL AND MARY (chanson de protestation contre la guerre)

647) La situation des diplômés chez les Québécois francophones est plutôt inquiétante durant les années 50. QUEL est le pourcentage des francophones qui terminent leur 11e année en 1958? 13 %, 19 % ou 24 %? Ajoutons que celui des Québécois anglophones est de 36 % cette année-là.

TREIZE POUR CENT

648) QUEL album des Beatles a donné naissance au rock électronique en 1967?

SERGEANT PEPPER

649) En 1967, Svetlana Alliluyeva obtient l'asile politique aux États-Unis. À QUI doit-elle sa notoriété?

ELLE EST LA FILLE DE JOSEPH STALINE

650) C'est en 1970 que l'Agence américaine des drogues a approuvé l'utilisation de QUELLE drogue fabriquée à partir de sels d'un métal blanc alkalin? Elle était prescrite comme antidépresseur.

LITHIUM

651) En QUELLE année le Canada a-t-il été la scène d'une exécution de meurtriers pour la dernière fois au XXe siècle?

1962 - (2 meurtriers ont été pendus à Toronto). (Jeu de 2 ans +/- alloué)

652) QUELLE a été la première chanson enregistrée par René Simard en 1971? Mélodie à succès, elle a contribué au lancement de sa carrière.

L'OISEAU

653) À cause d'un tirage trop faible, la publication du seul quotidien communiste publié aux États-Unis prend fin en 1958. Il portait le même nom que son vis-à-vis qui avait cessé de publier en 1941 à Londres. LEQUEL?

THE DAILY WORKER (bonne réponse=1 point de plus)

654) QU'AVAIENT en commun durant les années 50, les groupes vocaux The Four Lads, The Diamonds et The Crewcuts?

ILS ÉTAIENT TOUS CANADIENS

655) QUI est l'auteur du best-seller américain de 1970 *Everything you Wanted to Know about Sex but were Afraid to Ask*?

DAVID RUBEN (bonne réponse=2 points de plus)

656) Le Front de libération des gais est créé en 1969 à la suite d'une confrontation entre la police et les homosexuels de QUEL quartier de New York?
    GREENWICH VILLAGE

657) COMBIEN d'astronautes américains ont foulé le sol lunaire lors des six missions d'Apollo entre 1969 et 1972?
    DOUZE

658) QUELLE chanson John Lennon et sa femme Yoko Ono ont-ils enregistrée en 1969 dans leur suite de l'hôtel Reine Élizabeth de Montréal à l'occasion de leur désormais célèbre *bed-in*?
    GIVE PEACE A CHANCE (elle leur a valu un disque d'or)

659) QUELLE célèbre pièce de théâtre Gratien Gélinas a-t-il créée en 1959?
    BOUSILLE ET LES JUSTES

660) QUELLE expression américaine fréquemment empruntée par les francophones voit le jour en 1973? Elle désigne l'attitude de ceux qui s'enflent la tête après avoir obtenu un succès quelconque et qui n'hésitent pas à utiliser tous les moyens pour atteindre leurs objectifs?
    EGO TRIP

661) QUEL pays a été le troisième au monde après l'U.R.S.S. et les États-Unis à posséder en 1962 un satellite de sa propre fabrication dans l'espace?
    LE CANADA (le satellite Alouette 1 a transmis ses signaux durant 10 ans)

662) QUEL pourcentage de toutes les voitures vendues au Canada en 1960 appartenait aux voitures importées, un chiffre qui n'a été dépassé qu'en 1982?
    VINGT-HUIT POUR CENT (jeu de 3% + ou - alloué). (Bonne réponse = 2 points de plus)

663) Après avoir fait trois orbites de la terre en 1962, cet astronaute américain n'a pas suivi les instructions de ses supérieurs à la lettre et a sérieusement compromis sa mission. La N.A.S.A. a choisi de ne plus l'envoyer dans l'espace une 2e fois alors que les autres astronautes des premières années du programme spatial y sont tous retournés au moins une autre fois. QUI était-il?
    SCOTT CARPENTER (Bonne réponse=2 points de plus)

664) Mario Bernardi est devenu le premier chef attitré de QUEL nouvel Orchestre symphonique canadien en 1969?
    OTTAWA (Centre national des arts)

665) Lorsque la crise mondiale du pétrole a éclaté en 1973, une étude de la consommation des produits pétroliers aux États-Unis a révélé que ce pays dépendait de QUEL pourcentage du pétrole étranger pour satisfaire à la demande nationale ? 35 %, 48 % OU 60 % ?

TRENTE-CINQ POUR CENT

666) QUEL matériau de base a été utilisé pour la première fois en électronique en 1958 pour la fabrication d'une puce servant à supporter des circuits intégrés ?

LE SILICIUM (bonne réponse=2 points de plus)

667) Au nombre des modes de la 2ᵉ moitié des années soixante qui ont été interdites aux employés de l'Exposition universelle de Montréal en 1967, se trouvaient la coiffure du style Beatles, la barbe et QUELLE autre pour les femmes ?

LA MINI-JUPE

668) En 1960, la compagnie de voitures japonaises Nissan livre ses premières automobiles aux États-Unis. Mais elles portent un autre nom. LEQUEL ?

DATSUN

669) Entre 1969 et 1972, sept missions Apollo ont été entreprises afin de mettre des astronautes sur la lune. LAQUELLE de ces missions n'a pas atteint son objectif à cause de sérieux problèmes techniques ?

APOLLO 13 (1970 - Les astronautes ont difficilement réussi à revenir sur terre)

670) COMMENT a-t-on appelé la journée du 21 avril 1970 aux États-Unis, lorsque des douzaines de milliers d'écologistes et de défenseurs de l'environnement, ont tenu une énorme manifestation à Washington afin d'éveiller les autorités aux dangers de la pollution et autres abus contre l'écologie ?

JOURNÉE DE LA TERRE

671) L'architecte canadien John Affleck a dessiné les plans de deux importants complexes commerciaux à Montréal durant les années 60. LESQUELS ?

PLACE VILLE-MARIE - PLACE BONAVENTURE (2 points de plus pour la 2ᵉ réponse)

672) QUEL réalisateur italien de films a inventé le mot « paparazzi » au début des années 60 pour décrire de manière péjorative les photographes qui harcèlent sans cesse les vedettes du cinéma ?

FEDERICO FELLINI (le véritable paparazzo est un reporter photographe)

673) Les compagnies américaines ont commencé à déménager leurs sièges sociaux de Montréal à Toronto durant les années de guerre et surtout d'après-guerre. Si bien qu'en 1961, Montréal n'en avait plus que 99. COMBIEN en trouvait-on alors à Toronto ? 222, 444 OU 666 ?

SIX CENT SOIXANTE-SIX

674) QUEL chansonnier québécois nous a donné l'album *Soleil* en 1971 ?
JEAN-PIERRE FERLAND

675) QUEL pays montagneux d'Amérique du Sud est devenu en 1966 le plus important exportateur de bananes au monde ?
L'ÉQUATEUR

676) QUELLE chanson de 1960 d'Elvis Presley était une version américaine du célèbre *O Sole Mio* napolitain ?
IT'S NOW OR NEVER (en 1951, Don Cornell avait aussi enregistré une version de cette mélodie italienne. Elle s'appelait : There's No Tomorrow)

677) QUEL célèbre membre de la mafia new-yorkaise est assassiné alors qu'il se fait raser la barbe dans un salon de barbier en 1957 ? On soupçonne alors le chef de la mafia de New York, Vito Genovese, du meurtre.
ALBERT ANASTASIA (bonne réponse=2 points de plus)

678) QUELLE nouvelle boisson gazeuse la compagnie Coca Cola a-t-elle mise sur le marché en 1961 ?
SPRITE (à saveur citron-limette. Pour concurrencer 7-Up)

679) De QUELLE comédie musicale de 1956 les chansons *The Rain in Spain* et *I'm Getting Married in the Morning* sont-elles extraites ?
MY FAIR LADY

680) En 1974, des spécialistes de l'environnement mettent en garde les usagers de bombes aérosols qui selon eux, contiennent une substance qui détruit la couche d'ozone lorsqu'elle est répandue en grande quantité dans l'atmosphère. QUEL nom porte cette substance ?
FLUOROCARBONE

681) Une première médicale est réalisée à Londres en 1972 : la greffe simultanée d'un rein et de QUEL autre organe vital ?
PANCRÉAS

682) COMPLÉTEZ la citation suivante de Martin Luther King : « Je veux être le frère de l'homme blanc et non son ... » ?.
BEAU-FRÈRE

683) Menacés par le nouveau barrage d'Assouan, QUELS deux temples égyptiens ainsi que quatre statues ont été déplacés à un coût de 36 millions de dollars ? Il aura fallu près de trois ans entre 1964 et 1967 pour découper et déplacer les 1050 blocs des deux temples.
ABOU-SIMBEL (bonne réponse=1 point de plus)

684) En 1967, la compagnie Procter et Gamble met sur le marché les premières couches jetables pour bébés. QUEL nom portaient-elles ?
PAMPERS

685) QUEL critique et écrivain canadien a publié en 1962 *The Gutenberg Galaxy*?
      MARSHALL McLUHAN (œuvre qui nous a donné : The Medium is the
      Message)

686) QUELLE chanteuse a fait de la chanson *I Honestly Love You* un disque mil-
      lionnaire en 1974?
      OLIVIA NEWTON-JOHN

687) QUEL constructeur automobile européen est le premier hors du rideau de
      fer à construire une usine de fabrication de voitures en U.R.S.S. en 1966?
      FIAT (Italie)

688) NOMMEZ l'écrivain sénégalais qui a publié en 1957 le roman *Ô Pays, mon*
      beau peuple?
      SEMBENE OUSMANE (bonne réponse=3 points de plus)

689) Alors qu'en Chine le taux de natalité est de 40 pour 1000 de population en
      1966, celui du Japon, qui était de 35 pour mille de population en 1949, chute
      considérablement en 1966. De COMBIEN est-il? 14, 20 OU 25?
      QUATORZE (une baisse de 250%)

690) QUEL pays arabe accorde aux femmes en 1958 le droit de choisir leurs
      maris? Il restreint aussi les règles sur la polygamie.
      LE MAROC

691) La romancière québécoise Anne Hébert traite dans une œuvre de 1975,
      d'un thème peu commun dans notre littérature: celui des pouvoirs
      sataniques d'une religieuse dans un couvent. QUEL en est le titre?
      LES ENFANTS DU SABBAT

692) Les chansons *Climb Every Mountain* et *My Favorite Things*, sont extraites de
      QUELLE comédie musicale présentée en première sur Broadway en 1959?
      THE SOUND OF MUSIC

693) En 1962, un an avant l'arrivée de sa première *compacte*, la compagnie Ford
      a mis sur le marché sa première voiture de catégorie intermédiaire. QUEL
      nom portait-elle?
      FAIRLANE (la Falcon est arrivée en 1963)

694) En 1958 a lieu à la Havane, l'ouverture d'un hôtel ultramoderne, le Havana
      Hilton. Après la révolution cubaine dirigée par Fidel Castro à la fin de l'an-
      née, l'hôtel est baptisé d'un autre nom en 1959. LEQUEL?
      HAVANA LIBRE

695) En 1969, un excentrique millionnaire américain a décidé d'acheter un célèbre pont d'une grande capitale européenne et de lui donner une 2ᵉ vie en Arizona. Ce pont plus que centenaire a été démoli et ses pierres ont été transportées en Arizona où il a été pour ainsi dire reconstruit dans sa forme originelle. COMMENT se nomme ce pont célèbre ?

LONDON BRIDGE (construit sur la Tamise en 1831, il allait être démoli de toute manière)

696) Entre 1967 et 1977, les prix à la consommation ont augmenté de 84 % en Amérique du Nord. QUEL a été le pourcentage d'augmentation des salaires durant la même période ? De 80 %, 92 % OU 103 % ?

QUATRE-VINGT DOUZE POUR CENT (l'inflation faisait rage)

697) En 1965, une nouvelle voiture américaine copiée sur la *Mercedes* des années 30, est mise en production limitée au prix de 7,250 dollars. NOMMEZ-la.

EXCALIBUR (en 1985, elle se vendait à 60,000 dollars)

698) Le complexe révolutionnaire d'habitations Habitat est inauguré à Montréal en 1967. QUEL architecte d'origine israélienne en a dessiné les plans ?

MOSHE SAFDE (il n'a que 28 ans). (Bonne réponse=2 points de plus)

699) QUELLE chanteuse a fait la déclaration suivante lorsqu'elle a reçu son trophée Grammy pour la chanson *I am Woman* en 1972 : « Je tiens à remercier Dieu pour ce trophée. C'est ELLE qui a rendu la chose possible » ?

HELEN REDDY (à une époque où le féminisme faisait du bruit)

700) En 1968, la Canadian Opera Company de Toronto présente en première canadienne l'opéra Louis Riel, dont la musique est de Harry Somers, et le livret du critique torontois et écrivain Mavor Moore et de QUEL dramaturge québécois ?

JACQUES LANGUIRAND (bonne réponse=1 point de plus)

CONNAISSEZ-VOUS VOTRE SIÈCLE?

Si OUI, Vous aurez du plaisir
à le revivre.

Si NON, Vous le découvrirez.

Même si le monde entier a fêté par anticipation l'arrivée d'un nouveau siècle à la fin de 1999, Pierre Dufault a choisi de poursuivre ses recherches sur l'histoire du XXe siècle. Après tout, il n'est pas encore terminé. En attendant la publication du dernier tome en novembre prochain, tome qui rappellera les événements des 25 dernières années du siècle dont l'an 2000, il vous propose son troisième ouvrage. Après les 4 952 questions des tomes I et II, il revient en force avec le rappel des hauts faits, 2 844 en tout, de la période allant de 1956 à 1975.

Pourquoi l'auteur a-t-il choisi de limiter ce troisième tome à seulement 20 ans d'histoire comparativement à 30 et 25 ans respectivement pour les deux premiers?

Tout simplement parce que l'univers a choisi de donner priorité à cette période pour laisser libre cours à son imagination, à son génie créatif et, il faut le dire, diabolique aussi. Aucune autre période du siècle, même pas la dernière, ne nous aura affublés d'un aussi grand nombre d'événements et de grands noms. Le défi était de choisir les bons, c'est-à-dire ceux qui gagneraient l'ensemble des amateurs d'histoire, la grande comme la petite, et pas seulement les érudits. Cela étant, le degré de difficulté n'a pas été dilué pour autant. Allez, faites un remue-méninges, aiguisez votre curiosité et relevez le défi que vous lance l'inépuisable Dufault!

Tableau de la répartition des questions des Tomes I, II et III

	I	II	III	Total
Nombre de questions	1 952	3 000	2 844	7 796
Questions réservées au Canada	419	825	904	2 148
Pourcentage canadien	21,5 %	27,5 %	31,8 %	27,6 %

ERRATA : Tome I - INTRODUCTION - Page 14 - 1er paragraphe, 3e et 4e lignes, Lire « neuf siècles » au lieu de « dix-neuf siècles ».

Tome I - Page 31 - Q. 25 - Réponse ; MARÉCHAL FOCH (Ferdinand)

Tome I - Page 122 - Q. 67 - Lire 1926 au lieu de 1917

Tome II - Page 43 - Q. 171 - 2e ligne - Lire « juillet 1953 » au lieu de « mars 1953 »

Tome II - Page 301 - Q. 516 - Complément de réponse ; Lire (Britannique) au lieu de (un Américain)

ADDENDUM : Tome II - Page 50 - Q. 232 - 1ère ligne - Lire « En 1954, cinq membres... »

LISTE DES SIGLES ET DES ABRÉVIATIONS

A.B.A.	Americain Basketball Association
B.B.C.	British Broadcasting Corporation
B.E.A.	British Europeen Airways
C.B.C.	Canadian Broadcasting Corporation
C.B.S.	Columbia Broadcasting System
C.C.F.	Cooperative Commonwealth Federation
C.E.E.	Communauté des États Européens
C.E.G.E.P.	Collège d'Enseignement Général Et Professionnel
C.E.Q.	Centrale d'Enseignement du Québec
C.I.A.	Central Intelligence Agency
C.I.O.	Comité International Olympique
C.O.J.O.	Comité d'Organisation des Jeux Olympiques
C.N.A.	Congrès National Africain
C.S.D.	Confédération des Syndicats d'Enseignement
C.S.N.	Centrale des Syndicats Nationaux
É.-U.	États-Unis
F.B.I.	Federal Bureau of Investigation
F.L.Q.	Front de Libération du Québec
G.-B.	Grande-Bretagne
G.M.	General Motors
I.B.M.	International Business Machines
I.T.T.	International Telephon and Telegraph
I.R.A.	Irish Republicain Army
L.A.S.E.R.	Light Amplification by the Stimulated Emission of Radiation
L.C.F.	Ligue Canadienne de Football
L.P.G.A.	Ladies Professional Golfers Association
L.S.D.	Acide Lycergique Diethylamide
M.A.S.H.	Mobile Army Surgical Hospital
N.A.S.D.A.Q.	National Association of Security Dealers Automated Quotation

N.A.S.A.	National Aeronautical and Space Administration
N.B.A.	National Basketball Association
N.B.C.	National Broadcatsing Compagny
N.C.A.A.	National Collegiate Athletic Association
N.F.L.	National Football League
O.A.S.	Organisation des Armées Secrètes
O.C.D.E.	Organisation de Coopération et de Développement Économique
O.L.P.	Organisation de Libération de la Palestine
O.M.S.	Organisation Mondiale de la Santé
O.N.F.	Office National du Film
O.N.U.	Organisation des Nations Unies
O.P.E.P.	Organisation des Pays Exportateurs de Pétrole
O.R.T.F.	Organisme de Radio et de Télévision Françaises
O.T.A.N.	Organisation du Traité de l'Atlantique Nord
P.G.A.	Professional Golfers Association
P.N.B.	Produit National Brut
P.R.Q.	Parti Républicain du Québec
R.D.A.	République Démocratique Allemande
R.F.A.	République Fédérale Allemande
R.I.N.	Rassemblement de l'Indépendance Nationale
T.C.A.	Trans-Canada Airlines
T.S.R.	Télévision Suisse Romane
U.C.L.A.	University of California and Los Angeles
U.N.E.S.C.O.	United Nations Educational Scientific and Cultural Organisation
U.R.S.S.	Union des Républiques Socialistes Soviétiques
U.T.A.	Union des Transports Aériens
V.H.S.	Video Home System
Z.I.P.	Zone Improvement Plan

INDEX
DES RÉPONSES

– *Les chiffres romains représentent les catégories*

– *Les autres chiffres représentent les numéros des questions*

INDEX DES RÉPONSES

INDEX DES RÉPONSES

BIBLIOGRAPHIE

Histoire du 20ᵉ siècle

BIBLIOGRAPHIE

100 ans d'actualité 1884 à 1984, 1984. Les Éditions La Presse Ltée

100 Greatest moments in olympic history, 1995. General Publishing Group inc.

1001 Flying Facts, 1989. Tab Books inc.

1001 Questions about Canada, 1986. John Deyell Company

101 Greatest athletes of the century, 1987. Associated Press

20th Century Baseball Chronicle, 1994. Publications Internationals Ltd.

20th Century Golf Chronicle, 1994. Publications Internationals Ltd.

20th Century Hockey Chronicle, 1994. Publications Internationals Ltd.

20th Century in Pictures, 1989. Gallery Books

American Chronicle, 1990. Crown Publisher's inc.

American Facts and Dates, 1993. Harper Collins Publishers inc.

Atlas, 1999. Beauchemin

Atlaseco, 1999. Les Editions O.C.

Baseball's Great Moments, 1985. Bonanza Books

Baseball's Fabulous Montreal Royals, 1996. Robert Davies Publishing

Book of Chronologies, 1990. Prentice Hall Press

Box Office Hits, 1996. Ballboard Books

Canada Firsts, 1992. McClelland and Steward inc.

Canada's Olympic Hockey Teams, 1997. Doubleday Canada Ltd.

Canadian Facts and dates, 1991. Fitzhenry and Whiteside

Canadian Global Almanac, 1999. MacMillan Canada

Canadian global almanac 2000, 1999. Mcmillan Canada

Cent ans de chansons françaises, 1981. Éditions du Seuil

CFL Facts and Records, 1999. Elan Press

Chronicle of 20th Century Sports, 1992. Sporting News

Chronicle of America, 1985 to 1998. Chronicle Publications

Chronicle of Britain, 1985 to 1998. Chronicle Publications

Chronicle of Canada, 1985 to 1998. Chronicle Publications

Chronicle of the 20th Century, 1985 to 1998. Chronicle Publications

Chronicle of the american automobile, 1994. Publications Internationals ltd.

Chronicle of the Olympics, 1985 to 1998. Chronicle Publications

Chronicle of the Royal Family, 1985 to 1998. Chronicle Publications

Chronique de la France, 1985 à 1998. Les Éditions Chronique

Chronique de la seconde guerre mondiale, 1985 à 1998. Les Éditions Chronique

Chronique de la télévision, 1985 à 1998. Les Éditions Chronique

Chronique de l'Aviation, 1985 à 1998. Les Éditions Chronique

Chronique de l'Humanité, 1985 à 1998. Les Éditions Chronique

Chronique du 20e siècle, 1985 à 1998. Les Éditions Chronique

Chronique du Cinéma, 1985 à 1998. Les Éditions Chronique

Chronique du Proche-Orient, 1985 à 1998. Les Éditions Chronique

Chronologie du Québec, 1991. Éditions du Boréal

Classic Cars, 1997. Book Express

Cold War, 1998. Jeremy Isaacs Productions

Dictionary of Canadian History, 1988. Bercuson and Granatstein. Collins Publishers

Dictionary of twentieth Century History, 1994. Larousse

Dictionnaire de la Chanson Française, 1986. Éditions Carrére-Michel Lafon

Dictionnaire de la Musique Populaire au Québec, 1992. Diffusion Prologue inc.

Dictionnaire des Interprètes, 1985. Robert Lafont

Dictionnaire des Sports du Québec, 1996. Libre Expression

Encyclopedia of World War II, 1978. Simon and Schuster

Encyclopédie Artistique, 1975. Publications Éclair Ltd.

ESPN Sport Almanac, 1998. Information Please LLC

Facts and Dates of American Sports, 1988. Harper and Row Publishers inc.

Figures Skating, 1994. McClelland and Steward inc.

Flying Colours, 1997. Douglas & McIntyre Ltd

Golf Magazine's Encyclopedia of Golf, 1993. Golf Magazine

Gratte-Ciel de Montréal, 1990. Le Méridien

Great Baseball Feats and Facts, 1987. Nal Penguin inc.

Great Baseball Feats and Facts, 1989. Signet

Great Lives of the Twentieth Century, 1988. Peerage Books

Guerre des Malouines, 1983. Tallandier

Guide des Voitures Anciennes, 1997. Éditions de l'Homme

Guinness Book of Answers, 1989. Guinness Publishing Ltd.

Guinness Book of Olympic Records, 1992. Guinness

Halliwell's Film Guide, 1984. Granada Publishing Limited

Histoire de Montréal depuis la Confédération, 1992. Les Éditions du Boréal

Histoire des États-Unis, 1985. Éditions du Roseau

Histoire du 20e siècle, 1994. Éditions Beauchemin Ltée

Histoire du Québec, 1998. Groupe Beauchemin

Histoire du Québec Contemporain, 1989. Les Éditions du Boréal

Histoire du Québec Contemporain 1867 à 1929, 1989. Boréal

Histoire du XXe Siècle, 1999. Beauchemin

Histoire générale du Canada, 1988. Les Éditions du Boréal

Histoire Populaire du Québec Tomes IV et V, 1997. Les Éditions du Septentrion

History of Airlines in Canada, 1989. Unitrade Press

Hollywood Trivia, 1981. Warner Books Edition

ISPN ESPN sport almanac, 1999. ISPN Books

La Belle Époque des Tramways, 1997. Les Éditions de l'Homme

La Chanson Québécoise, 1981. Éditions France Amérique

La Fin d'un Québec Traditionnel, 1994. Éditions de l'Hexagone

L'aventure du 20e siècle (2 volumes), 1995. Éditions Du Chêne-Hachette

Le 20e siècle des Femmes, 1989. Éditions Nathan Paris

Le Grand Livre du Monde, 1993. Sélection du Readers Digest

Le Journal du 20e Siècle, 1998. Larousse-Bordas

Le Livre de l'Année, 1952 à 1995. Grolier

Le livre du siècle, 1999. Éditions Transcontinal/Entreprises Grolier

Le Petit Jean Dictionnaire des noms propres du Québec, 1993. Éditions Alain Stanké

L'Encyclopédie du 20e siècle, 1993. France Loisirs

L'Encyclopédie du Canada, 1987. Éditions Internationales Alain Stanké

Leonard Maltim's Movie Guide, 1999. Signet

Les 100 films Québécois qu'il faut voir, 1995. Nuit Blanche Éditeur

Les 100 romans Québécois qu'il faut lire, 1994. Nuit Blanche Éditeur et Jacques Martineau

Les Années-Mémoires (26 volumes de 1919 à 1945), 1992. Larousse

Les Belles Voitures Américaines, 1998. Éditions Libre Expression

Les Grandes dates de l'Europe Communautaire, 1989. Librairie Larousse

Les Grandes dates des États-Unis, 1989. Larousse

Les grandes séries américaines, 1995. Huitième art éditions

Les grands détours de notre Histoire, 1998. Priorités

Les Grands événements du 20e siècle, 1992. Succès du Livre

Les Mandarins du Pouvoir, 1978. Éditions Québec Amérique

Life-50 years Special Anniversary Issue, 1986. Time Life

Life-the 50 years, 1986. Little, Brown and Company

Maestro, 1991. Éditions Jean-Claude Lattès

Mémorial de notre temps (25 volumes de 1939 à 1983), 1984. Hachette

Mémorial du Québec, 1979. Les Éditions du Mémorial (Québec) Ltée

Mes Premiers Ministres, 1991. Boréal

Million Selling Records, 1984. Arco Publishing inc.

Montréal ... La Folle Entreprise, 1991. Éditions Internationales Alain Stanké

Mont-Tremblant, 1998. Les Éditions Carte Blanche

Movie Facts and Feats, 1988. Guinness

National Hockey League Official Record Book, 1998. NHL

New York Times Almanac, 1998. New York Times

NFL 1997 Record and Fact Book, 1997. Workman Publishing Company

Nos Racines, 1983. Livres Loisirs Ltée

Olympic Games Companion, 1998. Marston Book Services

Olympics Fact Book, 1991. Guinness

Olympics Factbook, 1992. Visible Ink Press

Olympics Facts and Feats, 1996. Guinness Publishing

Oscar, 1983. Contemporary Books inc.

Oto Quiz, 1991. Formula Publications Ltd.

Our Glorious Century, 1996. The Readers Digest Association

Our Times, 1995. Turner Publishing inc.

Panorima Mondial, 16 volumes de 1968 à 1983. Éditions Académiques de Suisse

People almanach, 1999. Cader Books

Postwar years, 1992. Chancellor Press

Prime Minister's of Canada, 1987. Bison Books

Prime-Time Television, 1983. Crown Publishers inc.

Québec 2000, 1999. Éditions Fides

Rating the Movie Stars, 1983. Beekman House

Réponses à tout, 1987. France Loisirs

Serbs and Croats, 1992. Harcourt-Brace

Sport Olympique Montréal 1976, 1976. Martell

Sporting News Baseball Record Book, 1994. Sporting News Publishing Company

Sports Champions, 1995. Houghton Mifflin Company

Sports Illustrated Almanac, 1998. Time inc.

Sports Illustrated Summer Olympics, 1996. Little, Brown and Company

Sportswit, 1984. Fawcett Crest Book

Stanley Cup Fever, 1992. Stoddart Publishing Company Ltd.

Super Triavia Encyclopedia, 1977. Warner Books

Sur les Ailes du Temps, 1986. Les Éditions de l'Homme

Têtes d'affiches, 1983. Les Editions du Printemps inc.

The 20th Century – The Peoples almanac, 1999. The Overlook Press, Peter Mayer Publishers, inc.

The Babe Ruth Story, 1992. Signet

The Big Bands, 1981. Schirmer Books

The Book of Movie Lists, 1981. Arlington House Publishers

The Book of Movie Lists, 1999. Contemporary Books inc.

The Century, 1998. Capitol Cities, inc.

The Distemper of Our Times, 1968. McClelland and Stewart Ltd.

The Gangsters, 1990. Bison Books Ltd.

The Great Canadian Bathroom Book, 1991. Compact Classics inc.

The Great Luxury Liners, 1981. Dover Publications Inc.

The Habs, 1992. McClelland and Steward Books

The King Cambridge Factfinder, 1993. Cambridge University Press

The Korean War, 1984. Crescent Books

The Middle Least Conflicts, 1983. Orbis Publishing

The New York Times almanach, 1999. New York Times Company

The Peopl's Chronology, 1992. Fitzhenry and White Side Ltd.

The Spanish War, 1985. Granada Publishing

The Stanley Cup, 1989. Bison Books Ltd.

The Time Tables of American History, 1996. Touch Stone

The Twentieth Century Almanac, 1985. Bison Books Ltd.

The Universal Almanac, 1996. Andrews and McMeel

The World's Great Movie Stars, 1979. Salamander Books Ltd.

This Fabulous Century, 1969. Time-Life Books

This Fabulous Century, 1972. Time Life Books

Time almanach, 1999. Time inc.

Time Lines, 1991. Addison Wesley

Titanic-an Illustrated History, 1995. Madison Press Books

Un siècle à Montréal, 1999. Éditions du Trécarré

Victory-Canadians from War II peace, 1995. Harper Collins Publishers Ltd.

Voie, Visage et Légendes, 1986. Les Entreprises Radio-Canada

When We Were Young, 1993. Prentice Hall

Who Said What When, 1989. Bloomsbury Publishing Ltd.

Who's Who in the Twenthieth Century, 1993. Bison Books

World Data Book, 1993. Guinness

World War II, 1996. Random House

World War II, 1977. Time Life Books

World War II Almanac, 1981. Perigee Books

World War II Super Facts, 1983. Warner Books inc.

World's Greatest Disasters, 1990. Chartwell Books inc.

TABLE DES MATIÈRES